La caída del telepresidente

La caída del telepresidente

De la imposición de las reformas a la indignación social

JENARO VILLAMIL

Prólogo de
ELENA PONIATOWSKA

Grijalbo

La caída del telepresidente
De la imposición de las reformas a la indignación social

Primera edición: mayo, 2015
Primera reimpresión: agosto, 2015
Segunda reimpresión: septiembre, 2015

D. R. © 2015, Jenaro Villamil

D. R. © 2015, Elena Poniatowska, por el prólogo

D. R. © 2015, derechos de edición mundiales en lengua castellana:
Penguin Random House Grupo Editorial, S.A. de C.V.
Blvd. Miguel de Cervantes Saavedra núm. 301, 1er piso,
colonia Granada, delegación Miguel Hidalgo, C.P. 11520,
México, D.F.

www.megustaleer.com.mx

Comentarios sobre la edición y el contenido de este libro a:
megustaleer@penguinrandomhouse.com

ISBN 978-607-312-999-2

Impreso en México/*Printed in Mexico*

A mis padres, Horacio y Ernestina.

A los estudiantes de la Escuela Normal Isidro Burgos de Ayotzinapa.

Índice

Prólogo

El yucateco Jenaro Villamil, nacido al año de la masacre del 2 de octubre de 1968, puntal de la revista *Proceso*, analiza en *La caída del telepresidente* no sólo la personalidad de Enrique Peña Nieto, también examina su proyecto de nación —que a los ojos de sus opositores es inexistente—, critica las reformas estructurales con las que el priísta intentó transformar al país y muestra cómo a poco más de dos años, el gobierno peñanietista está en franca decadencia, a causa de la ineptitud para solucionar los conflictos económicos, sociales y de seguridad. Los pobres son más pobres, los niveles de violencia e inseguridad se dispararon y el presidente encopetado se quedó impávido y corto ante la crisis nacional. A EPN el cargo le ha quedado grande.

De acuerdo con Villamil, quien ha sido impulsor de la nueva ley de transparencia y jurado del premio Nuevo Periodismo Iberoamericano de la fundación Gabriel García Márquez, este sexenio se ha caracterizado por la respuesta tardía y los oídos sordos.

Contundente, dice: "La desaparición de los estudiantes [normalistas] fue el punto de quiebre de un proceso de restauración presidencialista…" La desaparición de 43 normalistas fue la gota que derramó el vaso. El gobierno peñanietista "constituye sólo un proyecto de concentración de poder, pero no un proyecto de restauración del Estado". El autor resume en tres puntos las fallas gubernamentales ante Ayotzinapa: la minimización del impacto que tendría esta masacre; una respuesta tardía ante los reclamos de justicia y, finalmente, el intento de acelerar el cierre del caso, dándole el clásico

11

carpetazo que la sociedad mexicana, sobre todo miles de estudiantes, no permitió. Gracias a ellos y a los padres de familia la memoria de los 43 se mantiene viva.

Desde su periodo como gobernador del Estado de México, una de las entidades con más feminicidios en el país, Enrique Peña Nieto se mostró prepotente, autoritario y déspota. Su mandato estuvo marcado por la violencia policiaca contra los habitantes de San Salvador Atenco que manifestaron su rechazo a la construcción de un nuevo aeropuerto en tierras ejidales. Hubo detenciones arbitrarias, uso excesivo de la fuerza pública, 26 mujeres violadas, todo bajo el amparo de la impunidad que rige en aquella demarcación. Recuerdo a dos muchachas españolas absolutamente indignadas, a quienes encontré en una placita de Santiago de Compostela manifestando su repudio al sistema mexicano, a una policía cruel y cobarde y a una justicia inexistente.

Peña Nieto dejó claro su mensaje: estaba dispuesto a pasar encima de quien fuera para conseguir sus objetivos. El joven priísta es un talentoso vendedor, hizo de sí mismo el mejor producto posible, contó con el respaldo de su antecesor y padrino Arturo Montiel, quien se quedó en la línea de salida de la contienda presidencial de 2006 cuando se pusieron en evidencia múltiples acusaciones de enriquecimiento ilícito. Con frases hechas, movimientos estudiados y escenarios bien montados por el consorcio Televisa, Enrique Peña Nieto creó la imagen de un gobernador ejemplar. Así lo asevera Jenaro Villamil: "El montaje escenográfico comenzó a ser lo más cuidado de cada uno de sus actos públicos". La silla presidencial la ocupa un hombre que sólo en apariencia es el dirigente ideal, pero en realidad sólo lee lo que ve en el *teleprompter*.

Según Jenaro Villamil, profesor de la Escuela de Periodismo Carlos Septién García, el periodo de Peña Nieto como presidente de México comenzó con prepotencia pues el 1° de diciembre de 2012 la Policía Federal tuvo que custodiar la Cámara de Diputados y el Palacio Nacional. "Peña Nieto ingresó a San Lázaro por la puerta principal y no por las laterales, como lo hicieron sus antecesores, los panistas Vicente Fox y Felipe Calderón". Orgulloso y sonriente, el mexiquense dejó claro que él era superior a los anteriores mandatarios: él sí entró por la puerta grande.

En poco tiempo fraguó lo que para sus antecesores —Carlos Salinas de Gortari, Ernesto Zedillo, Vicente Fox y Felipe Calderón— había sido imposible: convertir a Pemex en una empresa con la que cualquier capital privado —nacional y extranjero— pueda negociar. Acabó de golpe con lo que Lázaro Cárdenas decretó el 18 de marzo de 1938: el petróleo y lo que de él se obtiene dejó de pertenecer a los mexicanos. La reforma energética, "la madre de las reformas", de la que tanto alardea su secretario de Hacienda, Luis Videgaray —otro investigado por su propiedad en el Club de Golf de Malinalco—, sólo oficializó la presencia y participación de compañías extranjeras que desde hace años (como lo denunció el ingeniero Heberto Castillo) ya lucraban con los recursos mexicanos.

Con esta apertura, el saqueo será aún más grande. No sólo se trata del petróleo, está en juego la energía eléctrica (generada a través de plantas hidroeléctricas y fuentes eólicas como las del Parque Eólico de La Venta, en Oaxaca) y el gas shale. También estamos a punto de perder el agua, el recurso natural no renovable más valioso que tiene la humanidad. Los últimos días de febrero de 2015 circuló la noticia de una posible privatización del agua. Se trata de una modificación a la Ley de Aguas que favorece la participación de la industria privada, con la "supervisión" de la Comisión Nacional del Agua, para hacer cobros, decidir cuáles serán las redes de distribución y la explotación, así como la licitación de obras de infraestructura requeridas en el futuro.

Para Jenaro Villamil, coautor de la columna monsivaisiana "Por mi madre bohemios", la reforma energética avala el despojo de tierras comunales y ejidales para que las empresas que invierten en la exploración y explotación del petróleo puedan hacer uso de los terrenos sin remunerar a los propietarios. A cambio, les proponen trabajar sus propias tierras (botellita de jerez, todo lo que diga será al revés): los dueños se convierten en empleados, la tierra deja de pertenecerle a sus legítimos propietarios. Mientras el petróleo y otros hidrocarburos se encuentren en el subsuelo serán de México, en el instante en que salen a la superficie, a través de cualquier medio de extracción, dejan de pertenecer al país y todo lo que generen beneficia a las compañías trasnacionales.

La cereza del pastel es el agua, porque se utiliza en todos los procesos productivos de energía: desde la limpieza hasta la refrigeración de centrales térmicas, entre otras grandes necesidades.

En cuanto a la energía eléctrica, Villamil advierte que "45 por ciento de la generación de energía eléctrica en el país ya está en manos de grandes corporaciones privadas". Resulta indignante que en la discusión de esta reforma, la protección y conservación del ambiente no sea un tema importante, ya que el *fracking* para extraer gas es altamente contaminante, requiere miles de litros de agua que no podrán reutilizarse. Las áreas en las que se aplique este método no volverán a ser tierras de cultivo ni aptas para el ganado; así, infinidad de especies —vegetales y animales— quedarían afectadas.

El territorio mexicano corre el riesgo de convertirse en un gran desierto. La verdadera riqueza del país se encuentra amenazada por la ambición y la avaricia de una clase política de apátridas y de funcionarios de quinta.

Las reformas estructurales, respaldadas por el Pacto por México —una supuesta unión entre los tres principales partidos políticos—, fueron la carta fuerte de Peña Nieto. A fin de cuentas, se trató de una estrategia fallida para que México se "moviera" y las reformas sólo anunciaron el ambicioso regreso del PRI: "Es el retorno de un modelo autoritario, amortiguado por fuertes dosis de propaganda y dinero".

Aunque el equipo de trabajo del gobierno actual se empeña en dar una imagen de prosperidad y buenos resultados, la realidad del país es otra. El empleo informal es la principal fuente de ingresos de miles de mexicanos. El ambulantaje ha tomado la calle, los pobres venden ropa, comida, productos de belleza, los más pobres piden limosna, los franeleros y los "viene-viene, quebrándose-quebrándose" abundan. La gente vive al día.

A lo largo de su extraordinario ensayo, Villamil —quien ya ha publicado varios libros sobre política mexicana— resalta que lo más importante para la administración de Peña Nieto es la imagen que proyecta al exterior. De ahí su adhesión a las revistas *¡Hola!, Quién, Gente, Caras*. Las palabras de Jenaro Villamil son producto de una reflexión profunda, de una crítica severa y un análisis a fondo de las acciones gubernamentales a dos años del regreso del PRI al Palacio Nacional. A diferencia del gobierno, nada le deja al azar.

Desde su gestión como gobernador del Estado de México, Peña Nieto hizo un acuerdo con las dos televisoras del país para transmitir mensajes publicitarios que alabaran y avalaran sus buenos resultados. El lema "Te lo firmo y te lo cumplo" era la carta de presentación del *golden boy* apadrinado por Arturo Montiel y seis años de buena propaganda que Televisa se cobra con la nueva ley de telecomunicaciones, mejor conocida como la ley Peña-Televisa. El objetivo es "tener el privilegio del control sobre los contenidos audiovisuales en los próximos 20 años, incluyendo la posibilidad de comercializar al máximo las pantallas de la televisión abierta y las plataformas de televisión restringida".

En la actualidad, tener acceso a internet es en apariencia lo más fácil entre los usuarios, sobre todo entre los jóvenes. Internet es la puerta a fuentes de información del mundo entero, un universo de dimensiones y alcances inimaginables que los poderosos intentan controlar para que no afecten sus intereses. Basta recordar las revelaciones que hicieron Julian Assange y Edward Snowden que tanto enfadaron a Estados Unidos.

Dentro de sus ambiciones presidenciales, Peña Nieto planteó una reforma en telecomunicaciones que inicialmente beneficiaría a gran parte de la población con una televisión más abierta y democrática. Esta reforma facilitaba la creación de una televisora capaz de competir con Televisa y TV Azteca, de modo que la gama de productos aumentaría, los televidentes no se someterían a la rigurosa programación del denominado duopolio televisivo, cuya exclusividad afecta la libertad de expresión. Asimismo se proponía que la Secretaría de Gobernación vigilara y regulara los contenidos de radio, televisión e internet. Sin embargo, la posibilidad de una tercera cadena televisiva afectaba los intereses de las dos televisoras del país a quienes Peña Nieto les debe su campaña desde su periodo como gobernador del Estado de México. Por lo tanto, todo cayó en el más hondo de los vacíos.

Televisa y TV Azteca "demostraron que pueden maniobrar a su antojo a los presidentes adictos a la endeble legitimidad que da la pantalla televisiva", al conseguir que la reforma fuera modificada para que una tercera cadena de televisión fracasara y mucho menos se regularan los contenidos de las televisoras. Televisa es hoy el soporte y el coautor de las estrategias fallidas del gobierno.

Jenaro Villamil expone a Enrique Peña Nieto como un admirador de Napoleón Bonaparte y —*toute proportion gardée*— Porfirio Díaz y Álvaro Obregón, cada uno estratega, en su momento, que supo administrar el poder y crear relaciones políticas benéficas para su gestión. Peña Nieto ha intentado, no con el mismo éxito, seguir y adoptar las estrategias de estos tres personajes para lograr sus ambiciones, además de pagar los favores recibidos durante su campaña presidencial.

Ningún título más acertado para su libro que el elegido por Jenaro Villamil: *La caída del telepresidente*. Después de dos años de administración priísta, las reformas y los proyectos más ambiciosos han caído por su propio peso, al igual que la imagen de Peña Nieto afectada por sus errores.

La caída del telepresidente es una investigación minuciosa, un análisis serio, una crítica lúcida que resalta las grandes fallas del gobierno que padecemos todos los mexicanos y que son la antesala de un futuro en el que los jóvenes —la esperanza del país— no tendrán oportunidad alguna de salir adelante. ¿Qué sentirá el gabinete entero cuando ya viejo pueda recordar su gestión y darse cuenta de que dejaron sin futuro a miles de chavos y chavas que soñaban con un país más justo?

ELENA PONIATOWSKA AMOR

Introducción

El gran montaje se transformó en la gran crisis para el gobierno de Enrique Peña Nieto. En menos de tres años, el retorno del PRI a la Presidencia de la República devino en una tensa lucha entre la restauración autoritaria y la denuncia y resistencia de varios sectores sociales frente a la regresión. La llamada "segunda alternancia", desde el año 2000, se ha convertido en una segunda gran decepción.

El *Mexican moment*, sobrevendido a escala nacional e internacional como una promesa anticipada de las 11 importantes reformas estructurales del peñismo, se mostró como una gran mentira. Los mismos medios extranjeros que alabaron al joven presidente del Pacto por México comenzaron a desmontar y cuestionar las farsas. Y se encontraron con un país de narcofosas, de más de 23 mil desaparecidos, con la historia trágica de los 43 estudiantes de Ayotzinapa desaparecidos en Iguala, Guerrero, con la corrupción nada disimulada del primer círculo de colaboradores de Peña Nieto, con una reforma energética que les agradó por la extrema apertura a las grandes trasnacionales de nuestros recursos no renovables, pero que resultó ineficiente ante el declive de los precios internacionales del petróleo y el cambio estructural en el mercado energético.

A escala nacional, las reformas provocaron descontento entre los sectores más afectados: los empresarios pequeños y medianos consideraron injusta y recesiva la reforma fiscal; los maestros marcharon o denunciaron la reforma educativa, que es sólo una embozada reforma laboral; los sectores productivos del campo y las comunidades califican la reforma del artículo

27 constitucional como una autorización para el despojo; los ciudadanos no tienen ningún optimismo ante una reforma política que desmanteló el modelo del IFE; la industria de telecomunicación y los medios de comunicación decrecieron en lugar de incrementar frente a una reforma que no democratizó este sector fuertemente monopolizado; la crisis de inseguridad pública y de violaciones a los derechos humanos se agudizó a pesar de las grandes detenciones de capos del crimen organizado.

¿Por qué en menos de tres años ocurrió este auge y declive del peñismo? ¿Pecaron de omisos e ineficaces o de ambiciosos y autoritarios?

Este libro trata de explicar y documentar cómo sobrevino este proceso de decadencia. Es el resultado de un trabajo de más de una década analizando e informando sobre el fenómeno del "telepresidente", un modelo que se agotó antes de dar resultados.

En 2009, en el libro *Si yo fuera presidente. El reality show de Peña Nieto*, advertimos que en medio del desencanto ante la alternancia panista, y el fortalecimiento de poderes fácticos como el de Televisa, se engendró un modelo de ascenso político basado en un doble engaño: la popularidad fabricada desde el derroche de la mercadotecnia televisiva, así como desde la corrupción y el autoritarismo, que representan la imposición de un liderazgo sin carisma ni capacidad probada de gobernabilidad. La principal televisora y sus aliados transformados en maquinaria de poder político destruyeron al PRI, al sistema político y al incipiente modelo de competencia electoral y debate público.

No fueron suficientes las advertencias, los documentos y hechos que configuraron la amenaza del telepresidente. El grupo de poder en torno a Peña Nieto se impuso en las elecciones presidenciales de 2012. Ganó, pero no convenció. Logró el viejo sueño del Grupo Atlacomulco de escalar del poder regional al nacional, a costa de someter a otros grupos y actores de poder, sin garantizar un auténtico pacto. Compró votos, pero no pudo comprar a una generación joven que se expresó en su contra por medio del movimiento #YoSoy132. La historia de la victoria amarga de 2012 y sus contradicciones fueron relatadas en un segundo libro: *Peña Nieto, el gran montaje*.

Este tercer libro es la secuela donde desentrañamos el nudo gordiano de la caída del telepresidente. Se trata de mostrar los mecanismos de un modelo contradictorio en sus términos, que destruye y mina las bases de legitimidad y cohesión social en torno a la institución presidencial. La ambición peñista de una presidencia imperial, al estilo bonapartista o porfirista, se ha estrellado con una fuerte resistencia social. Ante el fracaso, Peña Nieto ha optado por transformarse en un caudillo arcaico. Busca el efectismo mediático sin principios ni hoja de ruta. De ese modo, el cinismo se convierte en el disfraz del fracaso.

En primer lugar, rastreamos el origen de esta contradicción. El propio Peña Nieto, admirador de Álvaro Obregón y Porfirio Díaz, ignoró que en el ejercicio del poder no bastan la imposición ni el control para modernizar una institución damnificada. En lugar de democratizar el presidencialismo, Peña Nieto y su grupo de poder aceleraron el proceso de desgaste con hechos y dichos.

Ante el fracaso, afirman que son incomprendidos y que viven una "fuerte resistencia" de los intereses afectados. En lugar de comprender el momento social y político, han querido disfrazar sus mentiras con promesas. "No entienden que no entienden", les reprochó un multicitado análisis de la revista *The Economist*.

Las grandes reformas estructurales resultaron contrarias a lo prometido. Se aprobaron *fast track* en medio de la falta de participación social. No hubo debate de cara a la nación, sólo se atendieron los intereses promotores de estos cambios. No convencieron, se impusieron. No produjeron una nueva legitimidad y desgastaron el frágil apoyo social que tenían. Quisieron repetir el modelo salinista, pero olvidaron las lecciones mismas de aquel periodo que terminó en el trágico fin de sexenio de 1994.

Como reportero de la revista *Proceso* me tocó cubrir informativamente todas las reformas del primer año y medio del peñismo. Elegimos para este libro las dos reformas más complejas —la energética y la de telecomunicaciones— como ejemplos del fallido gobierno del Pacto por México.

En septiembre de 2014 no terminaban las autocelebraciones por las reformas *fast track* cuando el gobierno de Peña Nieto entró en una zona de turbulencia, de la cual no ha salido: disputas en la élite económica y política; matanzas inauditas como la de Tlatlaya, crímenes de lesa humanidad como los ocurridos en Iguala; escándalos de corrupción que afloraron tras el escándalo de la Casa Blanca de Peña Nieto; el fracaso rotundo en los ensayos de intervencionismo presidencial en los estados de Michoacán, Guerrero y Tamaulipas; la falta de cohesión en su gabinete y los signos de una recesión económica que no corresponden con el optimismo sobrevendido por los arquitectos del peñismo.

A seis meses de la tragedia de los 43 normalistas de Ayotzinapa, la apuesta de Peña Nieto por el olvido o la "superación" de la tragedia no han funcionado. Minimizaron el daño profundo a su presidencia por querer dar por terminado un episodio con ramificaciones claras en los cuerpos militares y de seguridad.

En Guerrero ya no gobierna Ángel Aguirre, en la PGR ya no despacha Jesús Murillo Karam, el artífice de la "verdad histórica" de estos sucesos que nadie acepta; hay más de un centenar de detenidos, incluyendo al ex alcalde de Iguala, José Luis Abarca, pero no han podido responder a las preguntas esenciales: ¿Por qué este crimen de lesa humanidad? ¿Por qué las omisiones y las evidentes incoherencias de la versión oficial?

La herida de Ayotzinapa está abierta y afecta a la administración de Peña Nieto, por mucho que quieran rebajar su impacto. El caso ha minado gravemente la credibilidad y popularidad del peñismo, sobre todo cuando el mandatario fue incapaz de visitar Iguala y se mostró indiferente a los reclamos de las organizaciones de derechos humanos. En marzo de 2015, el mexiquense registró los índices más bajos de aceptación y calificación de un presidente de la República antes de llegar a la primera mitad de su sexenio.

El escándalo de la Casa Blanca descarriló la licitación del tren de alta velocidad México-Querétaro y abrió la caja de Pandora: un grupo de poder que en sus mansiones y bienes inmobiliarios dejan las huellas claras de sus conflictos de interés con los contratistas consentidos del sexenio. A seis meses de ese escándalo nadie ha sido sancionado ni señalado como responsable. Se exhibió a la primera dama Angélica Rivera y se ventilaron los tratos nada claros entre Televisa, Grupo Higa y Peña Nieto. En lugar de medidas de sanción a los responsables, se optó por cobrar venganza contra el equipo de periodistas que documentaron el caso. Carmen Aristegui fue expulsada de mala manera de Grupo MVS.

En vísperas del proceso electoral federal de 2015, el gobierno de Peña Nieto se ha endurecido. Al hacerlo, no demuestra fortaleza sino vulnerabilidad. La apuesta del priísta es, de nuevo, el exceso de propaganda, el derroche presupuestal y el control de los medios masivos.

Rechazan que este modelo está derrumbado. La encrucijada es muy clara: se endurecen más hasta llevar al país a una crisis mayor o se da un gran viraje, que a estas alturas se antoja prácticamente imposible. Los comicios de 2015 serán plebiscitarios frente al telepresidente. Se abrirá otro ciclo con una crisis y un desencanto social que provienen de la derrota de la transición a la democracia.

La respuesta ciudadana comenzó a generarse antes de los comicios federales de 2015. Entre la consigna #FueraPeña que se escuchó en las calles y en las redes sociales en los momentos más álgidos de las movilizaciones por Ayotzinapa en el invierno de 2014, al #QueSeVaya en demanda de la revocación de mandato del primer mandatario, en abril de 2015, *el telepresidente* no ha podido frenar su caída.

CAPÍTULO 1

La crisis del telepresidente

Diciembre de 2012. El primer día del gobierno de Enrique Peña Nieto fue una fotografía del sexenio que comenzaba. Los alrededores de la Cámara de Diputados y del Palacio Nacional estaban sitiados por la Policía Federal, el Estado Mayor Presidencial y granaderos capitalinos. Una protesta social de jóvenes donde se infiltraron grupos de encapuchados y provocadores derivó en el primer acto de redada de disidentes en el sexenio. La sospecha de que fueron *porros* o "anarquistas" teledirigidos desde alguna oficina gubernamental quedó sembrada.

En contraste, en el interior de ambos recintos, símbolos del poder Legislativo y Ejecutivo en México, se desarrollaba sin mayores contratiempos la toma de posesión del ex gobernador mexiquense como nuevo presidente de la República. Terminaban los 12 años de sequía para el tricolor. Peña Nieto se convirtió en el primer priísta que recuperaba la banda presidencial tras dos sexenios de fallida alternancia panista.

Peña Nieto ingresó en San Lázaro por la puerta principal y no por las laterales, como lo hicieron sus antecesores, los panistas Vicente Fox y Felipe Calderón. La ceremonia se atrasó una hora; pero los opositores, fragmentados ante la recién aceptada maquinaria priísta que frenó cualquier intento de toma de la tribuna del Congreso, sólo alcanzaron a colocar algunas pancartas con frases como "Imposición consumada, México de luto". Los gritos más duros fueron contra el mandatario saliente. "¡Asesino, asesino!", le dijeron a Calderón, que acudió para dejar la banda presidencial.

El acontecimiento genuino del retorno priísta al poder presidencial fue en Palacio Nacional. Ante más de mil invitados, incluyendo gobernadores, embajadores, empresarios, dignatarios religiosos, algunos jefes de Estado, amigos y familiares; Peña Nieto encabezó una ceremonia cercana a la coronación de un emperador donde planteó cinco ejes de gobierno y anunció 13 "decisiones presidenciales".

Los priístas recuperaron el escenario de Palacio Nacional, que dejó de usarse desde hace más de 20 años para este tipo de eventos. Peña Nieto fue el orador único, flanqueado por dos grandes pantallas de televisión, en un escenario sobrio e imponente de color gris y con banderas nacionales. El montaje escenográfico comenzó a ser lo más cuidado de cada uno de sus actos públicos, desde entonces. Las consignas y los gritos en su contra no se escuchaban dentro del recinto. No se vieron en la transmisión televisiva. Se supo por las redes sociales y por algunas crónicas que dieron cuenta, que detrás de la "coronación" también se encubría la disidencia.

A menos de dos años de aquella ceremonia, las escenas de protesta e indignación contra el gobierno peñista en funciones se volvieron a registrar a las puertas del Palacio Nacional. En noviembre de 2014, la escenografía del ascenso se había desmontado y olvidado. En el emblemático 20 de noviembre surgió una de las manifestaciones más grandes en contra de su gobierno por la desaparición de los 43 estudiantes normalistas de Ayotzinapa.

Durante esa jornada, un muñeco gigantesco, con la banda presidencial y el representativo copete del primer mandatario, fue quemado en el centro del Zócalo capitalino. El montaje de una presunta provocación borró en los medios esta manifestación festiva, masiva, de profunda indignación. Operó con perfecta sincronía la cobertura para criminalizar a los manifestantes, en especial a los jóvenes "anarquistas", tal como sucedió el 1° de diciembre de 2012.

La diferencia es que ahora se trataba de salvar la imagen derrumbada y muy cuestionada del telepresidente, enfrentando la peor crisis social y de derechos humanos en los últimos lustros del sistema político mexicano. El primer mandatario estaba ausente físicamente (acudió a China y Australia, un polémico viaje que debió haberse cancelado); los registros de este punto de inflexión en su gobierno fueron detectados en más de siete millones de mensajes en las redes sociales con las frases: #YaMeCansé, #AyotzinapaSomosTodos y #FueraPeña. Este último, el más doloroso e irreversible mensaje de repudio de crecientes sectores sociales descontentos por el manejo de la crisis en Iguala, por los escándalos de corrupción de la Casa Blanca y por la indolencia del poder presidencial para enfrentar esta crisis.

En el Zócalo capitalino, el 20 de noviembre de 2014 quedó clara la encrucijada del presidencialismo peñista: el intento de la restauración central y de control del sistema desde el Poder Ejecutivo se había convertido también en su mayor trampa. El presidente no podía mantenerse ajeno ni invulnerable a los sucesos del 26 y 27 de septiembre en Iguala. La desaparición de los estudiantes fue el punto de quiebre de un proceso de restauración presidencialista, que apenas unas semanas antes presumió al mundo su victoria pírrica: 11 reformas estructurales aprobadas, en especial, la energética y la de telecomunicaciones.

En México, la acumulación de agravios por los miles de desaparecidos en casi 10 años de "guerra contra el narco", por el monólogo del poder presidencial y el poder mediático, por los cientos de casos de abusos policiacos y del ejército, por la corrupción del sistema de partidos que alcanzó de manera definitiva al PRD, se concentró en la poderosa empatía social que generaron los padres de los estudiantes de Ayotzinapa. En el extranjero, el reclamo principal a Enrique Peña Nieto lo produjeron los casos de corrupción, que exhibieron a un equipo de gobierno incapaz de responder frente a la información y a la crítica de la prensa estadounidense y británica, que le reprochó su cinismo ante los acontecimientos de conflicto de interés y tráfico de influencias. Los nubarrones que aparecieron con el caso de Ayotzinapa se agravaron al inicio de 2015. La abrupta baja de los precios internacionales del petróleo y las promesas de multimillonarias inversiones en infraestructura y energía se vinieron abajo ante la previsión de un ciclo recesivo para la economía mexicana. El gobierno de Peña Nieto entró, durante su segundo año de gobierno, en el oscuro túnel de un final de sexenio. Algo no funcionó o algo ya no estaba funcionando y fue minimizado, ignorado por el autoengaño del éxito imparable de un político que ascendió en 10 años, de la mano de sus operadores mediáticos, de su alianza con el gran capital y de las grandes televisoras, para imponerse como la única opción de eficacia frente a la decepcionante alternancia de 12 años de gobiernos panistas.

El *optimismo* inicial y el Pacto por México

Del tamaño del optimismo y el triunfalismo inicial del gobierno de Peña Nieto fue también la decepción y la furia social, dos años después. En el primer evento, en Palacio Nacional, el ex gobernador del Estado de México planteó, como se ha dicho, cinco ejes para su administración. Se trataron más bien de frases de optimismo sin problematizar la realidad: un México en paz; un México incluyente; un México con educación; un México próspero; un México con responsabilidad global. Y sus 13 decisiones fueron sorpresivas para algunos por configurar las primeras medidas de restauración presidencialista, en especial, al anunciar un nuevo Código Penal único para todas las entidades, una Ley Nacional de Responsabilidad Hacendaria y Deuda Pública para "poner orden" en las deudas de los estados y un inasible decreto de austeridad en el ejercicio del gasto público. El presidente controló, de golpe, las cuentas de los estados.

Otras medidas fueron un claro deslinde frente a la herencia del sexenio belicista de Felipe Calderón: el Programa Nacional para la Prevención del Delito. Permitía desistirse de la controversia ante la Suprema Corte de Justicia para que se aprobara la Ley General de Víctimas con "acciones transversales para combatir las adicciones". La sombra de los muertos sin nombre, de las desapariciones sin expediente, de miles de víctimas de todos los bandos en una confrontación que desbordó al poder político y fue constituyendo un genocidio contra los "desechables" quedaba atrás.

Otro paquete de "decisiones" tuvo el acento asistencialista y clientelar para combatir la pobreza: los programas Cruzada Nacional contra el Hambre, Seguro de Vida para Jefas de Familia, y la extensión de Pensiones de

Adultos Mayores; banderas arrebatadas a su contendiente de izquierda, el entonces perredista Andrés Manuel López Obrador, quien impugnó la victoria peñista, pero no tomó las acciones de resistencia civil que protagonizó seis años antes.

Peña Nieto también anunció el Programa Nacional de Infraestructura, sin mencionar la construcción de una nueva terminal aérea para la Ciudad de México, que "destapó" dos años después. A cambio, prometió renovar el modelo de los "trenes de pasajeros" y construir hasta líneas de Metro y tren eléctrico en Monterrey y Guadalajara, como si fuera alcalde de estas dos ciudades. Tales proyectos se abandonaron con el recorte presupuestal de 2015.

En telecomunicaciones anunció una "iniciativa de derecho de acceso a la banda ancha", medida para impulsar una mayor competencia en telefonía y radiodifusión y específicamente la licitación de dos nuevas cadenas de televisión. Estas últimas fueron una herencia incumplida del calderonismo para justificar la fusión de Televisa y de Tv Azteca en la compañía telefónica Iusacell, en 2012. Ambas empresas terminaron por separarse en 2014, y la poderosa compañía estadounidense AT&T se perfilaba como la gran beneficiaria de la apertura del mercado de telecomunicaciones en México.

La educativa fue la única de las grandes reformas estructurales que se detalló en esa ceremonia de toma de poder. Peña Nieto marcó un deslinde claro con el poderoso Sindicato Nacional de Trabajadores de la Educación (SNTE), dominado por su ex aliada Elba Esther Gordillo. Anunció el envío de una reforma al artículo 3° constitucional y una nueva Ley General del Servicio Profesional Docente, con el objetivo de que las plazas de maestros "no vuelvan a ser hereditarias" y para impulsar un Sistema Nacional de Evaluación Educativa que responda a los lineamientos de la Organización para la Cooperación y el Desarrollo Económicos (OCDE).

Ninguna mención al problema de la corrupción y menos al fenómeno de la impunidad, el más señalado en las encuestas como una de las principales preocupaciones ante el retorno del PRI a la Presidencia de la República. Cero alusiones al problema de los monopolios o los poderes fácticos también señalados como uno de los desafíos principales para ganar legitimidad frente a un sector mayoritario que veía a Peña Nieto como el político de la televisión. Tampoco hubo referencia clara hacia una reforma constitucional en materia energética ni a la apertura total en los sectores petrolero y eléctrico, que se convirtieron en el eje principal y verdadero de sus dos primeros años de gobierno y que se consumó en agosto de 2014. Esta reforma se anunció un año después, en medio de una serie de presiones del congreso estadounidense y de la Casa Blanca.

La agenda más amplia de las reformas estructurales estuvo en temas incorporados colateralmente en el Pacto por México, firmado y anunciado el 2 de diciembre de 2012 con el boato de un nuevo presidente tutelar; flanqueado por los presidentes nacionales del PRI, PAN y PRD y sus colaboradores integrantes del Consejo Rector, una singular creación gestada desde Los Pinos para acordar una ruta reformadora.

Alimentando la percepción de un acuerdo político multipartidista al que le sobró aparato y le faltó sociedad civil, acompañado por sus socios del Pacto por México (del PAN, Gustavo Madero; del PRD, Jesús Zambrano; y del PRI, César Camacho), Peña Nieto presentó 95 compromisos divididos en cinco ejes temáticos: sociedad de derechos y libertades; crecimiento económico, empleo y competitividad; seguridad y justicia; transparencia, rendición de cuentas y combate a la corrupción; y gobernabilidad democrática.

Las cúpulas dirigentes de estos tres partidos —con el aval presidencial— firmaron los acuerdos que fueron el resultado de una negociación tras bambalinas con los tres principales operadores de Peña Nieto: el titular de Hacienda, Luis Videgaray; el secretario de Gobernación, Miguel Ángel Osorio Chong; y el jefe de la Oficina de la Presidencia de la República, Aurelio Nuño; así como un Consejo Rector creado por el ex gobernador de Oaxaca José Murat, con sus interlocutores perredistas y panistas. Ninguno de los representantes de los partidos era coordinador de las bancadas en el Congreso. Ningún integrante del Poder Judicial avaló estos acuerdos. Fue un pacto claramente gestado y negociado desde la órbita presidencial.

La gestación del Pacto por México fue una típica operación del peñismo tras bambalinas. Murat, el polémico político priísta, operó en la sombra antes de la toma de protesta de Peña Nieto para firmar un acuerdo con sus viejos conocidos del PRD, Guadalupe Acosta Naranjo y Jesús Ortega. A esas pláticas se incorporaron el líder del PAN, Gustavo Madero; y sus asesores Santiago Creel y Juan Molinar Horcasitas.

En esencia, no fue un "pacto político", sino una hábil estrategia de cooptación presidencial de las burocracias dirigentes en los dos principales partidos de oposición. Tanto los Chuchos del PRD como los maderistas del PAN tenían los mismos incentivos: ninguno de estos grupos pertenecía a la esfera de los candidatos presidenciales opositores derrotados (Andrés Manuel López Obrador, del PRD; y Josefina Vázquez Mota, del PAN) y a ambos les interesaba un buen arreglo para afianzar el control de los dos aparatos partidistas.

Cada uno de los dirigentes de cada partido incorporó a sus asesores y aliados al Consejo Rector. Del lado del PAN estuvieron Santiago Creel, ex secretario de Gobernación foxista y ex coordinador de asesores del mismo partido; y Juan Molinar Horcasitas, ex director del Seguro Social en el imborrable episodio de la muerte de 49 menores en la Guardería ABC y ex secretario de Comunicaciones y Transportes durante el calderonismo. Del lado del PRD, el ex dirigente nacional Guadalupe Acosta Naranjo; y Pablo Gómez, ex comunista y legislador en varios periodos. Cada equipo incorporó a otros especialistas, según la temática de los 95 compromisos.

Se aterrizaron algunas medidas en materia de telecomunicaciones y radiodifusión (incorporadas al Pacto por México desde el PAN) y algunos acuerdos sobre derechos y combate a la corrupción, así como la reforma al Distrito Federal, reclamados por el PRD. Se perfiló una reforma política muy general que atendiera los siguientes temas: reducción y mayor transparencia del gasto de los partidos; disminución de los topes de gastos de campaña; revisión de los tiempos oficiales en radio y televisión; prohibiciones como el uso de utilitarios (llaveros, pendones, mandiles, despensas, entre otros) para promoción electoral; nuevas causales de nulidad, como rebasar el tope de gastos de campaña o "la compra de cobertura informativa en cualquiera de sus modalidades periodísticas, con la correspondiente sanción al medio que se trate". Una clara dedicatoria al modelo peñista de ascenso al poder en alianza con Televisa.

De manera muy vaga, ese Pacto por México perfiló la desaparición del IFE y de los institutos estatales electorales para "crear una autoridad electoral de carácter nacional y una legislación única, que se encargue tanto de las elecciones federales, como de las estatales y municipales". En otras palabras, una nueva centralización electoral, coherente con el modelo de restablecimiento del presidencialismo. Esta propuesta se concretó con la configuración del Instituto Nacional Electoral (INE) y de los Organismos Públicos Locales Electorales (Oples), cuya eficacia se pondría a prueba en los comicios federales y estatales de 2015.

El Pacto por México perfiló la más importante reforma constitucional y estructural de los dos primeros años de gobierno priísta: la energética. Por supuesto, no mencionaron abrir la inversión privada, nacional y extranjera a las áreas reservadas constitucionalmente por el Estado, pero sí se acordó la importancia de realizar "las reformas necesarias" para "transformar a Pemex en una empresa pública de carácter productivo", que se conservara como propiedad del Estado, pero que tuviera la posibilidad de competir en la industria (compromiso 55). De manera ambigua se mencionó "ampliar la capacidad de ejecución de la industria de exploración y producción de hidrocarburos mediante una reforma energética para maximizar la renta petrolera para el Estado mexicano" (compromiso 56).

No se comprometieron a una reforma constitucional. En este terreno no había acuerdo con el PRD. Sin embargo, los cinco ejes comprendidos en ese Pacto por México perfilaban ya los cambios a los artículos 25, 27 y 28 de la Constitución, concretados en diciembre de 2013, y la legislación secundaria de junio y julio de 2014, que constituyen un giro de 180 grados en el modelo de explotación energética heredado desde la expropiación de Lázaro Cárdenas, en 1938.

Todos aplaudieron y se felicitaron por el feliz Pacto por México de 95 acuerdos. Los más escépticos destacaron que se trataba de una fórmula para imponer desde Los Pinos una agenda acelerada de reformas, por encima del Congreso y de la sociedad, tal como sucedió.

El pacto fue un mecanismo de cooptación y colaboración con las fuerzas políticas representadas en el Congreso, pero también el centro de las críticas y los señalamientos de imposición que se hicieron desde el Senado y la Cámara de Diputados. Los legisladores priístas no lo expresaron abiertamente, pero los perredistas y panistas que no formaban parte de esta ilusión óptica del acuerdo republicano señalaron la grave intromisión que esto representaba en la vida parlamentaria.

La nueva consigna quedó muy clara: el presidente impone y el Congreso dispone. La justificación para tal mecanismo fue que, ahora sí, se comprometieron a avanzar en las reformas estructurales que se atoraron desde que en 1997 ninguna de las tres principales fuerzas políticas tuvo mayoría simple en el Congreso.

El objetivo real fue consolidar un bloque peñista, más allá de la disciplina férrea del PRI, que se impuso con César Camacho. Los dos grupos dirigentes del PAN y del PRD que participaron en el Pacto por México se reeligieron en 2014, al frente de los dos partidos opositores. La teoría de juegos se aplicó como en un Nintendo presidencialista: el principal incentivo para estar en el Pacto por México no eran las reformas, sino la sobrevivencia de cada uno de estos grupos en el poder.

Las lecciones aprendidas

El Pacto por México tenía también otra connotación propagandística. El PRI y el grupo de poder en Los Pinos necesitaban mandar un mensaje de eficacia a sus patrocinadores: se comprometían a cumplirles sus demandas, sus propuestas y sus intereses. Ellos sí lo lograrían, a diferencia de los panistas. De paso, restauraban a la damnificada institución presidencial, tras 12 años de alternancia y polarización social y política.

Los primeros días del gobierno de Peña Nieto fueron una fiesta. ¡Qué importaba lo amargo de la victoria! No lograron más de 40% de los votos que pronosticaron las encuestas y publicistas, así como la maquinaria del monopolio de la opinión pública, encabezado por Televisa, el verdadero factótum para conseguir lo que parecía inconcebible en 2000: que un priísta volviera a encabezar la jefatura del Estado mexicano.

Peña Nieto lo logró. Con una disciplina indiscutible y un derroche innegable de dinero público y privado, el joven originario del pueblo mexiquense de Atlacomulco, educado como "niño bien" por el Opus Dei, admirador del caudillo Álvaro Obregón, del dictador Porfirio Díaz, y del ex presidente Carlos Salinas de Gortari pero, sobre todo, del emperador Napoleón Bonaparte, logró la hazaña del retorno priísta a Los Pinos.

Cobijado por su ex jefe Arturo Montiel y por su tío Alfredo del Mazo, ambos frustrados aspirantes a presidentes de la República, Peña Nieto se esmeró en cumplir el plan de acción que inició desde 2005 con los estrategas de Televisa para hacerse popular, volverse imprescindible candidato entre los otros aspirantes priístas.[1]

Aprendió el arte de la propaganda. Peña Nieto se transformó en su principal jefe y publicista. No elabora ideas ni discursos complejos, lee con dificultad y es muy malo improvisando, pero sabe cuál es su mejor ángulo para ser grabado por las cámaras, viste impecablemente y no se despeina ni cuando sale a correr. Es afable en el trato político. Correcto en las formas y formalidades. Una especie de Luis Miguel de la política, elegante y atractivo, correcto y anticuado. Sus mejores éxitos son reediciones de baladas antiguas.

Doce años antes, otro propagandista eficaz derrotó a la maquinaria priísta para encabezar la alternancia a la mexicana. Vicente Fox, gerente de Coca Cola, consiguió la hazaña de derrotar en las urnas al partido que encabezó la Presidencia de la República durante siete décadas ininterrumpidas, con un poco de ayuda de su propio antecesor, Ernesto Zedillo, el último presidente priísta del siglo XX. La hegemonía del partido más larga del planeta —sólo comparable a la coreana— dejó el poder presidencial para refugiarse en los bastiones estatales y en el Congreso. Los priístas perdieron la Presidencia, pero no el poder. Y Vicente Fox la ganó, pero perdió el gobierno en

---

[1] Jenaro Villamil, *Si yo fuera presidente*, México, Grijalbo, 2009.

el ejercicio más torpe y turbio del Ejecutivo federal. El país se le deshizo en las manos. Coqueteó con la idea de una prolongación transexenal a través de su esposa y jefa de Comunicación Social. Inauguró la noción de la "pareja presidencial" en un país acostumbrado al Ejecutivo unitario por definición.

Fox hizo todo lo posible, con la ayuda de priístas, empresarios y televisoras, para evitar que el segundo gobierno de la alternancia se diera por la izquierda política. Encabezó una guerra política altamente costosa y polarizante para impedir que el jefe de gobierno capitalino, Andrés Manuel López Obrador, llegara a Los Pinos. El rostro de un presidente faccioso y de un PAN belicoso se asomó en ese escenario. Primero los videoescándalos de 2004, luego el desafuero de 2005 y, por último, el conflicto postelectoral de 2006. Fox evitó el triunfo de López Obrador, pero perdió la continuidad de su proyecto, si es que éste existió. Su heredero fue el más distante de sus colaboradores: Felipe Calderón Hinojosa.

Calderón recibió una Presidencia damnificada por los errores foxistas, y en menos de seis años la dejó sin credibilidad, respeto ni eficacia. El país entró en uno de los periodos de sombra más trágicos: una "guerra" declarada por el propio Calderón en una interpretación abusiva de sus atribuciones presidenciales, que sacó al Ejército de los cuarteles para combatir la delincuencia organizada y también a la población mexicana. Calderón se creyó el "salvador" de la patria, tal como lo externó desde el periodo de la epidemia de la influenza, en 2009, pero fue sumamente tóxico para su entorno y para las instituciones.

Calderón tuvo un gobierno dividido. En el Congreso, la mayoría opositora del PRI y del PRD frenó los cambios que quería el panista. Pero fue mayor la división en el interior de su gabinete y frente al propio PAN. En medio del desastre de los dos sexenios del PAN creció una opción apalancada por el poder del dinero y el mediático, en el seno del priísmo estatal más cohesionado del país. El Grupo Atlacomulco, o Grupo Estado de México, leyó bien el fenómeno Fox a su favor. En las nuevas guerras políticas, los ejércitos no serían los soldados sino los spots, los infomerciales, los asesores de imagen, los publicistas, los dueños de los medios y, en especial, el control de la comunicación masiva a través de la televisión.

Arturo Montiel trató de utilizarlo en 2006, pero su larga estela de corrupción le costó la defenestración maquinada por su adversario priísta Roberto Madrazo y por la propia televisora a la que le dio millones de dólares del erario mexiquense, privilegios y prebendas. Su heredero Peña Nieto entendió la lección: la primera necesidad era amarrarle las manos a sus otros contendientes del PRI, comprarlos, cooptarlos o eliminarlos; tener el aval de Estados Unidos, de la Iglesia y de Televisa, esta especie de Santísima Trinidad del poder real en México. Además, evitó la confrontación prolongada de los dos ex presidentes priístas vivos más importantes en el modelo neoliberal: Ernesto Zedillo y Carlos Salinas.

Peña Nieto se vendió como el árbitro entre los intereses de ambos. Aprendió de sus vagas referencias históricas sobre Napoleón Bonaparte que debía colocarse como el salvador frente a la disputa de los termidores y jacobinos, según relatan quienes conocen de esta afición presidencial por el emperador francés. Y lo más importante, dio señales claras de que la impunidad transexenal se daría por la vía de la alternancia. Los dos ex presidentes panistas terminaron apoyándolo por cálculos y circunstancias distintas, pero por un fin común: la garantía de protección a sus intereses y a sus familiares.

El ascenso de Peña Nieto fue el inicio de una restauración del presidencialismo. No pretendió ser la culminación de un proceso de transición a la democracia, largamente pospuesta desde aquella tímida apertura del sistema priísta en 1977-1979 (la reforma política germinal de José López Portillo) y desde una alternancia bipartidista, digna del manual de la Universidad de Harvard que se aplicó con el salinismo y acabó en desastre sistémico en los dos sexenios del PAN. Es el retorno de un modelo autoritario, amortiguado por fuertes dosis de propaganda y dinero.

El discurso literal y escenográfico de Peña Nieto prometió no la culminación de la transición a la democracia, sino una restauración presidencialista. Para él y su grupo no hay duda alguna: la eficacia no pasa por la democratización sino por el control; el consenso se construye con fuertes dosis de propaganda y de cooptación; y el compromiso es consumar la liberalización económica, iniciada por los tecnócratas de la era salinista, pero ahora con la "habilidad" de los operadores del Estado de México.

Un presidente fuerte con un Estado mínimo; un gobierno federal interventor con entidades dependientes del centro; un Ejecutivo federal por encima de los otros poderes de la Unión; un presidencialismo asistencialista que confunde justicia social con cruzadas alimentarias, que "administra" la pobreza para tener un rédito electoral; un presidente que no propone la revolución ni la reforma, sino la "transformación del país". Ésa constituye la síntesis del proyecto inicial peñista.

Ya no se trata de un presidente como "jefe real" sólo del PRI, sino de todos los partidos y fuerzas políticas con representación en el Congreso. Un presidencialismo multipartidista, a la usanza del cesarismo o el bonapartismo posmoderno. Un presidencialismo consecuente con el gran capital, siempre y cuando éste se someta a las decisiones del titular del Ejecutivo y no decida confrontarlo. Un presidente que no acepta adversarios ni disidentes, sino críticos tolerados. Un presidencialismo que ya no ve límites sexenales. Peña Nieto lo enunció vagamente en su discurso de toma de posesión:

En la vida de un país, seis años son un periodo corto, pero dos mil 191 días son suficientes para sentar las bases de lo que desde ahora debe ser nuestra meta: hacer de México un país próspero, de oportunidades y bienestar para todos.

Este nuevo presidencialismo fue perfilado en aquella toma de protesta del 1° de diciembre y en la firma del Pacto por México, al día siguiente. Fue el primero y rotundo paso para un proyecto de restauración, altamente riesgoso porque tiene más ingredientes de autocracia mediática que de liderazgo con bases firmes. Es una reinvención de las formas con un paulatino vaciamiento de los problemas de fondo. Es un presidencialismo de corte "analógico" en medio de una sociedad joven, crecientemente digital, interactiva y múltiple.

Peña Nieto es el artífice de este proyecto. No es el títere de una empresa o de un ex presidente que manipula tras bambalinas. En eso erramos quienes hemos seguido este ascenso desde un punto de vista crítico. Quizá esa percepción es conveniente para el propio proyecto de poder o un efecto *boomerang* del exceso de propaganda telegénica. Peña Nieto es un político convencido del valor de las "dictaduras benévolas" y un digno heredero de la escuela de cooptación y seducción que Carlos Hank González, el "profesor" multimillonario, desarrolló como pocos en el Estado de México y en el país.

Peña Nieto ha aplicado en la tercera parte de su sexenio un proceso de restauración autoritaria que a los propios priístas ha sorprendido, porque ni ellos mismos pronosticaron que este joven del copete y la sonrisa congelada se transformara en una reedición del viejo anhelo de maximato político, o en la reencarnación de su deseo infantil más intenso.

LAS TESIS DE PEÑA NIETO

Para titularse en 1991 como licenciado en derecho por la Universidad Panamericana, el joven Enrique Peña Nieto presentó una tesis titulada "El presidencialismo mexicano y Álvaro Obregón". Atraído, sin duda, por el principal fenómeno del sistema político mexicano (la fortaleza y perdurabilidad del presidencialismo), Peña Nieto sostuvo que fue el gran caudillo sonorense el principal artífice para crear las bases del ejercicio del poder Ejecutivo con amplias facultades constitucionales y metaconstitucionales, tal como lo conocemos hasta ahora.

En sus conclusiones, Peña Nieto considera que la principal aportación de Álvaro Obregón a la consolidación del presidencialismo fueron las reformas que impulsó el estratega militar para darle mayor preeminencia al Ejecutivo federal, por encima de otros poderes, para ampliar de cuatro a seis años el ejercicio del cargo y encabezar una fuerte centralización que eliminó los municipios en el Distrito Federal:

Entre los años de 1921 a 1928, el general Álvaro Obregón promovió ante el Congreso varias reformas a la Constitución que, entre otras cosas, fortalecieron fundamentalmente a la institución presidencial, dotándolo (*sic*) de rasgos que le dieron mayor preeminencia ante los otros dos poderes. La trascendencia de la reforma a nuestra Constitución, durante el caudillaje obregonista, perfilaron al presidente de la República como pilar del sistema político mexicano.

Entre las reformas más sobresalientes están la de haber ampliado el periodo presidencial a seis años, la supresión de la organización municipal en el Distrito Federal, el facultar al presidente de la República para intervenir en la designación y remoción de funcionarios judiciales tanto del Tribunal Superior de Justicia del Distrito Federal como de la Suprema Corte de Justicia de la Nación.[2]

Al estudiante Peña Nieto no le pareció contradictorio que el máximo caudillo triunfador de la Revolución —a costa de eliminar a su propio jefe político, Venustiano Carranza— hubiera minado las propias "bases institucionales" del presidencialismo en gestación con su propia reelección. Lo importante no era la institucionalización y la legitimación de ese poder por encima de otros, sino las "atribuciones" que surgieron desde el periodo obregonista. La tesis peñista reelabora los presupuestos de textos clásicos como *El presidencialismo mexicano*, de Jorge Carpizo, y también comparte líneas de argumentación de otros estudiosos conservadores, como José María Calderón, autor de *Génesis del presidencialismo en México* y admirador de la dictadura porfirista y, en menor medida, de estudios sobre derecho comparado, como los del maestro Héctor Fix Zamudio.

Carpizo no evade los riesgos y las contradicciones del "aspecto personal" en la Presidencia. Afirma en el capítulo XVII de su texto clásico:

En México la Presidencia se ha institucionalizado, lo que le ha permitido que aún hombres débiles o que eran vistos como tales sean presidentes fuertes, y que a pesar del cúmulo de poder que reúnen, al término del periodo, este poder pase a manos del que lo sucede. Pero, aunque la Presidencia se ha institucionalizado, la fuerza del presidente hace que dicha institución adquiera los tonos y

[2] *Op. cit.*, pp. 194-195.

matices que le impone la persona del presidente; su peculiar estilo de gobernar y su manera de contemplar la existencia y el poder.[3]

Esta visión dinámica y contradictoria de Carpizo y de otros especialistas en el presidencialismo mexicano no la rebate ni la profundiza Peña Nieto en su tesis. Evade polemizar sobre las propias limitaciones que éste estableció, tras la Revolución, para evitar justamente el fenómeno que provocó Obregón: la reelección en el cargo o la intención de un caudillaje institucional o un maximato tras bambalinas, después de una revolución sangrienta que derrocó el porfirismo.

El presidencialismo es un atributo dado por condiciones históricas, pero inamovible y que sobrevive al "fracaso rotundo del totalitarismo estatal y de la dictadura del proletariado". Desde una sentencia, un tanto *naive,* Peña Nieto concluye que en el sistema presidencialista mexicano: "El jefe del Poder Ejecutivo tiene un poder omnímodo y absoluto".

Ignora a otros autores clásicos de la ciencia política para entender el fenómeno presidencialista, como Arnaldo Córdova, quien en su libro fundamental *La formación del poder político en México* advirtió claramente las diferencias y contradicciones dinámicas entre el caudillismo y el presidencialismo:

En el fondo, caudillismo y presidencialismo son dos fenómenos distintos, su tendencia es separarse y distinguirse netamente. Se dan como dos etapas de un mismo proceso, pueden, y de hecho así ocurre, coincidir en un determinado momento […] En esas condiciones, el poder presidencial devenía, de la manera más lógica y natural, un poder que derivaba del cargo… Esto equivale a decir que el poder presidencial se *despersonalizaba con una vertiginosa rapidez,* que el presidente, con tal independencia de su poder personal, sería siempre y ante cualquier circunstancia un *presidente fuerte,* simplemente por su calidad de presidente, es decir, por el poder de la *institución* presidencial.[4]

---

[3] *Op. cit.,* p. 202.
[4] Arnaldo Córdova, *La formación del poder político en México,* Era, 1972, pp. 49-54.

Peña Nieto evade mencionar en su tesis lo que Carpizo expuso en el capítulo XVIII sobre las limitaciones al poder del presidente: el juicio político de responsabilidad; el tiempo ("ya que dura seis años y es constitucionalmente imposible que se pueda reelegir"); el Poder Judicial federal; los grupos de presión; los de carácter internacional; la organización "no controlada" (Carpizo pensaba en el sindicalismo independiente y ahora podemos hablar de las organizaciones no gubernamentales); la prensa; y quizá la principal limitación de índole cíclica: las propias ambiciones de su equipo, que siempre están apostando por un sucesor que renueve el ciclo del poder sexenal.[5]

Resulta interesante que la tesis de Peña Nieto, escrita durante 1991, en el momento cumbre del poder de Carlos Salinas de Gortari, el último de los mandatarios que coqueteó con la posibilidad de una reelección o de un maximato, no hablara de este hecho.

Peña Nieto quizá no pensaba que dos décadas después asumiría el mando de ese Ejecutivo federal "con mayor preeminencia ante los otros poderes". Pero es claro a lo largo de las 195 páginas de este trabajo que el joven de Atlacomulco sentía una fascinación especial no por el fenómeno y el entramado institucional del presidencialismo mexicano, sino por los atributos personales y las "formas" del ejercicio de ese poder por encima del Legislativo y Judicial.

PORFIRIATO, "DICTADURA BENÉVOLA"

La admiración más grande de Peña Nieto no es hacia el gran caudillo sonorense Álvaro Obregón, sino al dictador Porfirio Díaz, cuyo régimen considera una "dictadura benévola" que podía desenvolverse "en medio del asentamiento general, formado de respeto y admiración, de temor y desconfianza, de sugestión transmitida, hasta de costumbre aceptada y aún de

---

[5] *Op. cit.*, pp. 215-219.

preocupación contagiosa".[6] Denota una clara atracción por ese modelo de perpetuidad en el poder presidencial del dictador:

La extraordinaria duración de su gobierno fue resultado del buen éxito, y no es presumible que fuese un propósito deliberado desde el primer día; los procedimientos seguidos venían aconsejados por las circunstancias sucesivas y dictados por una habilidad suma; pero el sistema de gobierno, implantado desde el principio, a pesar de los obstáculos, de asumir todo el poder, era producto de la convicción y fruto de la experiencia. El general Díaz, por el alto sentido práctico con que juzgaba la historia que había vivido, sabía quizá tanto como Lerdo de Tejada por sus estudios de ciencia política; conocía los peligros constitucionales del gobierno, los amagos de los gobiernos locales, las asechanzas de los congresistas...

Peña Nieto describe un estilo porfirista de cooptar a todos los otros actores del poder político que, a la distancia, parece anunciar su propio ejercicio del poder personal:

Para lograr el control y la estabilidad del país, Díaz se apoderó de los Estados por la ligazón con sus amigos que se habían hecho gobernadores. Los que se manifestaron en su contra los atrajo o los destruyó. Otorgó facilidades a los terratenientes, ya numerosos desde la conversión de los "bienes de manos muertas" en bienes circulantes, por efecto de la Ley Lerdo y las Leyes de Reforma dictadas por Juárez. A los caciques o jefes de bandas locales los nombró miembros del ejército regular y les dio amplias facultades para aplicar la ley y mantener el orden. Con el clero llegó al acuerdo de mantener una política de conciliación, buscando el respeto en las jurisdicciones de ambas entidades: Estado e Iglesia. Permitió ataques contra la Constitución de 1857, y a la "clase media" intelectual la absorbió dentro de la burocracia gubernamental y en el servicio exterior. Además, se mostró complaciente con los monopolios comerciales, con los sis-

---

[6] *Op. cit.,* p. 74

temas de trabajo forzado en las minas y haciendas y sostuvo los ilegales impuestos de Estados y municipios.

Con respecto a la política exterior, Díaz consiguió, en 1878, el reconocimiento norteamericano a su gobierno. El segundo periodo de Díaz se inauguró con buenos augurios.

Con ese aparato de dominación Díaz aseguró un periodo de gobierno que iba a durar más de veinticinco años (a partir de su segundo periodo de gobierno), sin que hubiese nadie que le disputase el mando de la nación.

Es innegable la admiración en estos otros pasajes donde Peña Nieto describe al dictador de la frase "mátenlos en caliente":

Libre de principios extremos, repugnando la intolerancia y dotado de un espíritu de benevolencia para el que no había falta imperdonable ni error que posibilitara el olvido, planteó una política de conciliación que no tuvo la aprobación de todos, pero con ella quitó las barreras a los tradicionalistas de nacimiento, de la creencia y de la historia, y los hizo entrar en el campo neutral o promiscuo de su política (*sic*), en que si no se fundían, se mezclaban todas las convicciones. Desde entonces su poder, que había sido siempre dominador, pero no exento de violencia, no encontró obstáculo alguno en un camino que el interés común le allanaba. *Guardó siempre las formas, que son la cortesía de la fuerza.* Todas las clases, todos los grupos que clasifica una idea, un estado social o un propósito estaban con él, no como vencidos, sino cobijados; así, cuando el elemento social estaba de su parte, el político no podía ser ya objeto de preocupaciones.[7]

No explica en ningún párrafo el joven egresado de derecho cómo fue que con tanto éxito, sabiduría y "buenas maneras", el dictador acabó repudiado, defenestrado y expulsado del poder por una de las revoluciones sociales más sangrientas del siglo XX. Es claramente justificatorio acerca de la

---

[7] *Op. Cit.,* pp. 73-74.

permanencia y de las reelecciones sucesivas de Díaz, al grado tal que llega a confundir dictadura con presidencialismo. Peña Nieto hace suyas las reflexiones del historiador conservador José María Calderón:

> La presencia de un presidente fuerte, un dictador, había sido el derivado de la necesidad de sostener al gobierno contra los preceptos legales de una Constitución idílica, frente a las condiciones que imponía una estructura social, económica y política desquiciada e inorgánica y frente a la presencia de un exterior amenazante.[8]

Para un joven con aspiraciones políticas en el PRI, elaborar una tesis elogiosa de Porfirio Díaz era políticamente incorrecto. Díaz, con sus excesos, sus mañas y su pragmatismo fue, sin duda, el germen del modelo presidencialista que adoptaron los gobiernos posrevolucionarios. La "dictadura sexenal en línea directa y hereditaria" —como definió el historiador Daniel Cosío Villegas el presidencialismo mexicano— tiene una fuerte impronta del porfiriato. Salvo por dos elementos fundamentales: el límite temporal de ese poder, marcado a sangre y fuego en el lema "No reelección" (que el propio Díaz enarboló en contra de Juárez y Lerdo de Tejada) y por la prevalencia de un sólido aparato de Estado transformado en partido político (PNR-PRM-PRI) que fue el invento más acabado de la familia posrevolucionaria para no acabar en otra guerra civil por el poder presidencial, por las gubernaturas y alcaldías, por repartirse el botín del manejo del gobierno y del Estado.

Significativo que el futuro licenciado haya elegido al otro político y general mexicano que murió en el intento consumado de reelegirse: Álvaro Obregón, brillante en el campo de batalla, como Díaz, pragmático y desconfiado en el ejercicio de poder altamente personalizado y admirador de otro mito histórico: Napoleón Bonaparte.

---

[8] José María Calderón, *Génesis del presidencialismo en México,* El Caballito, 1985, p.27.

EL SUEÑO BONAPARTISTA

El gusto por el mando y la eficacia, por el éxito en el campo de batalla y la preeminencia de "las formas que son la cortesía de la fuerza"[9] están presentes también en la afición histórica de Peña Nieto por la figura de Napoleón Bonaparte, según han confirmado sus amigos de la niñez y sus amigos más cercanos.

A Peña Nieto le gusta que le relaten detalles de las batallas napoleónicas, sus costumbres, sus aficiones, sus amores, su manera de dirigir una nación que estaba al borde del caos, hasta que asumió el poder en aquel 18 brumario, correspondiente al 9 de noviembre de 1799, en vísperas del nuevo siglo, de retorno tras una mítica campaña militar en Egipto. No hay similitudes exactas entre un joven originario de Atlacomulco y un general de la Revolución francesa que devino en emperador, aprovechándose de las circunstancias históricas y de la feroz lucha entre los republicanos.

Sin embargo, por lo menos hay tres elementos del bonapartismo que están en el estilo personal de gobernar del peñismo:

a) El uso intensivo y controlador de la propaganda como eje de su ascenso y manejo del poder. Nadie mejor que Napoleón aplicaría de manera sistemática la propaganda en la prensa afín para construir su propia leyenda. Fue uno de los artífices de la idea de "reverberancia" de las obras realizadas. En la medida que se presumieran los logros, en esa medida, se impulsaba la figura del emperador.

b) La aplicación de la estrategia conocida como "guerra relámpago" (*Blitzkrieg*) que Napoleón utilizó tanto en el bélico campo de batalla como en el político. "Ataquemos y después veremos" es uno de los lemas más conocidos del bonapartismo para justificar el factor sorpresa. Así le fue en sus derrotas y campañas militares más sonadas, como Rusia y Waterloo.

c) El gusto por el boato, las cortes imperiales, los grandes favores a los amigos y familiares, como una demostración del ejercicio personal

---

[9] *Quién,* edición especial, diciembre de 2010.

del gobierno. La corrupción de los colaboradores no era un problema para Napoleón ni para Peña Nieto, siempre y cuando sean leales. En uno de sus comentarios sobre *El príncipe,* de Maquiavelo, Bonaparte lanzó uno de sus apotegmas: "Convendrá, sin embargo, que los empleados se enriquezcan, si a la vez me sirven con discreción".

El bonapartismo, en el fondo, es el "cesarismo de la Roma antigua, un compromiso entre las necesidades de un gobierno de Salvación Pública, en lucha contra Europa, y las susceptibilidades heredadas de la Revolución hacia el poder monárquico",[10] escribió Jean Tulard en una de las más recientes y completas revisiones del bonapartismo. En otras palabras, el bonapartismo es un ejemplo claro del fenómeno de la legitimidad carismática que teorizó el filósofo alemán Max Weber en el siglo XX para explicarse el poder de los profetas, los guerreros elegidos, los gobernantes que ascendieron por razones plebiscitarias, los demagogos sobresalientes, los "jefes morales" de los partidos políticos y los movimientos.

A pesar de su fracaso rotundo por construir un nuevo orden imperial que dependiera de él y de sus familiares —a quienes impuso como reyes, princesas o nobles en los territorios conquistados—, la figura de Napoleón no deja de apasionar. Sin embargo, no son sus ideas políticas ni sus códigos jurídicos lo que marcaron un antes y un después en las relaciones de los ciudadanos y el Estado en Europa y todo el mundo, sino su baja estatura, su histrionismo, sus enfermedades (padecía el síndrome de apnea del sueño), sus maniobras y, sobre todo, sus amores, lo que aún magnetiza a políticos como Enrique Peña Nieto.

Hay ciertas fechas históricas que marcan paralelismos entre el ascenso de Peña Nieto y el de Bonaparte. El general se autocoronó el 2 de diciembre de 1804 en la Catedral de Notre Dame, en presencia de todo el cuerpo diplomático, la corte, las asambleas y los representantes de las "buenas ciudades", en una de las ceremonias más recordadas por los historiadores. Él mismo coronó en el acto a Josefina. El 2 de diciembre de 2012, Peña Nieto

[10] Jean Tulard, *Napoleón,* Crítica, Barcelona, 2012, p. 310.

dio a conocer en una ceremonia fastuosa el Pacto por México, que lo convirtió en el jefe *de facto* de todos los partidos políticos e impuso el dominio del Poder Ejecutivo sobre el Legislativo.

El 2 de diciembre de 1805 Napoleón también celebró una de sus más sonadas victorias: Austerlitz, donde aplicó con gran maestría sus tesis de la "guerra relámpago" que obligó a los rusos a replegarse. Después vendría la victoria de Jena y el inicio formal, en 1806, del imperio napoleónico. A menos de siete años de tomar el poder en las condiciones más difíciles y con la más baja autoestima de la nación francesa.

Ni su ascenso político, ni sus batallas, ni los momentos estelares del imperio napoleónico hubieran quedado grabados en la memoria de un romanticismo decimonónico si no hubiera sido por la propaganda. Bonaparte es, ante todo, el resultado de su propia genialidad como propagandista. En este terreno triunfó donde antes habían fracasado otros generales franceses tan talentosos o más que él, como Lafayette, Dumouriez y Pichegru. Convenció a un pueblo de que era "el salvador de la patria", aunque anidara en su mesianismo los delirios del despotismo. Tulard lo describe de esta manera:

> Bonaparte es el primer general, quizá desde César, que entendió la importancia de la propaganda. No basta con ganar batallas: hay que rodear la victoria con un halo de leyenda. Bonaparte no triunfó ni en Fleurus, ni en Geisber, ni en Zurich y, sin embargo es a partir del Directorio más popular que Jourdan, Hoche, Massena o Moreau. Fue él quien supo, gracias a la prensa y al imaginario popular, transformar su campaña de Italia en una verdadera *Iliada*. La expedición de Egipto, a pesar de su fracaso final, adquiere, bajo la pluma de sus cronistas, el aspecto de una epopeya oriental cuyo héroe se vuelve un igual de Alejandro Magno y de César. Bonaparte fascina, irrita, subyuga y, en suma, no deja a nadie indiferente.[11]

[11] *Op. cit.,* pp. 37-38.

¿Cómo logró eso Bonaparte? Con la fidelidad extrema de sus soldados (a quienes les pagaba la mitad de su sueldo en efectivo y les otorgaba bienes materiales) y con una prensa a la que le compartía parte del botín de guerra que ganaba en sus batallas. Era generoso para la cooptación de periodistas, cronistas, novelistas. Nada quedaba al azar. Antes de llegar a ser cónsul, el general Bonaparte cantaba sus victorias. La idea no era nueva, pero él la explotó sistemáticamente. *Le Courrier de l'armée d'Italie*, que estaba dedicado a informar los pormenores de la campaña bonapartista en Italia, o *La France vue de l'armée d'Italie*, que exaltaban al general tempranamente convertido en héroe.

> Si nos adentrásemos en su intimidad, encontraríamos al hombre sencillo, que cuando está con su familia renuncia con naturalidad a su grandeza; su mente está ocupada habitualmente por alguna gran idea que sólo suele interrumpir la comida o el sueño; y dice a quienes ama con una digna sencillez: "He visto reyes a mis pies, habría podido tener cincuenta millones de cofres, habría podido aspirar a algo muy diferente; pero soy ciudadano francés, soy el primer general de la Gran Nación; sé que la posteridad me hará justicia".[12]

Napoleón utilizó la propaganda como un arma tanto o más importante que sus ejércitos para llegar al poder. La leyenda sobre su persona fue anterior a su ascenso. Incluso, en 1797, dos años antes del 18 Brumario, ya circulaba en París *Journal de Bonaparte et des Hommes Verteux* que confrontó la "pureza" de este general austero con la corrupción del personal del Directorio. Su punto de ataque fue la corrupción de los otros. Una vez en el poder, ejerció un férreo control sobre la prensa, el teatro y todas las manifestaciones artísticas para unirlas en una pieza coral que justificara su permanencia en el poder y su transformación de "salvador de la República" en emperador.

En menos de dos años Napoleón, al frente del poder político, logró modificar la mentalidad pública, tranquilizó tanto a los beneficiarios de la Revolución, a los burgueses y campesinos adquisidores de los bienes

---

[12] *Op. cit.*, p. 87.

nacionales, como a los nobles que habían regresado o permanecido en Francia. Sobre todo, protagonizó una audaz reconciliación religiosa para que el Papa lo reconociera y acabara la tensión política surgida desde la separación de la Iglesia y el Estado. El 18 de abril de 1802, día de Pascua, una gran manifestación religiosa celebró en Notre Dame el retorno a "la paz de las conciencias" con la firma del Concordato. Este dato de la reconciliación de Napoleon con la Iglesia católica después de las duras batallas contra minis tros y jerarcas católicos protagonizadas por los jacobinos, el ala izquierda de la Revolución francesa, no ha pasado desapercibida a lo largo de la historia. Las iglesias y las congregaciones religiosas mexicanas admiten esta grandeza del emperador francés, que surgió de una revolución anticlerical y supo vencer a los jacobinos, a pesar de provenir de esta corriente.

Peña Nieto estudió en esas escuelas religiosas que admiran la grandeza "conciliadora" de Napoleón con el Vaticano: Colegio Argos, de Metepec, Instituto Cultural Paideia, de Toluca, y Universidad Panamericana, de la Ciudad de México, institución vinculada al Opus Dei.

El 6 de noviembre de 1804, a escasos cinco años de asumir el poder como primer cónsul, Napoleón fundó un nuevo régimen para convertirse él mismo en "emperador de la República". Esta operación fue posible gracias a la habilidosa propaganda bonapartista a raíz del atentado sufrido poco antes del plebiscito para justificar el nuevo régimen. El 2 de diciembre del mismo año, Napoleón se coronó en un calculado gesto del protocolo que lo hacía no depender de ningún otro poder más que el emanado de su persona.

Desde ese momento, el imperio duraría lo que fuera necesario para garantizar la "salvación" de la patria. El apogeo de Napoleón se alcanzó en 1807 y duró tres años exactamente: bonanza económica, industrialización acelerada, grandes y monumentales obras de infraestructura que lo sobrevivieron, la creación de una "nobleza imperial" y, sobre todo, el apoyo de la población que tenía acceso a alimentos (bajó el precio del pan), vivienda y nuevos servicios urbanos.

La bonanza de tres años del gobierno llevó a Napoleón a perder las dimensiones de sus propios logros. Eliminó a sus dos principales colaboradores: Talleyrand y al mítico Fouché, de quienes siempre desconfió, pero que le sirvieron para contrapuntear y centralizar el poder.

Sin embargo, de la gloria popular, Napoleón pasó al ostracismo. Sus excesos imperiales, su círculo impenetrable, la corrupción agigantada con su nepotismo y la crisis económica que sobrevino después de endeudar al Estado francés para construir sus grandes obras, provocaron la derrota y su posterior exilio a la isla Santa Elena en 1815.

Tras su defenestración, inició un culto oficial al emperador que arruinó los sueños de grandeza de Francia, pero impuso el catecismo imperial, la fiesta de Napoleón y múltiples acciones de gracias. El bonapartismo le dio un sentido épico a los olvidados de la Revolución francesa, a los mismos que tomaron el palacio de La Bastilla, pero que fueron relegados por la feroz disputa por el poder desde la caída del rey Sol.

Los imitadores de Napoleón creen más en esta leyenda decimonónica que en los hechos y en los errores históricos y militares, en los excesos del nepotismo y en la corrupción sin freno que llevaron a la derrota al general que se soñó como Alejandro Magno y César.

El punto fundamental del sueño napoleónico es que se puede construir un imperio, mover una nación, ganar, con miras a la historia, concentrando y centralizando todo el poder, sin límites de tiempo ni contrapesos. Creer en el genio que todo lo puede es quizás la más cara de las pesadillas napoleónicas.

El peñismo, su propaganda y sus reformas

El estilo personal de Enrique Peña Nieto al frente de la presidencia tiene origen en tres concepciones ya explicadas: considerar el porfiriato una "dictadura benévola", evadir el principal error del obregonismo al instaurar las bases del nuevo presidencialismo (su reelección) y ver el fenómeno napoleónico desde sus formas y fórmulas imperiales, y no desde la génesis de un poder que se alió a las clases excluidas tras el triunfo de la Revolución francesa. La esencia de la encrucijada peñista, a dos años de su triunfal inicio y su actual crisis, es que constituye solo un proyecto de concentración de poder, pero no un proyecto de restauración del Estado. El porfiriato, el bonapartismo y hasta el obregonismo plantearon un modelo distinto de Estado sobre las bases de una crisis que los llevó al poder. Crearon un nuevo sistema político. Peña Nieto no se lo planteó ni lo ha logrado. Se ha convertido en un mal administrador de la decadencia de un sistema sin una visión de Estado.

Existe una continuidad del modelo de reformas neoliberales iniciadas en el salinismo, pero no un modelo de nuevo régimen. Por el contrario, se ha registrado un severo retroceso a una etapa anterior al movimiento del 68 y a la apertura política de 1977-1979. Paradójicamente, el peñismo es una generación de tecnócratas y de políticos pragmáticos que crecieron bajo el modelo de la crisis del régimen y la alternancia, pero prefieren optar por la restauración autoritaria del presidencialismo antes que emprender una reforma a fondo del sistema.

Del peñismo y el bonapartismo queda como semejanza el fervor y la mitificación a la propaganda sistemática y al control de los medios de comunicación. Su ascenso político fue el resultado de una consciente y dispendiosa estrategia para darle atributos de "conciliador", "transformador" y "eficaz" a un funcionario que surgió en una cultura política que ve su principal campo de batalla en la operación de la cooptación electoral y no en la construcción de consensos sociales sólidos. La incorporación del mundo del espectáculo y la farándula, el *reality* político que acompañó su ascenso, ayudó a lograr el objetivo. Es un telepresidente, pero no un estadista que utilice la propaganda para crear una movilización. Al contrario, el exceso mediático ha creado un déficit de apoyo y legitimidad.

"Te lo firmo y te lo cumplo" fue un lema que Peña Nieto aplicó en la campaña para gobernador en 2005. "Para ganar más" fue el eslogan que utilizó en la contienda de 2012. Y desde el gobierno instauró la frase "Mover a México" como eje-guía de sus acciones más ambiciosas. Sus resultados en términos de percepción pública y apoyo al gobierno son muy pobres. El dispendio publicitario en los distintos medios —electrónicos, impresos, digitales— está a la vista. Según los datos oficiales, el gobierno federal pretendía gastar casi 5 mil millones de pesos en promoción durante 2014; 44% de esos recursos se destinaron a las dos principales cadenas televisivas (Televisa y Tv Azteca), 24% a las decenas de medios impresos, 17% a estaciones de radio comerciales y sólo 3% a internet.

Esta cantidad será mayor a los 4 195 millones de pesos que la administración federal y centralizada ejerció durante todo 2013, según el reporte y estudio del Centro de Análisis e Investigación Fundar y Artículo 19, ambos especializados en las cuentas públicas en materia de gastos en promoción y comunicación social. Es decir, en sus dos primeros años de gobierno, el peñismo habrá ejercido más de 9 mil millones de pesos en promocionarse, a través de las partidas 36101, 36201 y 33605. A este ritmo de gastos superará ampliamente al foxismo y al calderonismo que invirtieron sumas millonarias para la propaganda. Esto sin contar los múltiples contratos que no son fiscalizados públicamente o los intercambios "en especie" que benefician a los grandes concesionarios y dueños de medios en México y que garantizan el control local de la información y de la opinión expresada en ellos.

En los dos primeros años de su mandato, Peña Nieto procuró, como nadie, apuntalar a México en las altas esferas del poder político y financiero a través de la prensa extranjera. *Mexican moment* lo llamó la revista británica *The Economist,* mientras que *The Wall Street Journal, The Financial Times, El País, Le Figaro, Time,* las cadenas televisivas más importantes de Estados Unidos y Europa, ávidas por encontrar un nuevo fenómeno latinoamericano tras el fin del gobierno brasileño de Lula, alabaron anticipadamente las reformas del peñismo.

Dos años después, esos mismos medios que cultivó con tanto interés son sus principales críticos: *The Wall Street Journal* ahondó en los conflictos de interés, y en enero de 2015 reveló que el mandatario compró una residencia en Ixtapan de la Sal a su compadre Roberto San Román, beneficiario en importantes obras públicas durante su gobierno en el Estado de México y a nivel federal. *The Financial Times* ha vinculado los escándalos de corrupción con la crisis de Ayotzinapa y *The Economist* publicó un duro editorial donde le advierte a los peñistas que no han entendido el punto y han tenido un comportamiento inaceptable.

Peña Nieto supo utilizar la táctica de la "guerra relámpago", sobre todo en el terreno de sus reformas legislativas o "reformas estructurales". En menos de dos años cumplió con la tarea de modificar artículos sustanciales de la Constitución y emprender la fase de la legislación secundaria. En el terreno de la reforma energética, logró lo que no se había conseguido en 75 años desde la expropiación petrolera y menos en los últimos 30 de modelo neoliberal: el 11 de diciembre de 2013 las dos cámaras del Congreso de la Unión, con la mayoría de votos del PRI, PAN y PVEM, modificaron los tres artículos sustanciales de la Constitución mexicana (25°, 27° y 28°) para autorizar la posibilidad de contratos privados en la industria petrolera y eléctrica. El 20 de diciembre del 2013, Peña Nieto promulgó la reforma constitucional, tras una aprobación *exprés* en la mayoría de los congresos estatales; el 11 de abril de 2014 envió el paquete de 13 leyes secundarias que abren directamente la inversión privada, nacional y extranjera, a las áreas antes sólo reservadas al Estado, bajo fórmulas de contratos que disfrazan la condición de "concesiones"; transforman radicalmente la naturaleza de Pemex y CFE (las dos principales empresas del país); abren la posibilidad para el despojo y la propiedad de la tierra en una de las operaciones más ambiciosas desde el porfiriato; y crea nuevas entidades reguladoras que dependerán directamente del presidente de la República. Las reformas se aprobaron en el Senado y la Cámara de Diputados durante el primer semestre del año, en una jornada que prácticamente nadie escuchó ni oyó; y el 12 de agosto de 2014, en una simbólica ceremonia en Palacio Nacional, Peña Nieto firmó e hizo entrar en vigor las nuevas leyes que marcaron el fin del modelo nacionalista en la industria energética y eléctrica. Un giro de 180 grados en menos de 10 meses. Algo que no logró Salinas de Gortari en seis años, ni Felipe Calderón durante 2008 cuando se frustró su reforma energética para abrir contratos de riesgo. Peña Nieto lo había conseguido con la velocidad de un Bonaparte que sorprende al adversario. En enero de 2015, con la crisis de los precios internacionales del petróleo, las promesas de grandeza de la reforma energética se vinieron abajo.

Antes de la reforma energética, el gobierno del Pacto por México logró la reforma educativa (constitucional y legislación secundaria) con una intensa protesta social de la disidencia magisterial, la CNTE, pero con el sindicato más grande de América Latina, el SNTE, desmovilizado y con Elba Eshter Gordillo, su cacica histórica, en la cárcel.

En el mismo paquete de los cambios ambiciosos se realizó una profunda reforma constitucional en telecomunicaciones y radiodifusión, que fue apoyada por prácticamente todas las fuerzas políticas y en octubre de 2013 despertó muchas expectativas. Peña Nieto se desembarazaba de Televisa, dijeron sus promotores.

En menos de seis meses, la alianza entre el gobierno federal y Televisa se consolidó. Lejos de distanciarse, Peña Nieto negoció una legislación secundaria a modo para beneficiar el modelo de negocios de la empresa de Emilio Azcárraga Jean. Los dos grandes negociadores fueron el secretario de Hacienda, Luis Videgaray, y el vicepresidente de Televisa, Bernardo Gómez. Los operadores en el Senado de una contrarreforma en telecomunicaciones y radiodifusión fueron el consejero jurídico de la Presidencia, Humberto Castillejos; el infaltable Aurelio Nuño; y el jefe de la bancada del PRI, Emilio Gamboa Patrón, una especie de Fouché transexenal que ha sabido sobrevivir a todas las crisis y disputas en la cúpula del poder. Fueron ayudados por personajes menores y no menos folclóricos como el panista Javier Lozano, incluso por el perredista Miguel Barbosa, que acabó negociando directamente con Los Pinos cláusulas legales para beneficiar a Televisa.

El Congreso aprobó una ley secundaria que fue exactamente en contra de lo que se planteó en la reforma constitucional: ni fin del monopolio de contenidos, ni competencia pareja, ni respeto a los derechos de audiencia y a los usuarios de telecomunicaciones, ni un órgano regulador plenamente autónomo. La reforma en telecomunicaciones se aprobó con una ausencia total de debate público en los propios medios involucrados.

En medio de estas tres grandes reformas (educativa, telecomunicaciones y energética) se aprobó una reforma fiscal que despertó la animadversión de pequeños y medianos empresarios frente al gobierno peñista. Sólo se salvaron algunos grandes consorcios y el PRD se dividió en cuanto a apoyar una reforma que era "lo menos malo", porque se evitó el IVA generalizado a alimentos y medicinas. Una coartada política que nadie creyó. Casi en paralelo a la reforma constitucional en materia energética, el Congreso también aprobó una reforma político-electoral que tuvo como eje principal la centralización de los institutos electorales estatales. Migajas a los ciudadanos y grandes beneficios para los tres grandes partidos. La reforma culminó con la desaparición legal y material del Instituto Federal Electoral (IFE) y su transformación en Instituto Nacional Electoral (INE), con una nueva y costosa burocracia.

En menos de año y medio, el peñismo logró cinco grandes reformas estructurales que cambiaron aspectos sustanciales de la Constitución: educativa, telecomunicaciones y radiodifusión, fiscal, político-electoral y, sobre todo, energética y eléctrica; ésta última se convirtió en "la madre" de todas las reformas por sus dimensiones y consecuencias para los próximos 20 años.

Las reformas incómodas, las que el peñismo ha minimizado, se han quedado atoradas o se han perdido en el laberinto de las comisiones del Congreso: anticorrupción, transparencia, derechos humanos e índole social (campo, seguridad, combate a la pobreza). En este terreno el gobierno de Peña Nieto sin duda ha sido eficaz, pero profundamente antidemocrático. Ninguna de estas cinco grandes reformas ha despertado el entusiasmo social que se esperaba en un gobierno que pretende "mover a México". Ni siquiera entre las élites más beneficiadas se ha generado una ola de apoyo.

Por si fuera poco, el bonapartismo al estilo peñista no ha dado pan ni crecimiento económico a sus gobernados que justifiquen el costo inmediato de las reformas estructurales. En el primer año de su gobierno, la economía sólo creció 1.1% y se había prometido un crecimiento mayor al 2.7 por ciento. Descontando el aumento de la población en este periodo, esta cifra significó un decrecimiento de 0.2 por ciento.

Para 2014, la Secretaría de Hacienda prometió un pronóstico de crecimiento inicial de 3.9%; lo disminuyó a 2.7%, pero hasta el primer semestre sólo se había registrado un incremento de 1.7 por ciento. Para 2015 prometen un aumento de 3.7% del PIB; pero ante la reducción del gasto público por el efecto de la baja de los precios del petróleo se estima llegar apenas a 3%, si es que no disminuye más ante la volatilidad financiera que puede crearse con el aumento de las tasas de interés en Estados Unidos.

A pesar de la reforma hacendaria y fiscal, los ingresos presupuestarios sólo crecieron entre enero y julio de 2014 2.7% en términos reales frente al 2013. Los ingresos petroleros sólo aumentaron 0.5% y los no petroleros 3.7 por ciento. Peor aún: en medio de la reforma energética, la producción de petróleo disminuyó de 2 520 millones de barriles de petróleo crudo a 2 350 millones. Para 2015, la Secretaría de Hacienda estableció una meta de 2.4 millones de barriles, muy lejos de los 3.5 millones que promete la reforma energética como objetivo a alcanzar. En contraste, sí creció la deuda neta del sector público de 818 mil millones de pesos entre julio de 2013 y julio de 2014, lo cual representa de 33.7 a 37.3% del PIB. Es un indicador que tampoco sirvió a la reforma fiscal para obtener mayores ingresos, y se ha tenido que recurrir al endeudamiento para mantener el ritmo del gasto público. En el mismo periodo, el Índice de Tendencia Laboral de la Pobreza (ITLP), de Coneval, aumentó 2.8 por ciento. Este indicador mide a los trabajadores que no reciben ingresos suficientes para adquirir la canasta básica.

Otro importante indicador sobre la debilidad del mercado y el consumo interno es el Índice de Confianza del Consumidor, elaborado por el Inegi, que cayó 7.9% entre enero y agosto de 2014, respecto al mismo periodo de 2013. Éste anticipó que la recuperación económica prometida para el segundo semestre de 2014 no se lograría.

Uno de los indicadores más sensibles para la mayoría de la población: el costo de la canasta básica aumentó 5.2% en el primer semestre de 2014 en relación con el mismo periodo de 2013. Eso sí, la Secretaría de Hacienda presumió en el Segundo Informe de Gobierno que la inflación "seguía a la baja" porque el promedio se redujo de 4.1 a 3.9% entre 2013 y 2014.

Del desencanto a la ira

No terminaba la celebración de las reformas estructurales aprobadas y el relanzamiento de Peña Nieto en los medios de comunicación, cuando la misma prensa extranjera dio cuenta de un fenómeno: los mexicanos estaban "desencantados" con su propio reformador. Todas las encuestas —las públicas y las privadas que Los Pinos mandó a hacer— reflejaron un bajo índice de aprobación y apoyo a las reformas.

El golpe más duro fue el sondeo difundido el 26 de agosto de 2014 por el Pew Research Center (un *think tank* con fuerte influencia en los círculos de Washington): registró 51% de opiniones favorables al gobierno de Peña Nieto contra un 48% desfavorable. El índice de aprobación fue de 6 puntos, más bajo que en 2013, y la opinión negativa hacia el gobierno federal creció 9 puntos en un año, según el mismo centro.

El nivel de desaprobación fue mayor en el terreno económico: 60% está en contra del manejo de la economía (14% más que en 2013) y sólo el 37% la aprobó (9 puntos menos que un año anterior). Los indecisos disminuyeron de 8 a 3 por ciento.

Ninguno de los sondeos se refiere a los temas de las 11 reformas estructurales que "movieron a México": 79% consideró el crimen y la inseguridad como el problema más importante; 72% la corrupción; el mismo porcentaje la violencia de los cárteles; 70% la contaminación del agua y 69% la contaminación del aire.

La encuesta del Pew Research Center se difundió el mismo día en que Peña Nieto realizó su primera visita oficial en territorio norteamericano, tras la aprobación de las reformas estructurales. En esa encuesta 69% expresó su descontento con las condiciones del país y sólo 30% se expresó satisfecho. Casi una tercera parte, 27%, consideró "muy mala" la situación del país. De los jóvenes entre 18 a 29 años, 51% pensaban como una buena opción migrar a Estados Unidos.

El desencanto ya lo venían documentando otras casas encuestadoras que no pueden ser señaladas como enemigas del peñismo, como es el caso de

Consulta Mitofsky, GEA-ISA, Parametría, o los periódicos *Reforma* y *El Universal,* éste último a través de Buendía & Laredo. En casi todos estos sondeos no son la reforma energética ni la de telecomunicaciones las que mencionan los mexicanos encuestados como las preocupaciones centrales. Son el desempleo, la corrupción y la inseguridad lo que más demandan resolver. El desempeño de Peña Nieto es menor a 50% de aprobación en la mayoría de los casos.

Consulta Mitofsky, en su sexta encuesta trimestral del 31 de mayo de 2014, reveló que 50% aprobó el gobierno de Peña Nieto, contra el 49% que lo desaprueba. Es el índice más bajo en comparación con los dos primeros años de otros gobiernos: Carlos Salinas (75% de aprobación), Vicente Fox (63%) y Felipe Calderón (61%). Sólo Ernesto Zedillo registró 34% de aprobación, como resultado de la aguda crisis económica de 1995, de acuerdo con la misma medición de Consulta Mitofsky.

Las encuestas de los periódicos *Reforma* y *El Universal* han arrojado cifras similares: la calificación del gobierno es menor a 6; más de 50% de los encuestados tienen una opinión negativa sobre la conducción de la economía; más de 65% cree que con la reforma energética no bajarán los precios de la luz ni de la gasolina (los dos temas que más se promovieron en spots durante el 2013); y más de 60% tiene percepciones negativas sobre la violencia y el combate a la corrupción.

La Sexta Encuesta Nacional realizada por GEA-ISA fue muy reveladora: 65% de los consultados está a favor de una consulta popular en materia energética, contra 17% que cree que la reforma constitucional de diciembre de 2013 debe ser modificada. Este sondeo se dio a conocer antes de que se aprobaran las 22 leyes secundarias en los temas de hidrocarburos, energía eléctrica, Pemex, CFE y organismos reguladores.

Para la mayoría de los mexicanos encuestados por estas empresas, la reforma energética no acabará con la corrupción que ha dominado durante años el manejo de empresas como Pemex o CFE. La privatización, por el contrario, la alentará. Ésa es la percepción más generalizada.

Parametría documentó que 74% de sus 800 encuestados opinan que no disminuirá la corrupción en los contratos a compañías privadas derivados de la nueva Ley de Hidrocarburos, y 64% opinó que las trasnacionales petroleras "sí influirán" en los asuntos políticos del país. Parametría midió la percepción de los ciudadanos sobre el impacto ambiental de la reforma energética, uno de los temas menos debatidos y más preocupantes para muchos jóvenes, debido a la legalización del uso del *fracking* como técnica para extraer el gas shale o gas de lutitas; 37% cree que "habrá más daños" frente a 34% que considera que "seguirá igual"; y sólo 19% cree que habrá "menos daños". En otras palabras, 71% tiene una percepción negativa en este tema.

Éstas han sido las encuestas que se conocen públicamente. Al interior del gobierno y del PRI existen mediciones mucho más negativas, con índices de calificación de 3 puntos al gobierno de Peña Nieto y casi 80% que desaprueba el manejo de la economía. Los datos de este desencanto se conocieron en el momento que el peñismo preparó una batería de entrevistas a modo en programas matutinos de Televisa (Hoy) o patrocinadas por el Fondo de Cultura Económica (Conversaciones a Fondo) para darle a Peña Nieto una plataforma de popularidad y de aceptación. La estrategia resultó ser un fiasco. Y contraproducente.

Peña Nieto apareció en una entrevista múltiple el 19 de agosto de 2014 con 6 comunicadores afines a Los Pinos, en la que justificó la corrupción en México ("es un problema cultural") y advirtió que los beneficios de las reformas estructurales no se verán en el corto plazo, sino hasta dentro de dos años y al final de su mandato.

"Usted arriesgó su capital político. ¿De dónde sacó ese valor?", le preguntó de forma calculada la comentarista de Tv Azteca Lilly Téllez. Peña Nieto evadió una respuesta, pero insistió en que él no gobernaba para quedar bien con las encuestas. Fue la misma respuesta que reiteradamente daban sus dos principales vicepresidentes: Miguel Ángel Osorio Chong, titular de Gobernación; y Luis Videgaray, secretario de Hacienda. Nadie creyó esta respuesta. Es más documentado y conocido que el ascenso peñista ha venido de la mano de una intensa medición de sus índices de popularidad y de aceptación. Nadie como Peña Nieto conoce el valor de los datos de las encuestas y cómo maquillarlos a su favor.

Optaron por no volver a mencionar las promesas incumplidas para justificar estas reformas. Ya no se volvió a mencionar —más que tangencialmente— que disminuirán las tarifas de luz, gas y otros servicios cuando "venga la competencia". En sus distintas entrevistas e intervenciones previas a su Segundo Informe de Gobierno, Peña Nieto insistió en que los efectos positivos de estas reformas se verán "de manera gradual".

El 24 de agosto de 2014, en el periódico *El País*, Peña Nieto insistió en que las reformas impulsadas en tan sólo 20 meses constituyen "un logro histórico". Para él, "pasamos de las reformas en la ley a las reformas en acción. En esta nueva etapa, el gobierno de la República continuará trabajando para que estas modificaciones legislativas se conviertan en beneficios concretos. El camino no será fácil, ni los resultados llegarán de inmediato".

Peña Nieto no explicó cómo se traducirán en beneficios concretos. Ni tampoco cuáles serán los resultados a mediano plazo. El artículo pasó sin pena ni gloria. El gran reformador no recibió los aplausos esperados por la audiencia en vísperas de su Segundo Informe de Gobierno. Por el contrario, la inesperada crisis provocada por la desaparición de 43 estudiantes normalistas de Ayotzinapa y el pésimo manejo de esta tragedia desde el poder presidencial provocó que el desencanto se transformara en una profunda ira social. Soterrada durante los meses anteriores, desmovilizada la sociedad frente a la imposición de las reformas peñistas, la crisis del 26 y 27 de septiembre en Iguala abrió una caja de Pandora. El gobierno de Peña Nieto ha ensayado tres estrategias que resultaron contraproducentes y alentaron la molestia social, al grado que la agenda política, informativa y social sigue dominada en 2015 por Ayotzinapa:

1. Minimizó el impacto de la tragedia. La redujeron a una crisis "municipal" y posteriormente a un fenómeno propio de Guerrero, entidad a la que el mismo Peña Nieto le destinó más de 30 mil millones de pesos del presupuesto, giras constantes, programas emergentes de apoyo a damnificados de las tormentas del 2013, pero que ha sido minado por la narcocorrupción imperante y consentida desde las instancias federales.

2. A partir de la reacción tardía —en medio de crecientes movilizaciones sociales en el país y en el extranjero—, Peña Nieto ensayó un encuentro con los padres de familia que resultó contraproducente. El telepresidente no fue capaz de salir de su guión y, hasta el momento de redactar este texto, de realizar un encuentro directo en la Escuela Normal Isidro Burgos de Ayotzinapa.

3. Desde el 7 de noviembre de 2014, el gobierno aceleró una versión de los sucesos trágicos de Iguala para darle "carpetazo" a la demanda de encontrar vivos a los estudiantes desaparecidos e investigar a elementos del Ejército presuntamente involucrados por omisión o comisión en los delitos. La PGR, con Jesús Murillo Karam al frente, insistió desde entonces que los 43 normalistas fueron secuestrados, interrogados, asesinados e incinerados en un basurero local de Cocula —municipio aledaño a Iguala— por sicarios del grupo Guerreros Unidos, sin que ningún elemento del 27 Batallón de Iguala se diera cuenta o evitara la masacre. Todavía el 27 de enero de 2015, Murillo Karam abundó en esta versión, tomando como aceptables los testimonios de sicarios detenidos. Afirmó que se trataba de una "verdad histórica", aunque luego trató de matizar.

La crónica de este episodio que cimbró a México la exponemos en el capítulo seis. Sin embargo, es inevitable destacar que esta tragedia y la furia social desatada marcaron un punto de inflexión en el gobierno de Peña Nieto. De la narrativa triunfalista pasó a la reacción autoritaria. En más de tres ocasiones seguidas, el primer mandatario insistió en que era necesario "superar" la tragedia, darle "vuelta a la página" y seguir con el *Mexican moment* que ya sólo existe como una versión nostálgica de la administración federal en el primer círculo peñista.

Por si fuera poco, a la tragedia de Iguala se sumaron los escándalos de corrupción. Y las evidencias de que el "grupo en el poder" pretende emular no a Porfirio Díaz, sino a Miguel Alemán Valdés para convertir a los amigos contratistas en los nuevos beneficiarios de la bonanza presupuestal. Un núcleo de siete empresas —Grupo Higa, Prodemex, OHL-México, Grupo Hermes, Pinfra, Grupo Prodi y GIA-A— habían acaparado 95 329 millones de pesos en los más importantes contratos de obras de infraestructura y de transporte en los dos primeros años del gobierno.[13]

El escándalo del contratismo entre los amigos del presidente provocó una dura reacción de la prensa internacional, especialmente de los medios más influyentes en el mundo financiero y empresarial de Estados Unidos y Gran Bretaña: *The Wall Street Journal, The Washington Post, The Economist, Financial Times* y *Der Spiegel*.

La cancelación del proyecto del tren de alta velocidad México-Querétaro, el 30 de enero de 2015, le restará 50 820 millones de pesos a esta bolsa multimillonaria de 95 329 millones de pesos, pero no aminoró las críticas y la percepción de que el "grupo en el poder" ha beneficiado a un grupo minoritario de contratistas que son compadres y amigos del presidente de la República con el presupuesto público. Los nombres de estos empresarios salieron a la luz tras el escándalo de la Casa Blanca y la cancelación del tren de alta velocidad: Juan Armando Hinojosa Cantú, Carlos Hank Rhon, David Peñaloza, Olegario Vázquez Raña, José Miguel Bejos, José Andrés de Oteyza, quien preside en México el consorcio español OHL.

NUEVO AEROPUERTO PEÑISTA

De los grandes proyectos de infraestructura que recortó el gobierno de Peña Nieto en enero de 2015, quedó en pie la construcción del nuevo aeropuerto de la Ciudad de México, una multimillonaria inversión de más de 170 mil millones de pesos, cuya fecha de arranque y conclusión aún son un enigma. Lo que ha quedado es la propaganda y la expectativa mediática de esta obra

[13] *Reforma*, 5 de noviembre de 2014, p. 7.

que es resultado más de un telepresidente que comienza a vender ilusiones y no realidades.

Como un mago que sacó un as bajo la manga, el 3 de septiembre de 2014, dos días después de su Segundo Informe de Gobierno en Palacio Nacional, Peña Nieto anunció desde el Salón Adolfo López Mateos de la residencia oficial de Los Pinos el proyecto de la nueva terminal del Aeropuerto Internacional de la Ciudad de México.

Durante más de 20 meses, el proyecto se negoció en el más absoluto sigilo. Ni siquiera en el Plan Nacional de Infraestructura ni en los anuncios de inversiones multimillonarias para construir carreteras o trenes de pasajeros se mencionó la posibilidad de una nueva terminal aérea. Muchos rumores afirmaban que el ex gobernador mexiquense supervisaba el asunto con su secretario de Comunicaciones y Transportes, Gerardo Ruiz Esparza; el ex gobernador de Hidalgo, Manuel Ángel Núñez; y con su tío, Alfredo del Mazo. Días antes del anuncio presidencial no quedaba claro si sería una ampliación de la actual terminal aérea o una nueva terminal de 4 o 6 pistas. La duda quedó despejada ese 3 de septiembre. Con un gran despliegue mediático y una puesta en escena con enormes maquetas, proyecciones digitales y un manual con la visión integral del proyecto, Peña Nieto presentó la compañía ganadora formada por el arquitecto mexicano Fernando Romero Havaux y el célebre arquitecto británico Norman Foster, cabeza de la empresa Foster and Partners.

Hasta ese momento se supo que hubo otros licitantes como Gómez-Pimienta, Teodoro González de León, Legorreta Hernández, López Guerra, Serrano Cacho y Javier Sordo Madaleno; cada uno asociado a despachos internacionales como Fentress Architects, Jean LLC, Norten, Skidmore, Owings & Merrill, Pascall & Watson. Se eligió el diseño de un aeropuerto de 6 pistas construido en 4 430 hectáreas, con 94 puertas de contacto, que transportará cerca de 120 millones de pasajeros al año, estará destinado a estar "entre los 3 más grandes del mundo", será "referencia global en sustentabilidad", pero se construirá en 3 etapas que durarán 50 años. Su costo mínimo será de 169 mil millones de pesos, de los cuales 120 mil millones se destinarán para la construcción de la infraestructura aeroportuaria (terminal, torre de control, pistas e instalaciones auxiliares), 20 500 millones se le pagarán al diseñador, a la ingeniería y a la gestión del proyecto, 16 400 millones a las obras hidráulicas, ya que planea construir lagunas, túneles y canales para convertir a la zona oriente en una especie de Venecia capitalina, y sólo 4 700 millones para "obras sociales". De este monto total, según el anuncio oficial, 98 mil millones serán aportados por recursos fiscales multianuales y 71 mil millones por el sector privado, a través de créditos bancarios y emisiones de bonos.

Nadie sabe exactamente cómo funcionará esta danza de miles de millones de pesos porque sólo se conoce la maqueta y un proyecto ejecutivo. Para todos quedó claro que se trata de la "gran obra" del gobierno de Peña Nieto, aunque durante su gobierno sólo quedarán terminadas dos o tres pistas. Evidentemente, se trata de un proyecto transexenal que beneficiará al grupo económico que encabeza el gobierno: el Grupo Atlacomulco.

En la fiesta del delirio, encabezada por el propio Peña Nieto, el gobernador del Estado de México, Eruviel Ávila, afirmó que este proyecto generará 160 mil nuevos empleos y llegará hasta 600 mil nuevas plazas. No explicó cómo ni en qué plazos. También afirmó que será un "aeropuerto verde" porque contará con un plan ambiental, y que 100% del suministro de la operación base del nuevo aeropuerto será con energías renovables.

Ávila mencionó el auténtico motivo que está detrás de esta obra faraónica (o napoleónica): el gran negocio inmobiliario en la zona oriente del Estado de México que abarcará, por supuesto, los municipios de Texcoco y San Salvador Atenco, el epicentro de las protestas en 2001 y 2006 que fueron reprimidas con implacable dureza por Arturo Montiel y su sucesor Enrique Peña Nieto. El nuevo aeropuerto "dotará de plusvalía a la región", aumentará la demanda de espacios para desarrollar actividades en toda la zona, "por lo tanto, es un beneficio directo en el mercado inmobiliario", afirmó Eruviel Ávila, quien anunció que el Estado de México "donará" 760 hectáreas para la construcción de lagunas de regulación; proyecto del que hasta ahora nadie conoce a detalle.

Hasta el jefe de Gobierno capitalino, Miguel Ángel Mancera, le entró a la danza de cifras alegres. Mencionó que beneficiará a las delegaciones Venustiano Carranza e Iztacalco y tendrá un impacto positivo en materia turística. Sin embargo, nunca dijo cómo resolverán el problema de inundaciones que representa una obra de este tipo que se construirá sobre el antiguo vaso del Lago de Texcoco. Ése no era el día de problematizar. Era la fiesta de Peña Nieto. Su proyecto más caro y ambicioso se presentaba. Para nadie es un secreto la obsesión política, financiera e inmobiliaria que el nuevo aeropuerto de la Ciudad de México representa para el Grupo Atlacomulco, en general, y para Peña Nieto en lo particular.

El primer estudio preliminar de un proyecto de esta magnitud se presentó en enero del año 2000, al finalizar el sexenio de Ernesto Zedillo, quien decidió posponer la obra por sus implicaciones políticas y ambientales. El panista Vicente Fox lanzó una convocatoria en la cual se plantearon dos opciones: en el municipio hidalguense de Tizayuca o el de Texcoco. Eran los tiempos de Arturo Montiel, quien destinó cientos de millones de pesos en la promoción y cabildeo de su proyecto. Finalmente ganó, pero nunca se concretó por la airada protesta social de los comuneros de San Salvador Atenco que se organizaron en torno al Frente de Pueblos en Defensa de la Tierra.

Los atenquenses acusaron al gobierno de Toluca de quererlos despojar de sus ejidos para lanzar un proyecto de especulación inmobiliaria en torno al nuevo aeropuerto llamado Ciudad Futura, creado por el arquitecto Teodoro González de León. Las protestas de los habitantes de San Salvador Atenco fueron duramente reprimidas por Montiel y por Peña Nieto. La feroz represión contra hombres y mujeres de ese municipio en mayo de 2006 está fresca en la memoria de sus habitantes. El mandatario ya era Enrique Peña Nieto y no ha demostrado ningún arrepentimiento o interés de frenar el impacto en Atenco. Por el contrario, fue por justificar la represión en San Salvador Atenco que se generaron las airadas protestas de los estudiantes de la Universidad Iberoamericana, en aquel mayo de 2012, cuando Peña Nieto visitó este recinto en Santa Fe y fue despedido en medio de los gritos: "Cobarde", "asesino" y "represor". Aquel episodio fue el germen del movimiento #YoSoy132.

El comunicado oficial de Los Pinos sobre el anuncio del nuevo aeropuerto da una idea del delirio de grandeza que encubre este proyecto transexenal:

> Hoy los mexicanos pensamos en el largo plazo. El presidente Peña Nieto pone los ojos más allá de su sexenio, no va a cosechar él alguna de las cosas que ha iniciado, y esto da certeza de que el gobierno y los mexicanos estamos cambiando nuestra manera de pensar para tener el México que merecemos, este México nuevo al que todos hemos aspirado.

La revista especializada en transporte *Obras* advirtió tres meses antes en su ensayo "Texcoco: un Shangri-La aeronáutico" que las experiencias recientes de la Línea 12 del Metro en la Ciudad de México, la Terminal 2 del aeropuerto construida durante el gobierno de Vicente Fox con fallas evidentes y la Estela de Luz del calderonismo —que arrancaron sin las previsiones necesarias— pueden convertir el nuevo aeropuerto en "uno de los dolores de cabeza logísticos".[14]

Sin embargo, la mesura no es una característica de la propaganda peñista. En las pantallas de televisión se vieron las imágenes digitales de una maqueta que simula la X de México, los símbolos del águila y del sol, el cactus y el nopal, en una ensalada de nacionalismo posmoderno que fue definido por Norman Foster como "un escaparate de la proeza".

En las semanas siguientes al gran anuncio no se volvió a tocar el tema. Se desconocen los detalles y los plazos de las próximas licitaciones. Entre bambalinas comenzó un duro jaloneo por el negocio inmobiliario. En enero de 2015, el Grupo Carso, de Carlos Slim, e ICA, la poderosa compañía de ingenieros mexicanos, desistieron de participar en la fase de la licitación del nuevo aeropuerto que, hasta ahora, no tiene pista de aterrizaje.

---

[14] "Texcoco: un hangri —la aeronática", *Obras,* 29 de junio de 2014.

ZONA DE TURBULENCIA DEL PEÑISMO

Justo cuando estaba preparándose para presumir a nivel internacional el logro de las "reformas estructurales" completadas en menos de dos años, el gobierno de Peña Nieto entró en una zona de turbulencia que ni el anuncio de su gran aeropuerto evitó. Entre septiembre y noviembre de 2014, en vísperas del aniversario de su segundo año de gobierno, llegó México a las primeras planas de los medios internacionales, pero no por los logros peñistas sino por las terribles matanzas en Tlatlaya y en Iguala, donde el secuestro y la masacre de 43 jóvenes normalistas conmocionaron a la opinión pública internacional. Por si fuera poco, la violencia en Michoacán revivió en diciembre y desembocó en la salida del comisionado especial Alfredo Castillo.

Llegó el *Mexican moment*, pero no como hubieran esperado los promotores y publicistas del peñismo. El rostro del narcopoder, la corrupción, la colusión de autoridades municipales y estatales con el crimen organizado, la utilización de efectivos militares para ejecuciones extrajudiciales (como en el caso Tlatlaya), los indicios de una nueva insurgencia (quizá vinculada a células del crimen organizado) en la zona conocida como Tierra Caliente en Estado de México, Guerrero y Michoacán, la crisis de Estado derivada de los sucesos en Iguala donde quedaron evidenciados los trasvases de intereses y narconegocios entre dirigentes del PRD, el gobernador Ángel Aguirre y las autoridades federales, terminaron por aplacar el triunfalismo de los dos primeros años de gobierno.

Ni uno sólo de los expedientes conflictivos que se generaron durante el sexenio de Peña ha sido resuelto y la crisis de Tlatlaya e Iguala los potenció: la fallida estrategia de intervención presidencial en Michoacán vía un comisionado; la detención y encarcelamiento del líder de las autodefensas de esa entidad, el doctor Juan Manuel Mireles; la explosión de violencia en Tamaulipas y en varias partes del noreste del país donde operan las células del cártel del Golfo y de los Zetas; las reiteradas matanzas y ejecuciones en distintos municipios del Estado de México, entidad "intervenida" también por el gobierno federal.

Las detenciones o entregas espectaculares de los capos del narcotráfico han servido para ganar aplausos entre las agencias antidrogas y de inteligencia de Estados Unidos, pero no han frenado la espiral de narcopoder que se evidencia en varias partes del país. La entrega del mítico Joaquín Guzmán Loera, *el Chapo,* intocable durante los sexenios panistas, no disminuyó el poder ni la capacidad operativa del cártel de Sinaloa. Tampoco la detención del presunto líder de los Zetas, Miguel Ángel Treviño, aminoró la violencia de esta especie de franquicia del crimen que opera en más de 12 entidades.

En medio de la crisis de Iguala y Tlatlaya, la PGR y la Policía Federal anunciaron la detención de dos capos de la vieja ola: Héctor Beltrán Leyva, el presunto cerebro financiero del cártel formado por sus hermanos; y de Vicente Carrillo Fuentes, el heredero del poder de Amado Carrillo, *el Señor de los Cielos,* en el cártel de Juárez.

Fue hasta el 27 de febrero de 2014 que detuvieron en Michoacán al folclórico y sanguinario jefe de los Caballeros Templarios, Servando Gómez, *la Tuta.* Fue llevado a las oficinas de la Procuraduría General de la República (PGR) en Morelia, y más tarde a las oficinas de la Subprocuraduría Especializada en Investigación de Delincuencia Organizada (SEIDO).

La zona de turbulencia a la que ingresó el gobierno de Peña Nieto en la última parte del 2014 también incluye un pleito sordo con la élite económica y política, cuyos orígenes y derivaciones son difíciles de pronosticar. El signo más claro de lo anterior surgió a raíz de la contaminación del Río Sonora en agosto de 2014, generado por Buenavista del Cobre, una de las filiales de Grupo México. Ese suceso desató un conflicto público con Germán Larrea Mota-Velasco, considerado el segundo hombre más rico de México y uno de los 50 multimillonarios del mundo, que controla el mercado del cobre a nivel global.

Larrea fue el empresario consentido desde el salinismo para apropiarse de malas maneras, cercanas al gangsterismo heredado de su padre, de la industria del cobre en el país. La máxima bonanza fue alcanzada durante los sexenios panistas de Vicente Fox y Felipe Calderón. Grupo México expandió su actividad a 13 minas y siderúrgicas, se quedó con Ferrosur y Ferromex (las empresas de trenes privatizadas durante el zedillismo) y comenzó a invertir en el negocio de los cines, al tiempo que se convirtió en un poderoso financiador de campañas electorales en Sonora (PAN) y en Coahuila (PRI).

En noviembre de 2013 la Comisión Federal de Competencia autorizó la fusión de Cinemex y Cinemark que convirtieron a Germán Larrea en el segundo distribuidor de salas de cine. De manera subrepticia, vía Cinemex se inscribió como licitante para la segunda y tercera cadena de televisión, hecho que desató la ira de Grupo Televisa. El viernes 19 de septiembre, la empresa de Azcárraga Jean expulsó al multimillonario de su Consejo de Administración, con la venia del gobierno de Peña Nieto claramente confrontado con Larrea.

Ni la muerte de 65 mineros en Pasta de Conchos, Coahuila, en 2006, ni los constantes expedientes y denuncias en contra de Germán Larrea y Grupo México por sus delitos ambientales, habían provocado una crisis entre el gobierno federal, Televisa y el magnate. Por el contrario, Larrea era el gran impune.

Fue un desarreglo con la cúpula peñista lo que detonó una soterrada guerra con el millonario. No hay una razón clara de este desencuentro. Larrea circuló la versión de que el PRI le pidió 200 millones de dólares para la campaña electoral en Sonora. Otras versiones hablan de un intento de extorsión de 1500 millones de dólares. Lo cierto es que el caso del Río Sonora fue el contexto ideal para desatar una campaña en contra de Larrea en Televisa y en los círculos del poder peñista que antes no se había visto.

Desde una oficina del gobierno federal circuló la única foto reciente que se conoce de Germán Larrea: es el momento en que saludó a Peña Nieto en un evento público de Banamex Citi. Según la columna "Grupo México: detrás de la crisis", escrita por el comentarista estelar de Televisa, Joaquín López Dóriga, Larrea "pidió ver al presidente a través de un integrante del gabinete ampliado y la respuesta fue que no lo recibiría, que su ventanilla única era la Semarnat. Ninguna otra".[15]

---

[15] *Milenio*, 17 y 18 de septiembre de 2014.

De manera oficiosa, López Dóriga desmintió en esa columna la versión de que Larrea tuvo un "arreglo" con Peña Nieto en aquel encuentro de Banamex Citi, que duró sólo 10 minutos.

"Nunca hubo tal acuerdo. Fue un saludo fugaz. Allí, en medio de toda la gente, Larrea se acercó a saludar al presidente y éste le dijo: 'Todo dentro de la ley', a lo que respondió: 'Sí, señor presidente'. Ése fue todo el diálogo", sentenció López Dóriga. Su única fuente posible era el propio Peña Nieto.

Dos semanas después de la salida de Larrea del Consejo de Administración de Televisa, se retiró otro de los magnates empresariales que surgieron en la era de Carlos Salinas: Claudio X. González, presidente de Kimberly Klark y dirigente del Consejo Mexicano de Hombres de Negocios, la cúpula de los hombres del gran capital.

La justificación de tal salida fue burda. Uno de sus hijos participa en una fundación creada por América Móvil, de Carlos Slim, adversario frontal de Grupo Televisa en la disputa por el mercado del *triple play* en las telecomunicaciones y en el futbol.

El silencio ante tal retiro duró varias semanas. Nadie se explica qué está sucediendo al interior de Grupo Televisa. Y menos en el seno del Consejo de Administración de esta empresa que, evidentemente, se ha convertido en un pilar del gobierno peñista. En enero de 2015 fue desplazado como vicepresidente de comercialización y mercadotecnia de Televisa Alejandro Quintero Iñiguez, el creador del "producto integrado" Peña Nieto que lo llevó del gobierno del Estado de México a la presidencia de la República.

El segundo semestre de 2014 y el inicio de 2015 demostraba que las zonas de turbulencia pasan por Televisa y evidentemente por el gran negocio de las telecomunicaciones y de los contratos energéticos que se han abierto para quienes estén con el presidencialismo al estilo Peña Nieto. Las turbulencias sociales, políticas y empresariales demuestran que no bastaron las reformas estructurales para "mover a México" y construir un gobierno idílico donde todos le dicen "sí" al presidente de la República. Peña Nieto y su grupo no sólo se están disputando la permanencia en el poder durante varios años más allá del 2018, sino el botín de los grandes contratos que se derivan de cada una de estas reformas.

El año clave para el peñismo es 2015 por tres razones fundamentales: las elecciones federales que auguran un alto abstencionismo y el voto de castigo contra los tres principales partidos del Pacto por México; el negro panorama económico y financiero que pone en duda el éxito de las reformas estructurales peñistas; y la crisis de Ayotzinapa cuyas ramificaciones e impacto trascienden por mucho el ámbito de Guerrero. Se pondrá a prueba la capacidad de sobrevivencia de un grupo político que efectivamente "movió a México", pero en su contra.

CAPÍTULO 2

Los veneros del diablo:
la contrarreforma energética

LOS ATAQUES A PEMEX

La tarde del jueves 31 de enero de 2013 una detonación cimbró las estructuras de la Torre B2 del emblemático edificio de Pemex. Sobre la avenida Marina Nacional, en el Distrito Federal, se expandieron el pánico, el humo y las inmediatas especulaciones. No hubo fuego. Sólo una detonación similar a un sismo que derrumbó la estructura diseñada por el arquitecto Pedro Moctezuma Díaz Infante y dejó a decenas de personas atrapadas en los escombros.

No era la primera vez que un incidente provocaba una tragedia en la Torre Ejecutiva de Pemex, símbolo de la época del *boom* petrolero y de la empresa más importante del país. Planeada durante cinco años, se empezó a construir en 1981 y se inauguró en 1982, el año de la nacionalización de la banca y del fin del sueño de "administrar la abundancia" del gobierno de José López Portillo.

Cinco días después de ese histórico último informe de López Portillo, el 6 de septiembre de 1982, se produjo un incendio en la Torre de Pemex. El siniestro coincidió con el inicio de los juicios en Estados Unidos contra empresarios que sobornaron a funcionarios de Pemex en la época de Jorge Díaz Serrano.

Heberto Castillo, el ingeniero fundador del Partido Mexicano de los Trabajadores y crítico de la política petrolera de entonces, escribió en la revista *Proceso*:

El incendio de las oficinas administrativas de Pemex y la destrucción de los archivos que guardaban sus computadoras pueden estar relacionado con las aventuras de Jorge Díaz Serrano en la economía privada nacional. Él desvió importantes contratos hacia su empresa Permargo y hacia otras que hacían lo que se llama ingeniería de proyectos. El rumor insistente de que se actuaría contra él al término del mandato de José López Portillo lo ha hecho, incluso, ponerse a escribir en un diario de negro desprestigio echeverrista para cubrirse las espaldas.[1]

En ese entonces, no hubo víctimas. Borrar las huellas de la escandalosa corrupción que encubrió el *boom* petrolero fue una de las pistas que se quedaron en el tintero.

A diferencia de aquel siniestro en el ocaso lopezportillista, en la detonación del inicio peñista hubo 37 muertos y más de 100 heridos, según los reportes oficiales. El "incidente" ocurrió dos meses después de que comenzara el nuevo sexenio. Y, como en la época de López Portillo, un gran número de conflictos y expedientes se acumulaban en torno a Pemex: las cientos de denuncias laborales, las investigaciones en Estados Unidos contra los líderes del sindicato petrolero, el conflicto de la nueva dirección de la paraestatal con la empresa alemana Siemens y, como nos enteraríamos poco después, las primeras indagaciones del caso Oceanografía.

El "incidente" se enmarcó en el proyecto apenas enunciado en el Pacto por México para abrir Pemex a la inversión privada y los jugosos y complejos negocios que de ahí se derivarían. Otros atentados, menos visibles y espectaculares, se gestaban en el seno de la naciente administración federal. El peñismo pretendía completar el ciclo de reformas iniciadas hace dos décadas por Carlos Salinas de Gortari con la transformación radical del modelo petrolero dependiente de una sola empresa paraestatal y anclado en la abierta prohibición del artículo 27 constitucional a otorgar concesiones a privados, nacionales o extranjeros, sobre los bienes naturales del subsuelo.

---

[1] Heberto Castillo, "Fuera Máscaras", *Proceso,* núm. 307.

El informe del Senado de Estados Unidos

Pocos sabían que ya circulaba en la Secretaría de Hacienda y en la dirección general de Pemex un extenso informe elaborado por el senador norteamericano Richard Lugar, republicano de Indiana y veterano en asuntos energéticos.

El octogenario legislador recomendó en ese documento de 31 cuartillas, fechado el 21 de diciembre de 2012, que el gobierno de Barack Obama aprovechara la negociación de los Acuerdos Transfronterizos de Hidrocarburos (ATH) para lograr una "reforma profunda" en materia energética en México.

El informe se elaboró entre octubre y diciembre de 2012, a raíz de encuentros que sostuvo Richard Lugar con integrantes del equipo de transición de Peña Nieto, con los coordinadores parlamentarios del PRI y del PAN, así como con empresarios y especialistas en materia energética. Dos personajes, citados en el informe, fueron los "interlocutores" más importantes: Luis Videgaray, futuro secretario de Hacienda, y "el joven" Emilio Lozoya Thalman, próximo director de Pemex.

En su parte medular, el documento de Lugar advirtió sobre la necesidad de reformar Pemex, en especial su relación con el sindicato, y afirmó:

> Los ATH permitirán por primera vez a compañías petroleras internacionales que cotizan en Estados Unidos trabajar en asociación con Pemex, sin incluir contratos de servicio. Muchos observadores se muestran optimistas de que el ATH sea la metafórica *camel's nose under the tent* [en español significaría que cuando un camello mete primero la nariz en una tienda de campaña es porque pronto se meterá por completo] que pavimente el camino para una reforma más amplia en México.

"No hay garantía de que se dé", escribió Lugar tres semanas después de que Peña Nieto tomara posesión como presidente de la República, pero el legislador norteamericano le insistió a la administración de Barack Obama que si Estados Unidos no aprobaba los ATH "podría frenar el impulso para una reforma energética doméstica en México":

Los ATH ayudan a demostrar que el patrimonio petrolero de México puede ser protegido bajo un régimen de producción conjunta con compañías de Estados Unidos. Algunos funcionarios de alto nivel sugirieron que la aprobación de los ATH podría ayudar a promover una reforma energética más amplia en México.[2]

En otras palabras, el decano de los senadores de Estados Unidos no quería solamente una reforma "a medias", como la que se produjo en 2008 durante el gobierno de Felipe Calderón Hinojosa. No querían sólo la apertura para algunos contratos de servicio. Querían contratos para aprovechar la renta petrolera mexicana. Modificar el artículo 27 constitucional y generar una serie de leyes secundarias para quitarle a Pemex el monopolio de la exploración y producción de hidrocarburos. Ese era el nombre del nuevo juego.

Los ATH fueron firmados por los gobiernos de Felipe Calderón y Barack Obama en febrero de 2012, a través de la canciller mexicana Patricia Espinosa y la secretaria de Estado norteamericana, Hillary Clinton. El Senado mexicano los aprobó sin mayor discusión ni deliberación pública. Faltaba la ratificación del Senado norteamericano.

En su libro *Privatización del petróleo, el robo del siglo,* el diputado federal Ricardo Monreal recordó así el episodio de la negociación con Lugar:

> Se reunieron Lozoya, con Videgaray, a quienes llama Lugar en su informe "los interlocutores". Ellos les dijeron que les había quedado un "amargo sabor de boca" porque la reforma energética de 2008, durante el gobierno del PAN, había sido insuficiente por gradualista y ofrecieron hacer una *reforma a fondo*.[3]

Lugar argumentó en su informe que los ATH permitirían no sólo impulsar una reforma energética "más amplia" en México, sino que "los barriles físicamente producidos sean asignados a las jurisdicciones legales de Esta-

[2] Versión original del documento *Oil, Mexico and The Transboundary Agreement,* http:// www.gpo.gov/fdays/

[3] *Op. cit.*, p.

dos Unidos y México, presumiblemente en proporción a la cantidad de reservas encontradas en sus respectivos lados de la frontera". En otras palabras, garantizará que sean jueces estadounidenses, y no sólo mexicanos, los que decidan sobre los contratos petroleros, tal como finalmente quedaría aprobado en las reformas.

El punto medular de los ATH es la creación de los contratos de "unitización" (*unitization*, en inglés). Gracias a éstos:

Las compañías autorizadas por Estados Unidos y Pemex explotarían conjuntamente las reservas de petróleo y gas que, según se ha detectado, se extienden a ambos lados de la frontera marítima.

En los hechos, estos acuerdos operarían de forma similar a los más conocidos Contratos de Producción Compartida (APC), en los que las compañías involucradas desarrollan conjuntamente un proyecto para distribuir riesgos, dado que cada una de las exploraciones en aguas profundas costarían miles de millones de dólares.

El legislador republicano argumentó muy comprensivo:

Dada la falta de experiencia de Pemex en aguas profundas, el resultado más probable es que las compañías petroleras internacionales autorizadas por Estados Unidos serían las que operarían los proyectos y utilizarían la infraestructura situada en el lado estadounidense de la frontera, que es más extenso que el de México cerca del área de cooperación. Sin embargo, a Estados Unidos le interesa que Pemex adquiera experiencia en la exploración de aguas profundas, con el fin de mejorar la integridad de potenciales proyectos operados por Pemex exclusivamente en territorio mexicano.

El punto medular del reporte de este decano e influyente senador vinculado con las grandes trasnacionales petroleras es que "las reformas energéticas determinarán en qué medida México será parte de la futura seguridad energética de Estados Unidos y América del Norte".

Lugar todavía admitió en su informe que "el entusiasmo popular y el orgullo nacional" de México dependen directamente de la industria del petróleo, así que "cruzar el territorio de la reforma del sector energético requiere del coraje político de parte de políticos mexicanos".

El acuerdo de los ATH fue avalado por el Senado de Estados Unidos el 19 de diciembre de 2013, coincidente con la fecha en la que el Congreso mexicano aprobó las reformas constitucionales que reseñamos más adelante.

La sincronía entre las negociaciones de los ATH y la agenda legislativa mexicana fue sorprendente. El subsecretario para América del Norte de la cancillería mexicana, Sergio Alcocer, intercambió las últimas notas diplomáticas con Estados Unidos la semana en que el Senado mexicano inició la discusión de los cuatro dictámenes sobre las leyes secundarias de la reforma energética y eléctrica, en julio de 2014.

De acuerdo con información de Pemex, en el área que abarca los yacimientos transfronterizos se incluyen 140 bloques marítimos, de los cuales, 23 ya están concesionados a grandes empresas estadounidenses como Exxon Mobil, Chevron, Conococo Phillips, Shell y decenas de pequeñas compañías de Texas.

Otro documento, elaborado en septiembre de 2012, y dirigido a inversionistas petroleros estadounidenses, advirtió que las reservas más importantes de México se encuentran precisamente en las aguas profundas del Golfo (26.6 mil millones de barriles de petróleo); en segundo lugar, las entidades del sureste (20.1 mil millones de barriles de petróleo); y en tercer sitio de importancia, la cuenca de Burgos (2.9 mil millones de barriles).[4]

El último "logro" del "coraje" de los negociadores mexicanos frente a los estadounidenses fue disminuir de 50 a 20% el mínimo de participación de Pemex en los yacimientos transfronterizos y la obligación de ambas partes de compartir información privilegiada. Es decir, cumplir con una de las metas fundamentales del informe de Lugar: integrar a México al área de seguridad energética de Estados Unidos.

---

[4] *Strategic FP&A in the Oil and Gas Industry. The Mexico Case.*

Otra senadora norteamericana, Lisa Murkowski, lo expresó así, con meridiana claridad, en su informe de febrero de 2013:

Los Estados Unidos se van a beneficiar de la mayor producción de Canadá y México. Ambas naciones tienen importantes recursos que quieren comercializar… Los recursos energéticos son un fenómeno natural más allá de las fronteras políticas. En 2011, Canadá produjo cerca de 2.9 millones de barriles diarios, mientras México 2.6 millones de barriles diarios. Cuando se añaden a los aproximadamente 6 millones de barriles diarios que produce Estados Unidos, la producción total de América del Norte (11.5 millones de barriles diarios) es mayor que las importaciones de la Organización de Países Exportadores de Petróleo (OPEP) (4.6 millones de barriles diarios). No hay escasez:

La única escasez es tomar ventaja de la tremenda base de recursos del continente para producir más petróleo dentro de nuestras propias fronteras y asegurar que las exportaciones canadienses y mexicanas vendrán aquí cuando surja la oportunidad. Si logramos esto podremos desplazar las importaciones de la OPEP en 2020.[5]

NEGOCIACIONES SINDICATO-PEMEX

El mismo informe de Lugar advirtió que uno de los riesgos más importantes para concretar la reforma energética mexicana era el esquema de corrupción y protección al sindicato petrolero, dirigido desde hace 17 años por Carlos Romero Deschamps, un cacique sindical del PRI, ligado a escándalos mayores de desvíos de fondos de la paraestatal a las campañas electorales del PRI (Pemexgate), a constantes denuncias por corrupción y a un control gangsteril del organismo. El sindicato tenía acceso al Consejo de Administración

---

[5] Lisa Murkowski, "Energy 2020. A Vision for America's Energy Future", US Senate 113Th Congress, Frebruary 14, 2013, p. 10

de Pemex y disponía de un porcentaje por cada contrato que la paraestatal otorgara a privados.

Al inicio del gobierno de Peña Nieto, el plan que se había echado a andar en Pemex era un recorte drástico de personal y litigar las grandes deudas que la paraestatal tenía por juicios mal llevados, a propósito, o no, durante la administración de Felipe Calderón Hinojosa. Pemex siempre ha sido un botín y un amasijo de expedientes de corrupción abiertos.

El problema más delicado era la negociación de Emilio Lozoya Thalmann y Carlos Romero Deschamps para "redimensionar la planta laboral", según el convenio de administración 10717/2013.

En el documento de 13 cláusulas que se negociaba tras bambalinas se recomendaba lo siguiente:

Cláusula IV. Serán "redimensionados" aquellos trabajadores sindicalizados y de confianza que no puedan ser reubicados y, de ser posible, jubilados conforme cláusula 134 del Contrato Colectivo de Trabajo.

Cláusula V. Con el mismo propósito se revisarán las plantillas del personal de confianza.

Cláusula X. En caso de que los estudios de redimensionamiento de estructura identifiquen áreas donde haya disminuido la actividad, se deberá analizar la justificación de las coberturas temporales de las plazas sindicalizadas.

Cláusula XI. Pemex y el Sindicato de Trabajadores Petroleros de la República Mexicana (STPRM) se comprometen a que, a través de la Comisión Nacional Mixta de tabuladores, revisarán y designarán las funciones de cada categoría laboral con un enfoque de mejoramiento de la producción y como consecuencia de su reglamento de trabajo y respectiva evaluación del puesto. (Es decir, se podrían dar bajas, jubilaciones, despidos y modificaciones salariales.)

Este contrato se presentó el 12 de agosto de 2013, pero se negociaba desde los primeros días de la administración peñista. Impactaría sobre los 145 427 trabajadores de la paraestatal, 126 mil de ellos de base y el resto temporales o de confianza. En el área estratégica de Pemex Exploración y Producción

(PEP) trabajan 49 mil 494 y en la de Pemex Refinación 49 mil 130. Hasta entonces, el pasivo laboral de Pemex ascendía a 347 mil millones de pesos. El recorte de personal contrasta con los beneficios de la cúpula sindical que durante los 10 años precedentes obtuvo 2 210 millones de pesos en canonjías por los conceptos de:

1. Apoyo económico al Comité Ejecutivo (457 millones de pesos).
2. Apoyo para gastos de viaje del Comité Ejecutivo (267 millones de pesos).
3. Gastos para festejos del desfile del 1 de mayo (157 millones de pesos).
4. Gastos para festejos de la expropiación petrolera (179 millones de pesos).
5. Gastos para la revisión del contrato colectivo de trabajo (1 148 millones de pesos).

La cláusula 251 (bis) del contrato colectivo de trabajo en Pemex obliga a la dirección de la paraestatal a entregarle al sindicato 105 millones de pesos antes de la revisión contractual. Un soborno institucionalizado. Estas cifras se desconocían públicamente, pero al interior de la paraestatal ya era un secreto a voces que se planeaba reducir la planta laboral en 20 mil plazas durante los próximos cinco años.

En el contexto de la detonación de la Torre de Pemex del 31 de enero de 2013, la situación laboral tenía un elemento potencialmente grave: la mayoría de los documentos que se perdieron eran del archivo de Recursos humanos. Ahí estaban cientos de demandas laborales y contratos.

LOS CONFLICTOS CON SIEMENS

El acta del Consejo de Administración de Pemex del 16 de enero de 2013, el más inmediato a los sucesos, notifica la aprobación del nuevo endeudamiento de la paraestatal para la administración entrante: 9 738 millones de dólares.

"Tomando en cuenta las amortizaciones que se estima realizar, implica un endeudamiento neto máximo de 42 676.4 millones de pesos (equivalentes a 3 314 millones de dólares), de acuerdo con el endeudamiento aprobado por el Congreso de la Unión", se asentó en el Acuerdo CA-006/2013.

Mediáticamente había un elemento explosivo para la nueva administración de Pemex. Emilio Lozoya decidió emprender una campaña en tribunales y en medios de comunicación, incluyendo a Televisa, en contra de la poderosa trasnacional alemana Siemens integrante del consorcio conocido como Conproca, responsable de la reconfiguración de la refinería Cadereyta.

El proyecto tenía una larga historia de conflictos. El 27 de noviembre de 1997, durante el sexenio de Ernesto Zedillo y bajo la dirección de Adrián Lajous, Pemex le otorgó el contrato a Conproca, integrado por la empresa coreana SK Engineering, por la alemana Siemens y por la mexicana Tribasa para modernizar esta refinería. El costo de la obra más el financiamiento dieron un total de 2 461 millones de dólares.

Desde septiembre de 2001, Conproca interpuso una demanda de arbitraje ante la Corte Internacional de Arbitraje, con sede en París. Reclamó el pago de 632 millones de dólares, más gastos financieros, por supuestos incumplimientos de Pemex. En abril de 2012, por mayoría de dos de los tres árbitros, el tribunal le ordenó a Pemex el pago de 190.72 millones de dólares. Pemex se inconformó e interpuso un amparo en tribunales mexicanos desde diciembre de 2011.

El 12 de diciembre de 2012, Lozoya pidió que se quedara suspendida la ejecución del laudo arbitral hasta que se resolviera la demanda de nulidad impulsada en tribunales mexicanos. En paralelo, presentó una demanda ante la corte de distrito de Nueva York por presuntos actos de corrupción por 500 millones de dólares contra Siemens y SK Engineering.

Además, revivió un caso de presunta corrupción del empresario Jaime Camil Garza, quien formó parte hasta ese momento del selecto club de contratistas cercanos a Enrique Peña Nieto y a su "grupo de poder" que llegó a Los Pinos. Camil había presumido su amistad y su futura bonanza con Peña Nieto al frente de la presidencia de la República. A Camil el escándalo de

Siemens lo convirtió en un amigo incómodo que fue mencionado regularmente en la cobertura de Televisa sobre el caso.

Tres días antes de la tragedia de la Torre Ejecutiva de Pemex, en Estados Unidos se ventiló la investigación realizada por la Securities and Exchange Commission (SEC), organismo regulador bursátil, sobre presuntos pagos de sobornos en 2004 de Siemens a "asesores y consultores de varios países", incluyendo la entrega de 2.6 millones de dólares a Jaime Federico Said Camil Garza, empresario-gestor que sirvió de intermediario entre la compañía alemana y su socio SK Engineering en el proyecto de la refinería de Cadereyta.

Ese dictamen de la SEC derivaba de la demanda interpuesta en diciembre de 2012 por Lozoya ante la corte de distrito de Nueva York. Lo escandaloso es que en el noticiario estelar de Televisa se ventiló el nombre de Siemens y el de Camil Garza, hasta entonces "intocable". Esto provocó el inevitable enojo de la embajada alemana y de su gobierno.

Este conflicto también generó especulaciones en los días posteriores a la detonación. Un poderoso empresario, un consorcio alemán emblemático y un millonario laudo arbitral que Pemex se negó a pagar.

Todo se sumaba al ambiente de incertidumbre. En el caso del conflicto con Siemens-Conproca, el 6 de agosto de 2014, en plena euforia por la aprobación y reforma de las 21 leyes reglamentarias de la reforma energética, un juzgado de distrito le negó el amparo definitivo a Pemex. Por tanto, la paraestatal deberá pagar 500 millones de dólares al consorcio extranjero.

El revés judicial para Emilio Lozoya y la nueva élite al frente de Pemex coincidió también con otro fallo adverso de la Corte del Segundo Circuito de Apelaciones de Estados Unidos, en Nueva York, que rechazó el 15 de julio de 2014 las acusaciones por corrupción, falsificación de facturas y sobornos en contra de ex funcionarios de la paraestatal durante los gobiernos panistas en el mismo expediente de Conproca.

BAJO LOS ESCOMBROS

La mañana del sábado 2 de febrero de 2013 recorrí la zona siniestrada con las detonaciones del 31 de enero. Los trabajos de rescate continuaban de manera intensa.

"Aún hay gente debajo de los escombros. No hemos podido llegar ni siquiera a la mitad", me confió un joven trabajador de Pemex, quien se sumó a las decenas de voluntarios que realizaron labores imparables desde el día siguiente de la detonación.

—¿Qué había en esos pisos siniestrados?

—Era el archivo de Recursos humanos. Muchas demandas laborales y contratos —comentó el rescatista.

El joven se fue. Guardó un hermético silencio cuando se acercaron supervisores que lo detectaron hablando con un reportero. Ante las dimensiones del desastre y lo delicado de la situación, las instalaciones fueron "tomadas" por la Secretaría de Marina, la Policía Federal y elementos del Plan DNIII.

Alrededor del edificio estaban equipos de transmisión de decenas de cadenas informativas internacionales: CNN, Fox News, ABC, BBC, CBS, Telesur y hasta Al Jazeera. El "atentado" era una noticia internacional. La avidez de una declaración, de algún reporte más claro prevalecía entre los periodistas. A muchos les pasó desapercibido que en el sitio se hallaba el equipo antibombas de la PF, a pesar de las reiteradas negativas oficiales de hablar de una bomba.

Circulaba la versión de que habían encontrado un extraño maletín. Horas después, el procurador Jesús Murillo Karam dijo en rueda de prensa que se trataba de una bolsa con maquillaje de mujer.

El propio Murillo realizó una visita a la zona de desastre. En la PGR había dos equipos paralelos: el que investigaba realmente y otro que intentaba efectuar un "control de daños" frente a los acontecimientos. El entonces subprocurador Alfredo Castillo, futuro comisionado del gobierno federal en Michoacán, mantenía una relación muy tensa con Murillo Karam, su jefe inmediato.

Lo único claro entre las distintas versiones extraoficiales es que no había ningún indicio de incendio. Ni los cuerpos rescatados ni los heridos presentaron signos de quemadura. La mayoría falleció por el derrumbe de la estructura del edificio B2 del Complejo Administrativo de Pemex. "Accidente o atentado, vamos a investigar cualquier posibilidad", reiteró Murillo en sus crípticas declaraciones.

En agosto de 2014, año y medio después de los hechos, la PGR ofreció la versión oficial: la detonación se debió a la acumulación de sedimentos de hidrocarburos, microorganismos que generaron gas metano y la presencia de solventes que, juntos, fueron el combustible de la detonación.

La PGR se basó en un estudio geológico solicitado al Instituto de Geología de la UNAM y a otros peritos. Las investigaciones conjuntas afirmaron que en el edificio se encontró: "Materia orgánica en diferentes capas del subsuelo", cuyos microorganismos son productores de metano que "al estar en contacto con los hidrocarburos, se potencializó su crecimiento y reproducción".

Sobre la presencia de solventes, la PGR afirmó que "eran utilizados para el mantenimiento, así como para la administración de conexiones eléctricas, mismas que generaron vapores que en combinación con el gas metano produjeron una mezcla explosiva". El metano, un gas más ligero que el aire, se concentró en la zona de pilotes del edificio B2, un lugar "cerrado, sin ventilación" que fue favorable a la acumulación de gas.

Según la versión oficial, fueron estos tres elementos —sedimentos con hidrocarburos, gas metano y solventes— los que permitieron una acumulación explosiva "con una chispa de origen eléctrico o mecánico generando un flamazo de forma instantánea que consume en su totalidad la mezcla explosiva".

Nadie supo explicar por qué en el edificio de Pemex se permitió esta "acumulación de gases" que provocó un incidente de tales dimensiones. Sobre todo, si hablamos de la empresa más importante del país, con experiencias múltiples en el cuidado de este tipo de "acumulaciones" y de incidentes en las plataformas de producción.

Informes de la Subdirección de Servicios Corporativos de Pemex demostraron que la empresa minimizó en los últimos 10 años los riesgos, las carencias y muchos incidentes reportados en la propia Torre Ejecutiva.

Tan sólo en el 2011, en los edificios aledaños a la Torre y que configuran el Centro de Administración de Pemex (CAP) se registraron un total de 2974 casos de emergencia, de los cuales uno fue un conato de incendio, 15 fugas de agua, 10 de gas, 10 cortocircuitos, 69 reportes de "olor a quemado", 2 derrames de agua, 266 alarmas de los sistemas de detección, 153 simulacros y 1063 eventos de protección contra incendio, según el informe de la Subdirección de Servicios Corporativos. Incluso, en 2012 hubo un incendio en el cuarto piso del edificio B2, sin que se registrara ningún herido, según la misma subdirección.

Lo único claro es que debajo de esos escombros y de la detonación del 31 de enero del 2013 no sólo se acumularon gases sino abandono, inseguridad y una gran corrupción que volvieron muy vulnerable al edificio emblemático de Pemex.

La reforma energética estaba en marcha, pero también la extrema vulnerabilidad de la compañía estelar de la bonanza petrolera mexicana.

LA MADRE DE TODAS LAS REFORMAS

Diciembre 2013. Lo impensable en siete décadas ocurrió en menos de una semana. El Senado de la República, doblemente cercado por decenas de ciudadanos opositores y por cientos de granaderos que construyeron una fortaleza en los alrededores del recinto, aprobó *fast track,* sin debate a fondo, las modificaciones a los artículos 25, 27 y 28 de la Constitución mexicana, más un paquete de 21 artículos transitorios que modificaron el régimen histórico sobre el uso de los recursos naturales y, en especial, sobre los hidrocarburos y la energía eléctrica.

En otras palabras, los intocables artículos constitucionales que determinaron durante décadas la propiedad de la nación sobre los recursos del subsuelo y la prohibición expresa de que éstos se concesionaran a particulares fueron modificados con el siempre doble lenguaje priísta: el petróleo seguirá siendo "nuestro", pero la renta petrolera extraída de éste (el auténtico valor de nuestro principal recurso no renovable) pasaba a ser compartida con las trasnacionales.

La operación fue una típica demostración de la capacidad de imposición al estilo peñista, como si fuera una "guerra rápida" napoleónica. El cerco al Senado inició desde antes de la votación de la madrugada del 12 de diciembre, simbólico día de la Virgen de Guadalupe. En los pasillos del edificio de Insurgentes y avenida Reforma, en los terrenos de lo que fue el viejo Cine Robles, decenas de tecnócratas del equipo del secretario de Hacienda, Luis Videgaray, intervinieron para acelerar las negociaciones con el PRD y con el PAN para aprobar el paquete de reformas financieras, la reforma político-electoral y la "madre de todas las reformas": los artículos constitucionales en materia energética y eléctrica.

Todo el proceso legislativo fue rápido y sin consulta alguna. El Ejecutivo federal presentó el 12 de agosto de 2013 su iniciativa de reformas constitucionales y fueron aprobadas cuatro meses después en la Cámara de Senadores y de Diputados. Para aparentar una consulta, la Comisión de Energía del Senado organizó un conjunto de foros de debate que se realizaron entre el 16 de septiembre y el 23 de octubre, apenas un mes de monólogos. La mayoría de los participantes fueron funcionarios y ex funcionarios de gobierno, afines a las empresas con intereses en el sector energético y eléctrico.

La verdadera discusión y el jaloneo no se dieron de cara a la nación. Fue en el seno de la Comisión de Energía, encabezada por el priísta David Penchyna, teledirigido desde la Secretaría de Hacienda, y con un grupo de cinco negociadores del PAN, los senadores Raúl Gracia, Francisco Domínguez y Roberto Gil Zuarth, y los diputados Juan Bueno Torio y Raúl Camarillo. Estos dos últimos fueron los mismos personajes que trataron de impulsar la fallida reforma energética de Felipe Calderón en el 2008. Uno de ellos, Bueno Torio, fue director de Pemex Refinación durante el sexenio foxista.

Estos negociadores aceleraron la elaboración de un predictamen de reforma constitucional que estuvo herméticamente oculto. Sólo se "filtraron" algunos detalles a medios internacionales orientados a las audiencias de los grandes hombres de negocios e instituciones financieras, como *Bloomberg* y *The Wall Street Journal.*

Mientras este equipo cerrado elaboraba el predictamen, a partir de la iniciativa presidencial enviada por Peña Nieto, los voceros del PRI, en especial, el dirigente nacional César Camacho, el líder de la bancada de los senadores, Emilio Gamboa Patrón, y los funcionarios de Energía, Pemex y Hacienda negaban reiteradamente que se negociara una mayor apertura al capital privado, tal como presionaron los panistas desde las nuevas posiciones en el nuevo modelo corporativista de Pemex y de la Comisión Nacional de Hidrocarburos.

Entre el 3 y el 10 de diciembre de 2013, la bancada panista en el Senado encareció su apoyo a la reforma energética peñista. En el fondo, estaba de acuerdo con el planteamiento del gobierno federal priísta. Tanto el PRI como el PAN fueron consultados por el senador norteamericano Richard Lugar, quien elaboró el citado informe para presionar a la administración de Barack Obama y conseguir el respaldo de la Casa Blanca y del Senado de Estados Unidos al cambio sustancial que se cocinaba en México.

La izquierda mexicana actuó dividida, fragmentada y desmovilizada en el momento más delicado de la historia energética. Al inicio de diciembre de 2013 un súbito infarto al corazón desmovilizó al ex candidato presidencial Andrés Manuel López Obrador, quien había anunciado medidas de resistencia civil pacífica a través del Movimiento Regeneración Nacional. El PRD le apostó a una consulta popular y dejó a su militancia en sus casas, atenazado por los compromisos firmados en el Pacto por México. Su otro dirigente histórico, Cuauhtémoc Cárdenas, condenó el intento de revertir la herencia histórica de su padre, pero no encabezó ningún acto de resistencia significativo.

El desarreglo con el PRD más bien parecía responder a un guión previamente acordado con la cúpula de Los Pinos. Desde el 28 de noviembre, el PRD anunció su "salida" del Pacto y su ruptura en la negociación de la reforma político-electoral, acusando al PRI y al PAN de convertir esas modificaciones constitucionales en "moneda de cambio". Fueron berrinches escenográficos. Lo fundamental ya estaba decidido.

La inexistencia de movimientos sindicales o sociales desvinculados de los partidos cooptados por el peñismo dejó prácticamente el terreno libre para que estos dos partidos ultimaran los detalles de la reforma constitucional en materia energética.

La disputa era por el botín, no por los detalles jurídicos. La administración y el control de los más de 80 mil millones de dólares anuales de la renta petrolera nacional era el origen de la resistencia del PAN a dar su aval a la iniciativa presidencial. El PAN proponía la creación de un Fondo Soberano de Estabilización y Desarrollo para administrar la renta petrolera. Quería tener participación en la configuración de este organismo que, según ellos, se basó en el modelo noruego. Por su lado, la Secretaría de Hacienda no quería perder el control de estos multimillonarios recursos. Ambas partes estaban de acuerdo en legalizar los contratos con privados.

El PRI y el Ejecutivo federal propusieron el modelo de los "contratos de utilidad compartida". El PAN quería que también se incorporara la figura de los "contratos de producción compartidos" o "contratos integrados", como les llamaron.

La senadora del PRD Dolores Padierna lo afirmó con claridad frente a la disputa bipartidista:

El tema importante, la joya de la corona, es el control del fondo soberano del petróleo. Ahora, la renta petrolera entra directamente a la hacienda pública. Esa renta petrolera asciende a 86 mil millones de dólares. El PRI lo quiere llevar a un fondo inorgánico, que no pueda ser fiscalizado a través de la Ley de Entidades Paraestatales, y el PAN quiere un fondo soberano autónomo, transparente.[6]

La danza por la figura de los contratos con los privados se prolongó durante una semana. Desde el gobierno de Felipe Calderón se habían

---

[6] *Proceso*, núm. 1936, 8 de diciembre de 2013.

aprobado los "contratos de prestación de servicios", que no incluían la participación de los privados en la renta petrolera. Ahora el PAN quería legalizar a nivel constitucional estos tratados y crear los modelos de "contratos de producción compartida", y la figura de "licencias acotadas", que en los hechos representaban concesiones.

El jueves 5 de diciembre, la bancada del PAN expuso sus cinco temas "irreductibles" frente al PRI: la incorporación de un modelo similar al de las concesiones, a través de la figura de las "licencias", acotadas en la redacción del artículo 27 constitucional; el rechazo al modelo de "contratos de utilidad compartida" que son difíciles de aplicar y "conducen a una mayor corrupción y a una mayor burocracia"; convertir a Pemex y a la Comisión Federal de Electricidad (CFE) en "empresas públicas productivas" con autonomía de gestión y no como parte del presupuesto; hacer que la Comisión Nacional de Hidrocarburos maneje el nuevo régimen de contratos y de concesiones, y la creación de un fondo soberano para administrar la renta petrolera independiente de Hacienda.

El senador del PRI y líder del sindicato petrolero, Carlos Romero Deschamps, frente a la presión de la negociación bilateral, optó por vetar para que el tema del sindicato petrolero estuviera en la mesa de negociaciones. Al menos no en la reforma constitucional. El magnate sindical, tan presto a lucir siempre sus relojes y su riqueza, se salió con la suya.

La Secretaría de Hacienda y Crédito Público, comandada por Luis Videgaray y por su subsecretario de Ingresos, Miguel Messmacher, llegó a un acuerdo con el PAN: aceptó la mayoría de sus "irreductibles", a cambio de que el Ejecutivo federal tuviera el control del fondo petrolero y de los nuevos organismos reguladores de energía y de hidrocarburos.

El sábado 7 de diciembre se dio a conocer un predictamen que se quedó corto frente a las "filtraciones" previas. La reforma energética a nivel constitucional planteaba la máxima apertura a la inversión privada y proponía cuatro modelos de contratos:

   a) Contratos de utilidad compartida (propuesta original de la iniciativa de Peña Nieto).

b) Contratos de producción compartida.

c) Contratos de licencia.

d) Una combinación de todas.

Se aceptó la creación del Fondo Mexicano del Petróleo, como un "fideicomiso público en el que el Banco de México fungirá como fiduciario". Este fondo será "el encargado de recibir todos los ingresos, con excepción de las contribuciones, que le corresponden al Estado mexicano derivados de las asignaciones y los contratos", y será también el responsable de "administrar y realizar los pagos de dichas asignaciones y contratos y las transferencias que especifique la ley".

A cambio de que se aceptara esta figura, los panistas le dieron todo el poder y el control a Luis Videgaray, quien como titular de Hacienda se convierte en el presidente del comité técnico del Fondo. Este comité determinará las inversiones de largo plazo, el destino de los fondos y recomendará la asignación de los montos correspondientes a todos los pagos derivados de la renta petrolera.

Con una celeridad nunca antes vista, el Senado inició la discusión del predictamen el domingo 8 de diciembre y lo prolongó hasta la madrugada del lunes 9. Tras 11 horas de discusión o monólogo entre sordos, de una ronda de más de 20 oradores, en pro y en contra, se aprobó, en lo general, las reformas a los artículos 25 y 27 constitucional. Faltaba discutir y aprobar en comisiones el artículo 28 y los 21 artículos transitorios propuestos.

En este debate, el senador Manuel Bartlett distribuyó un extenso y detallado "voto particular en contra" donde acusó al gobierno de Enrique Peña Nieto de violar la soberanía nacional y la Constitución y de caer en los supuestos de traición a la patria establecidos en el segundo párrafo del artículo 108 de la Constitución y en el 123, fracción I, del Código Penal Federal, que estipula que comete traición a la patria quien "realice actos contra la independencia, la soberanía e integridad de la nación mexicana con la finalidad de someterla a persona, grupo o gobierno extranjero".

En su turno, el perredista Manuel Camacho Solís coincidió con Manuel Bartlett en que el dictamen fue redactado en Estados Unidos. El ex regente capitalino y alguna vez cercano al "grupo compacto" de Carlos Salinas reveló que en la campaña electoral del 2000 a él y a Vicente Fox se les acercaron las compañías petroleras para ofrecerles su apoyo a la candidatura presidencial a cambio de que modificaran dos cosas en el artículo 27 constitucional: la "prohibición de contratos" y el permiso para "las concesiones". "Fox aceptó, y yo lo rechacé", afirmó Camacho Solís.

El pacto de silencio ante los críticos, previamente acordado entre los senadores del PRI, del PAN y del Partido Verde, fue respetado. No respondieron a ninguna de las preguntas ni de las duras posiciones de los opositores a la reforma constitucional para no "alargar" un debate que sólo se vio en vivo a través del Canal del Congreso, en señal de televisión restringida.

Todavía faltaba el golpe mayor. De manera irregular y sin respetar el reglamento del Senado, las comisiones de Puntos Constitucionales, encabezada por el priísta Enrique Burgos, la de Energía, dirigida por el también priísta David Penchyna, y la de Estudios Legislativos Primera, presidida por el panista Raúl Gracia, incorporaron cambios sustanciales al dictamen, elaborados de última hora que modificaban "de fondo" los artículos 25, 27 y 28 constitucionales.

La tarde del martes 10 de diciembre se citó al pleno del Senado para discutir directamente la reforma energética. Al filo de las 18 horas, mientras los representantes de todas las bancadas desahogaban las posiciones a favor y en contra, la vicecoordinadora del PRD, Dolores Padierna, denunció desde su curul que se le había entregado un acuerdo de los tres presidentes de comisiones que modificaban "de fondo" los artículos 25, 27 y 28 constitucionales y varios transitorios sin haberlos discutido en las comisiones dictaminadoras.

Una irregularidad más en el proceso legislativo de la contrarreforma energética. En efecto, se trataba de una "adenda" negociada sólo entre el PRI y el PAN, bajo la presión innegable de las grandes trasnacionales de la industria energética, de compañías mineras canadienses y mexicanas y hasta de la embajada de Estados Unidos, pendiente como nunca de este proceso.

El cambio más importante se dio en los artículos transitorios de la reforma constitucional para comprometer en la legislación secundaria el cumplimiento de las exigencias de las petroleras. Por ejemplo, uno de los cambios más significativos fue en el artículo octavo transitorio. Transformaron las actividades de exploración y extracción de hidrocarburos en "actividades de interés público y ordinario". Le agregaron, de última hora, que las concesiones mineras vigentes podrían tener derechos de explotación para el gas asociado a los yacimientos de carbón.

El artículo cuarto transitorio, donde se definen los modelos de contratos, sufrió otro cambio. En el párrafo donde se decía que las nuevas modalidades "podrán ser" ahora decía "deberán ser" y se le agregaba la frase "entre otras". Este cambio, según argumentaron Dolores Padierna, Manuel Bartlett, Layda Sansores y otros legisladores opositores, abría la puerta a la figura de las concesiones.

En el artículo décimo cuarto transitorio se le cambió el nombre al Fondo Mexicano del Petróleo para que ahora se denominara Fondo Mexicano del Petróleo para la Estabilización y el Desarrollo. Se estableció un nuevo orden de "prelación" para el destino de los ingresos que privilegia al Fondo de Estabilización de los Ingresos de las Entidades Federativas y al Fondo de Estabilización de los Ingresos Petroleros, ambos controlados por Hacienda. Se trataba de un cambio para calmar los reclamos de gobernadores de Tabasco, Campeche, Veracruz y Tamaulipas, entidades petroleras.

Uno de los cambios de fondo más grave se realizó en el artículo 27 constitucional para que el tema petrolero sea un asunto de "ingresos del Estado" (es decir, un asunto de materia fiscal), acrecentando el poder de Hacienda mientras que en el 28 se agregó que todo el sector energético sea considerado como estratégico, pero en los términos del artículo 27, es decir, permitiendo la contratación de privados.

El presidente de la Mesa Directiva del Senado, el priísta Raúl Cervantes Andrade, dejó correr la discusión sobre estos cambios violatorios del procedimiento parlamentario. Sin embargo, sometió estos agregados al voto mayoritario de los legisladores del PRI, PAN y Partido Verde.

La aplanadora se impuso en la aprobación de las reformas constitucionales.

El viernes 13 de diciembre, Emilio Gamboa, coordinador de los senadores del PRI, celebró la disciplina de su partido y su respuesta puntual a las exigencias de Los Pinos. El político de origen yucateco no pudo esquivar una aclaración sobre el escándalo que significaron los cambios tras bambalinas, sin pasar por las comisiones:

> Primero, quiero referirme que aquí, todo el año, no se han violado ni los estatutos ni el reglamento del Senado. Nosotros nos sentimos profundamente orgullosos del presidente del Senado y su mesa directiva.[7]

LOS PRINCIPALES CAMBIOS CONSTITUCIONALES

Las principales características de los cambios constitucionales aprobados en diciembre de 2013 fueron:

1. En materia de hidrocarburos se dividió a la industria en dos grandes segmentos:

   a) Exploración y explotación del petróleo y el gas; que seguirá siendo administrado por el Estado, dándole a Pemex posibilidad de asignar áreas para que celebre contratos con particulares.

   b) Refinación, distribución y comercialización de los derivados que quedan completamente abiertos a los privados. De ahí que se promueva la idea de que tendremos "competencia entre varias franquicias" gasolineras.

Para el constitucionalista Diego Valadés del Instituto de Investigaciones Jurídicas de la UNAM no era necesario cambiar la Constitución para lograr esta apertura. Afirmó en una entrevista:

> Bastaba con modificar el artículo 10 de la Ley de Asociaciones Público Privadas, donde existía una prohibición expresa de firmar contratos con Pemex. Hubiéra-

---

[7] *Proceso,* núm. 1937

mos modificado esto sin necesidad de tocar la Constitución. Era mejor porque la asociación no le da derechos reales sobre la propiedad de los hidrocarburos. En los contratos aprobados sí se los dan.

2. En el segundo segmento, sobre los derivados del petróleo, se permitirá la participación privada, nacional y extranjera, mediante el otorgamiento de "permisos" por parte del Ejecutivo. Así, por ejemplo, el presidente de la República podría otorgarle un permiso a una empresa privada para instalar y operar una refinería productora de gasolinas y venderlas en un mercado abierto.

El gobierno insistió en que este cambio no constituye una privatización, ya que las actuales refinerías seguirán siendo operadas por Pemex, que tendrá que competir de manera más eficiente con las refinerías privadas.

3. El decreto establece los plazos para el desmantelamiento de Pemex y de la CFE, las dos principales empresas paraestatales mexicanas. En los artículos transitorios 3, 6, 16 y 26 del decreto de reforma constitucional se establecen plazos de dos años para que ambas compañías dejen de ser organismos descentralizados y se conviertan en "empresas productivas del Estado".

Este eufemismo para denominar a Pemex y a la CFE, en realidad, las convierte en empresas productivas dependientes del Ejecutivo federal, no del Estado. Toda la reforma confunde deliberadamente la noción de "Estado" con la de "gobierno" y le da un control muy amplio al titular del Ejecutivo, a través de Hacienda, sobre la industria energética y eléctrica.

Se crea una nueva entidad que comercializará el gas. En el transitorio décimo sexto se establece:

Pemex y sus organismos subsidiarios o divisiones transfieran los recursos necesarios para que el Centro Nacional de Control del Gas Natural adquiera y administre la infraestructura para el transporte por ductos y almacenamiento de gas natural que tenga en propiedad para dar el servicio a los usuarios correspondientes.

4. En materia de electricidad, la reforma libera la generación y permite la participación privada en la transmisión y distribución de energía eléctrica

mediante la celebración de contratos. En la generación ya se permitía la participación de los privados desde el sexenio de Ernesto Zedillo, a través del esquema conocido como Productores Independientes de Energía (PIE), los cuales ya aportaban el 30% de la generación total del 2012, según las estadísticas de la propia CFE.

La reforma modificó la obligación de ésta de comprarle la energía a los PIE, y ahora tendría la opción de adquirirla al que mejores condiciones le ofrezca.

5. En el artículo 27 constitucional se realizó un cambio semántico, en apariencia insignificante. Se eliminó la prohibición de otorgar "contratos" para el caso del petróleo y los hidrocarburos. Remitió a la ley reglamentaria la determinación de la forma en que el Estado llevará a cabo la explotación de esos hidrocarburos.

Sin embargo, con este cambio se abrieron las compuertas para una participación privada en toda la actividad petrolera. Algo que se concretó en la Ley de Hidrocarburos aprobada en 2014.

6. En el caso de la energía eléctrica, en el mismo artículo 27 constitucional, se eliminó la exclusividad del Estado para generar energía eléctrica. El papel del Estado se limitará ahora a controlar el sistema eléctrico nacional. Se mantiene la prohibición de otorgar "concesiones", pero se abre la posibilidad de que el Estado celebre contratos con particulares. Las definiciones y modalidades también se establecieron en la ley secundaria, la Ley de la Industria Eléctrica.

7. En el artículo 28 constitucional se estableció que las actividades que realiza el Estado en las áreas de petróleo y demás hidrocarburos, petroquímica básica y electricidad estarán reguladas por la Ley Federal de Competencia Económica, lo que implica necesariamente la participación de varios actores privados en estas actividades.

El párrafo séptimo de este artículo quedó redactado de la siguiente manera:

No constituirán monopolios las funciones que el Estado ejerza de manera exclusiva en las siguientes áreas estratégicas: correos, telégrafos y radiotelegrafía; minerales radioactivos y generación de energía nuclear; la planeación y control del sistema eléctrico nacional, así como el servicio público de transmisión y distribución de energía eléctrica, y la exploración y extracción del petróleo y los demás hidrocarburos, *en los términos de los párrafos sexto y séptimo del artículo 27 de esta Constitución, respectivamente,* así como las actividades que expresamente señalen las leyes que expida el Congreso de la Unión.

Al vincularse este párrafo a la redacción nueva del artículo 27 constitucional se autorizan los nuevos modelos de contratos con privados.

8. En el párrafo octavo del nuevo artículo 28 constitucional se estableció que "el Poder Ejecutivo contará con los órganos reguladores coordinados en materia energética, denominados Comisión Nacional de Hidrocarburos y Comisión Reguladora de Energía, en los términos que determine la ley".

Se crean así dos nuevos órganos reguladores dependientes del Ejecutivo federal. No hay autonomía técnica ni de gestión a nivel constitucional. La ley secundaria les dio atribuciones por encima, incluso, de la Secretaría de Energía.

9. En el artículo 27 constitucional se hizo un agregado muy riesgoso para la soberanía mexicana. Se estableció que "para promover la participación de cadenas productivas nacionales locales, la ley establecerá las bases para fomentar el contenido nacional en la ejecución de asignaciones y contratos a que se refiere el párrafo séptimo" del mismo artículo.

"Las disposiciones legales sobre contenido nacional deberán ajustarse a lo dispuesto en los tratados internacionales y acuerdos comerciales suscritos por México", se agregó. Este párrafo anula la capacidad de expropiación e intervención del Estado mexicano sobre su industria más importante y permite llevar a tribunales internacionales todo lo relacionado con los contratos.

Diego Valadés, al ser consultado sobre este punto, afirmó:

En el Tratado de Libre Comercio se dejaron restricciones muy severas en materia de expropiación e intervención. Al desaparecer la base constitucional que permitía las reservas de México en materia energética en el TLCAN, el Estado mexicano se queda sin el instrumento para intervenir o expropiar.[8]

En otras palabras, las reformas constitucionales aprobadas hacen prácticamente imposible que se repita una decisión como la del general Lázaro Cárdenas en 1938. La reforma constitucional fue aprobada *fast track* por la mayoría de los congresos estatales, a pesar de estar en pleno periodo vacacional de diciembre 2013. El 18 de diciembre, apenas 6 días después de que fuera aprobada por el Congreso federal, ya había sido aprobada en la mayoría de los congresos estatales. El 20 de diciembre fue publicada en el *Diario Oficial de la Federación* y Peña Nieto presumía en los centros financieros internacionales este cambio de 180 grados.

La empresa encuestadora Parametría publicó un sondeo que reveló el bajo apoyo y consenso de los mexicanos a esta transformación radical al régimen de recursos naturales, energéticos e hidrocarburos:

- 50% de los encuestados estaba en contra de ampliar la participación de capital privado en Pemex. Sólo 20% estaba a favor.
- 51% estaba en contra de ampliar la participación privada en el sector eléctrico. Sólo 20% opinó a favor.
- 58% —una clara mayoría— consideró que la mayor participación privada en el sector *es una privatización,* 24% opinó que no lo es.
- 73% opinó que el precio de la luz aumentará, 71% consideró que el precio del gas también se incrementará y 76% opinó lo mismo sobre el precio de la gasolina. Estos índices reflejaron el fracaso rotundo de los spots gubernamentales para "vender" la reforma energética como un impacto positivo en los precios del sector energético.
- Según 80%, el mayor beneficiado de la reforma energética será el gobierno federal, 75% los empresarios, 29% opinó que será el país y sólo 15% mencionó a "la población".
- 50% opinó que la reforma energética es un "retroceso para el país" y sólo 32% consideró que se trata de un avance.

[8] *Proceso,* núm. 1937.

EL VERANO ENERGÉTICO

Pasaron sólo cuatro meses para digerir la reforma constitucional. El 30 de abril de 2014, el Ejecutivo federal envió al Congreso el paquete de 9 nuevas leyes secundarias en materia energética y eléctrica y la modificación de otras 12 divididas en 6 dictámenes (4 de ellos fueron discutidos en el Senado como cámara de origen y 2 en la Cámara de Diputados, relacionados con la parte fiscal de la reforma).

Se trataba del paquete legislativo más grande por sus complejidades técnicas, económicas y sociales que escasamente fueron discutidas y debatidas en el Congreso. La sociedad mexicana prácticamente no se enteró de las dimensiones de lo que se discutió y aprobó en julio de 2014, en pleno verano. El Mundial de Futbol de Brasil sirvió como un gran distractor social.

Simultáneamente, el Senado discutía también una compleja ley secundaria en materia de telecomunicaciones y radiodifusión que acabó por beneficiar a los grupos dominantes y consolidar la alianza entre Grupo Televisa y el gobierno de Peña Nieto. Amor con recursos públicos se paga: en la pantalla de los principales noticiarios televisivos la reforma energética pasó de noche.

La aplanadora volvió a funcionar de manera impresionante en el Congreso. Entre el lunes 14 y martes 15 de julio, los senadores del PRI, Partido Verde y del PAN aprobaron de manera unánime con 15 votos a favor los 4 dictámenes que abarcaban el paquete energético del Senado: Ley de Hidrocarburos, Ley de Inversión Extranjera, Ley de Minas, Ley de Asociaciones Público Privadas (primer dictamen); Ley de la Industria Eléctrica y Ley de Energía Geotérmica (segundo dictamen); Ley de Petróleos Mexicanos y Ley de la Comisión Federal de Electricidad (tercer dictamen); y Ley de los Órganos Reguladores Coordinados en Materia Energética y Ley de la Agencia Nacional de Seguridad Industrial y de Protección al Medio Ambiente del Sector Hidrocarburo (cuarto dictamen).

Eran una especie de superlegisladores. En menos de tres días fueron capaces de leer, discutir y debatir más de 2 mil páginas con complejidades técnicas que sólo los redactores entendían a profundidad. Alejandro

Encinas, senador del PRD, ironizó: "Es el método de más barato por docena de leyes". El PRD y el PT hicieron presión retirándose de las comisiones dictaminadoras. Manuel Bartlett, coordinador del PT, les reprochó las irregularidades y advirtió que no iba a convalidar un método de imposición que violentaba el reglamento.

Los panistas, con Salvador Vega Casillas a la cabeza, acusaron al PRD y al PT de aplicar "tácticas dilatorias". Vega se quejó de que en comisiones hubiera "más de diez horas de debate" con el PRD sobre las violaciones al reglamento y menospreció la propuesta, planteada por el senador Zoé Robledo, de que se transmitieran por televisión abierta algunas cápsulas de la discusión en comisiones que sólo se pudo sintonizar a través del Canal del Congreso.

Salomónico, el coordinador de los senadores del PRI, Emilio Gamboa Patrón, tuvo que intervenir en la larga y farragosa discusión en comisiones para señalar:

Ustedes [las izquierdas] creen que se está violando el reglamento, nosotros creemos que no, alguien lo va a tener que dictaminar. ¿Qué pido? Ya no discutamos más sobre procedimiento, vayámonos a lo que nos convocan…Olvidémonos de que si es legal o no, eso ya quedó claro. La izquierda dice que es ilegal, nosotros decimos que es legal. No nos vamos a poner de acuerdo. Pongámonos a discutir la esencia por lo que hoy estamos aquí.

Ése fue el tono de la discusión que prevaleció en las comisiones dictaminadoras de Energía, Estudios Legislativos y Gobernación durante el 9 y 10 de junio de 2014. La mayoría automática del PRI, el Partido Verde y el PAN impusieron tiempos, plazos y métodos de dictaminación que violaban abiertamente el reglamento del Senado. Negaron en todo momento que eso hubiera sucedido, pero aplicaron la aplanadora de sus votos.

El proceso de aprobación de la legislación secundaria se aceleró en julio de 2014 porque el 14 entró en vigor el ATH entre México y Estados Unidos, que prohíbe la explotación unilateral de las reservas energéticas en aguas del Golfo de México y establece los modelos de contratos entre contratistas estadounidenses y Pemex.

Es el acuerdo que el senador republicano Richard Lugar consideró como una especie de "dar la mano y tomarse el pie" para lograr la apertura completa del sector energético mexicano. En esta zona de los yacimientos transfronterizos se calcula que existen 172 mil millones de barriles de crudo de reserva y 304 mil millones de pies cúbicos de gas natural, reservas que garantizan por tres décadas el suministro de hidrocarburos al mercado norteamericano.

Por esta razón, necesitaban "legalizar" lo que en la reforma constitucional apenas se bosquejó. La ley clave para esto es la Ley de Hidrocarburos que establece las nuevas modalidades de contratos, con un porcentaje mínimo de participación de Pemex de 30 por ciento.

El debate en el pleno, una vez más, fue un prolongado diálogo de sordos. Un "avasallamiento", como lo calificó el senador Alejandro Encinas en tribuna. La legisladora Dolores Padierna subió varias veces para argumentar en contra y exponer cifras, datos, riesgos jurídicos del enorme paquete de legislación secundaria e insistir que se trataba de legalizar las concesiones. Manuel Bartlett, del PT, calificó de "criminal" lo que se estaba aprobando. Y varios senadores más del PRD y del PT dominaron la tribuna, pero fueron mayoriteados en las votaciones por el PRI, PAN y Partido Verde, cuyos legisladores cumplieron con el mandato de quedarse en sus curules y sacar adelante la reforma secundaria.

El verano energético culminó en un invierno social. Nadie salió a las calles a protestar, pero tampoco a apoyar. La legislación más importante y comprometedora de nuestros recursos naturales fue aprobada en el Senado y en la Cámara de Diputados como si estuvieran en una burbuja, ajenos a la sociedad.

Los más atentos eran los operadores de Hacienda que tomaron por asalto el Congreso, el consejero jurídico del Ejecutivo Federal Humberto Castillejos, y el jefe de la Oficina de la Presidencia Aurelio Nuño, quienes abiertamente dieron "línea" y negociaban en privado con los legisladores del PAN las partes más delicadas de los 6 dictámenes.

LOS EJES DE LA GRAN ENTREGA PETROLERA

Los 6 dictámenes aprobados tienen infinitas complejidades técnicas y jurídicas que son materia de especialistas. Lo importante aquí es identificar los cinco grandes ejes que constituyen la transformación más importante en el sector del que depende más de 40% del presupuesto federal:

1. *La fiesta de los contratos.*

La misma Ley de Hidrocarburos —reglamentaria del artículo 27 constitucional— estableció que no hay posibilidad de cancelar los contratos cuando lo considere pertinente el interés nacional (artículo 20) y en los casos de rescisión administrativa se prevé la solución de controversias por arbitraje internacional (artículo 21). Las nuevas figuras de contratos que legalizó la Ley de Hidrocarburos fueron los siguientes:

a) Los contratos de servicio. En este tipo de contratos, la producción se entrega totalmente al Estado y la contraprestación que recibe el contratista será la cantidad fijada en el contrato, en efectivo. Existen desde hace más de dos décadas.

b) Los contratos de producción compartida. Aquí puede haber pago "en especie" a los contratistas, es decir, con una parte de los hidrocarburos extraídos. El resto de la producción la entregará el contratista al comercializador y el producto de las ventas se informará al Fondo Mexicano del Petróleo.

c) Los contratos de utilidad compartida. Corresponde aquí al Estado pagar una contraprestación establecida en cada contrato considerando un porcentaje de la utilidad operativa. El contratista tendrá que recuperar los costos en que incurra para la exploración y extracción de los hidrocarburos y obtener un remanente de la utilidad operativa que quede después de descontar la contraprestación que por este concepto le corresponde al Estado. El total de la producción se le entregará al comercializador.

d) Las licencias. Figura más cercana a las "concesiones" que fueron propuestas por los panistas.

e) Asignaciones. Son exclusivas para Pemex. El Ejecutivo federal le otorga a Pemex el derecho para explorar y extraer hidrocarburos en determinadas zonas. Esto se determina a través de la llamada Ronda Cero y Ronda 1 de la Secretaría de Energía para asignarle a Pemex los bloques y campos a explotar. Las asignaciones pueden migrar hacia alguna figura de los contratos. Este es el gran negocio.

Las modalidades de pago que estableció la ley constituyen una auténtica apropiación de la renta petrolera:

• En efectivo, para los contratos de servicio.
• Con un porcentaje de la utilidad, en el caso de los de utilidad compartida.
• Con un porcentaje de la producción, en el caso de los de producción compartida.
• O con la "transmisión onerosa de los hidrocarburos una vez extraídos del subsuelo para los contratos anteriores".

Un estudio jurídico del primer dictamen de la Ley de Hidrocarburos, elaborado por la bancada del PRD, criticó esta fórmula de contraprestación en los contratos y las licencias:

Dada la imposibilidad de supervisar costos de exploración y extracción de un yacimiento petrolero, y según indica la experiencia internacional, el concepto de *recuperación de costos* ha dado lugar a grandes abusos y corrupción. Los costos que presentaron los contratistas generalmente vienen "inflados", lo que implica *una transferencia adicional de renta petrolera*.

Las fórmulas de contraprestación planteadas en la iniciativa ya han sido utilizadas en otros países, con resultados desastrosos. Bajo estas fórmulas, Venezuela le transfería a las petroleras privadas más de 50% del valor de sus hidrocarburos. Ecuador transfería más de 60%, Bolivia perdía 82% y Kazajstán más de 90 por ciento. Las iniciativas simplemente no toman en cuenta el gran daño que tales fórmulas han causado a otros estados petroleros y nos condenan a una suerte similar.[9]

[9] *Voto Particular en Contra,* Senadora Dolores Padierna Luna, Dictamen 1.

Otros problemas detectados por la oposición en la Ley de Hidrocarburos —considerada pieza clave del paquete de leyes secundarias— fueron:

- Las regalías y porcentajes de participación de utilidades o en la producción de petróleo son de "naturaleza fiscal" porque "gravan la renta petrolera que se les transfiera". Hábilmente, la ley ni siquiera tiene una definición de "renta petrolera" y las iniciativas le dejan un poder enorme a Hacienda para fijar estos porcentajes y en todo lo relacionado a las asignaciones (figura para entregarle a Pemex los campos a explotar) y los contratos (con los privados).

- En el artículo 46 de la Ley de Hidrocarburos se estableció que las actividades de exploración y extracción que se realicen en territorio nacional deben alcanzar, en promedio, al menos 35% de contenido nacional. Tampoco se define qué se entiende por "contenido nacional". Este porcentaje se establecerá por cada contrato, a partir de 2015; no al conjunto de la industria.

- La Ley de Hidrocarburos le permite a los privados quedarse con la información privilegiada sobre los trabajos exploratorios para la búsqueda de petróleo, gas y otros recursos del subsuelo. Así se estableció en el artículo 5. Y en el 33 les autorizan lo siguiente:

Los asignatarios y contratistas y todos los autorizados que realicen actividades de reconocimiento y exploración superficial tendrán derecho al aprovechamiento comercial de la información que obtengan con motivo de sus actividades.

Esto contradice el artículo 32 de la misma ley que estipuló que toda esta información es propiedad de la nación y debe ser entregada a la Comisión Nacional de Hidrocarburos.

2. *El gran despojo.*

El verdadero "truco" que se introdujo desde la discusión de las reformas constitucionales y se concretó en la legislación secundaria en materia energética fue la posibilidad de que el Estado expropie las tierras a favor de las empresas productivas del Estado y cree figuras para establecer la subordinación de los dueños originales de las tierras a favor de los concesionarios.

En otras palabras, se legalizó el despojo de tierras bajo figuras como la "ocupación temporal" o el "pago por la vía de servidumbres" que implicaría la contratación de los dueños originales de la tierra por parte de las compañías mineras, eléctricas, hidroeléctricas, petroleras, gaseras o de cualquier nueva modalidad de energía (incluyendo la eólica) que sean beneficiadas.

En el artículo 8 transitorio de la reforma constitucional se estableció:

Derivado de su carácter estratégico, las actividades de exploración y extracción del petróleo y de los demás hidrocarburos, así como el servicio público de transmisión y distribución de energía eléctrica, a que se refiere el presente decreto se consideran de interés social y orden público, por lo que tendrán preferencia sobre cualquier otra que implique el aprovechamiento de la superficie y del subsuelo de los terrenos afectos a aquéllas.

En el último párrafo del mismo artículo se dejó un ordenamiento ambiguo:

La ley preverá, cuando ello fuera técnicamente posible, mecanismos para facilitar la coexistencia de las actividades mencionadas en el presente transitorio con otras que realicen el Estado o los particulares.

No se tomó en cuenta —al menos explícitamente— que la mayoría de las tierras comprometidas están bajo un régimen ejidal o comunal, y que el artículo 25 constitucional, en su párrafo séptimo, identifica con claridad quiénes forman el sector social: ejidos, organizaciones de trabajadores, cooperativas, comunidades.

La pesadilla que advirtió el movimiento del Ejército Zapatista de Liberación Nacional (EZLN), desde su irrupción en 1994, se concretó en 2014 con las reformas secundarias: la legalización del despojo de tierras.

En el párrafo séptimo del artículo 27 de la Constitución se estableció: "Tratándose del petróleo y de los hidrocarburos sólidos, líquidos o gaseosos,

LA CAÍDA DEL TELEPRESIDENTE

en el subsuelo, la propiedad de la nación es inalienable e imprescriptible y no se otorgarán concesiones".

Esta nueva definición limitó la propiedad de la nación sólo a los recursos que están en el subsuelo. Es decir, una vez que se encuentren "a boca de pozo" o salgan a la superficie dejarán de ser propiedad de la nación y entonces pasarán a propiedad de los privados. En aquellos casos donde coexista la actividad energética o eléctrica con la agricultura o la ganadería, se privilegiará a los primeros.

La trama jurídica del despojo fue negada airadamente por el PRI, pero quedó claramente establecida y entreverada en varios artículos de la legislación secundaria, como en los artículos 100 y 108 de la Ley de Hidrocarburos que dejan al desamparo a propietarios, ejidatarios, pueblos y comunidades indígenas, al permitir una "libre negociación" por parte de las empresas energéticas y los dueños originales de las tierras, con la amenaza de ser expropiadas si no aceptan el ofrecimiento de las grandes compañías privadas, pues dicho ordenamiento también prevé la figura de las servidumbres. De ese modo, se permite que se presenten abusos para conseguir los terrenos y todas las graves consecuencias en materia de violaciones a derechos humanos y de violencia que se vive en las entidades con riqueza petrolera.

La trama del gran despojo está escrita también en la Ley de Industria Eléctrica, en la Ley de los Órganos Reguladores Coordinados en Materia Energética, que se convertirán en los gestores del despojo de tierras, y en la Ley de Energía Geotérmica.

Se determina que la contraprestación sea "proporcional" a las necesidades del asignatario o contratista y los usos que se pretenda dar a la misma. Es decir, se ignora el arraigo de la comunidad, pueblo o persona a esa propiedad.

Se crea la figura de "servidumbre legal" de hidrocarburos que concede el derecho a la empresa a transitar, usar transporte, conducir y almacenar materiales para la construcción, vehículos, maquinaria y bienes de todo tipo; construir, instalar o mantener la infraestructura; o realizar obras y trabajos necesarios para el adecuado desarrollo y vigilancia de las actividades.

Así, se reviven otras prácticas cercanas a la tienda de raya del porfiriato y la esclavitud por servidumbre, ya que se establece que las grandes compañías petroleras pueden pagar una contraprestación "en especie" y establecer compromisos de "contratación" laboral de los propios propietarios de la tierra.

En sitios como la presa La Yesca, Nayarit y Jalisco, en El Cajón, Nayarit, o en el parque eólico La Venta, Oaxaca, ya se dan abusos muy graves en contra de los propietarios originales de la tierra.

En la presa La Yesca, los campesinos afectados señalan que la CFE ha incumplido los acuerdos celebrados y exigen el pago justo de indemnizaciones por sus tierras, bienes perdidos o afectados. La mayor parte de la población de las comunidades afectadas es mayor a los 50 años, por lo que es muy difícil que comiencen a trabajar para tener un patrimonio.

En la presa El Cajón, 55% de las tierras eran comunales, 28% ejidal y 17% de pequeña propiedad. La población, mediante coerciones, amenazas y engaños, fue forzada a aceptar los pagos ínfimos a sus tierras y bienes, así como la reubicación en asentamientos que carecían de los servicios prometidos.

El caso más grave se ha dado en La Venta, donde poderosas empresas privadas como la francesa Électricité de France (EDF), la italiana Ente Nazionale per l'Energia Elettrica (Enel), la australiana Fondo de Infraestructura Macquarie, la holandesa PGGM, la japonesa Mitsubishi, las españolas Iberdrola, Gamesa, Acciona, Gas Natural Fenosa, así como las mexicanas Peñoles, Grupomar, Cemex y Grupo Salinas, participan en el parque eólico.

En La Venta se han presentado también casos de venta y cesión de tierras comunales y ejidales a espaldas y sin consentimiento de las asambleas generales de comuneros y ejidatarios. Asimismo, se han criminalizado a los opositores. Los contratos firmados fueron poco claros y el pago fue realizado muy por debajo de su valor.

Estos son tan sólo algunos casos recientes y vigentes de conflictos generados para beneficiar o darle prioridad a las actividades de generación de energía eléctrica. Imaginemos tan sólo la cantidad de problemas que se derivarán de la reforma energética, de la explotación del gas shale y de las actividades mineras vinculadas con los hidrocarburos que tienen también el mismo privilegio.

Las rutas del futuro despojo coinciden, curiosamente, con las entidades del norte y noreste del país (Coahuila, Chihuahua, Durango, Nuevo León y

Tamaulipas), donde el gobierno de Peña Nieto promovió a través de folletos inversiones privadas por más de 1 billón 2 mil 990 millones de pesos.

Son los mismos estados donde organizaciones especializadas en derecho ambiental y activistas pronostican un mayor impacto debido a la actividad del *fracking* —fractura hidráulica de las rocas para extraer el gas de lutitas o gas shale— y un mayor riesgo para las áreas naturales protegidas que no cuentan con "programas de manejo ambiental". Son los casos de Janos, Cascada de Basaseachi, Cumbres de Majalca, en Chihuahua, y la zona de Cuatrociénegas y Ocampo, en Coahuila.

Son las mismas entidades donde el crimen organizado ha hecho de las suyas, donde están las mayores reservas de gas shale del país y donde acaece la disputa encarnizada entre cárteles como los Zetas o el Golfo, así como el mayor número de desapariciones forzadas y ejecuciones extrajudiciales.

Según el documento Potencial de Inversiones de la Reforma Energética en las Distintas Regiones de México, elaborado por la Presidencia de la República, en Chihuahua, Coahuila y Tamaulipas se esperan inversiones por más de 1 billón de pesos, dedicadas a la exploración y extracción de hidrocarburos. Tan sólo en Coahuila se tiene proyectado un centro petroquímico que costará 58 500 millones de pesos e inversiones privadas en toda la región por 47 680 millones de pesos. Todas estas cuentas alegres se promovieron cuando el precio del barril del petróleo estaba por arriba de 90 dólares. Sin embargo, a inicios de 2015, la mezcla mexicana bajó a menos de 40 dólares.

Incluso, en agosto de 2014, funcionarios de Pemex llegaron a afirmar que habían existido "acercamientos con alrededor de 80 empresas internacionales de las cuales todas tienen interés pero nosotros no con todas tenemos interés en aguas profundas". Y mencionaron posibles alianzas con Chevron, Shell, Exxon, British Petroleum, Petrobras, Ecopetrol, Petronas, PetroChina, Cubapetróleo, Petróleos de Venezuela y Statoil. No obstante, la baja de los precios del petróleo modificó sustancialmente esta percepción.[10]

---

[10] Carlos Fernández Vega, "México, S.A.", en *La Jornada,* 17, enero de 2015, p. 22.

La segunda zona con mayor potencial de inversiones es la región sur-sureste (Tabasco, Veracruz y Campeche), donde se planea invertir 769 202 millones de pesos en actividades de exploración y extracción de hidrocarburos, así como 58 500 millones para un centro petroquímico en Chiapas y 45 500 millones para reconfigurar una refinería en Oaxaca. En Yucatán planean invertir 15 mil millones de pesos en una planta de licuefacción de gas natural y una central de ciclo combinado.

Las menores inversiones se darán en la zona centro del país (Distrito Federal, Hidalgo, Estado de México, Puebla, Morelos y Tlaxcala), donde se prevén 136 393 millones de pesos para exploración y explotación de hidrocarburos, según el mismo documento que se distribuyó entre los senadores del PRI para documentar las bondades del "gran negocio" de la reforma energética, sin entrar en detalles sobre la situación de la propiedad de la tierra.

Otro estudio, elaborado por el senador Luis Sánchez, del PRD, calculó que están en riesgo de despojo un total de 400 mil kilómetros cuadrados en 12 entidades y 260 municipios, tras las reformas aprobadas. Se trata de las tierras con potencial eléctrico o energético que pueden ser expropiadas, "ocupadas" temporalmente o donde los privados pueden establecer "negociaciones" con todo a su favor.

Según el mapa del estudio elaborado por Luis Sánchez, de los 260 municipios más afectados, 47 corresponden a la cuenca de Sabinas-Piedras Negras que abarca un municipio de Chihuahua, 18 de Coahuila y 28 de Nuevo León. Además, hay otros 26 municipios de Tamaulipas con un alto potencial de conflicto. Todos están en la región noreste, la misma que es promovida como la de "mayor potencial" de inversiones.

En Coahuila, el municipio de Sabinas tiene potencial para la extracción de gas shale y para gas asociado a las minas de carbón, al igual que Burgos y Tampico, en Tamaulipas, y Misantla, en Veracruz.

Hay otros 51 municipios susceptibles de ser despojados que están en Veracruz y Oaxaca, 90 en Chiapas, uno en Tabasco, 4 en Hidalgo y 4 en San Luis Potosí.

Durante el debate en el Senado, el líder de la Confederación Nacional Campesina, el priísta Gerardo Sánchez García, negó que pudiera existir conflicto con las comunidades agrarias a raíz de la reforma energética. El supuesto líder agrario llegó incluso a cantar las bondades y la nueva riqueza para los campesinos:

> ¿Cómo vamos a desaprovechar la oportunidad de que haya alternativas que capitalicen al campo y a sus familias? Por eso la tenencia de la tierra es un tema que, de manera seria y responsable, la Confederación Nacional Campesina asumió y planteó.

En respuesta, la senadora del PRD Dolores Padierna le aclaró a quienes negaban que se diera un trato privilegiado a los grandes intereses petroleros por encima de los propietarios originales de la tierra:

> Para empezar, los representantes de las petroleras ya tuvieron la ventaja de plasmar en las leyes sus intereses, y las comunidades no, ni siquiera han sido consultadas. Serán despojadas con todo abuso de poder.

Irónico, el también perredista Alejandro Encinas les leyó a panistas y priístas la Ley del Petróleo de 1901, redactada por Porfirio Díaz, el "dictador benigno" según Peña Nieto. En esa ley se estableció claramente lo mismo que en las leyes secundarias de 2014: privilegiar la expropiación de las tierras para las actividades energéticas. Con lo cual el perredista remató: "¿Quiénes son los nostálgicos del pasado? ¿Nosotros o ustedes los priístas que ahora reviven a Porfirio Díaz?"[11]

3. *Desmantelamiento de Pemex y* CFE.

El paquete de la legislación secundaria no dejó lugar a dudas: las dos grandes compañías paraestatales del país, Pemex y la CFE, pasaban a ser "empre-

---

[11] *Proceso,* núm. 1968.

sas productivas del Estado", con un nuevo régimen fiscal que las asfixia para competir con los privados y una nueva regulación que las convierte en apéndices del Ejecutivo federal.

Las leyes de Pemex, de la Industria Eléctrica y de la CFE configuraron una absoluta trampa para estas dos entidades. Bajo el pretexto de "competir" con empresas privadas que se incorporarán a los sectores energético y eléctrico como contratistas se les disminuye y se les da un tratamiento regulatorio y fiscal en franca desventaja y casi depredador.

Para empezar, tanto Pemex como CFE entrarán a la competencia con enormes deudas acumuladas. Tan sólo el pasivo laboral de Pemex, al 31 de diciembre de 2013, ascendía a 1 billón 119 mil millones de pesos, derivado del régimen de pensiones y jubilaciones, cuyos beneficios superan con mucho a los que otorga el Instituto Mexicano del Seguro Social (IMSS). El pasivo laboral de la CFE ascendía a 504 mil millones de pesos, a pesar de una reestructuración realizada cinco años atrás.

La deuda de Pemex asciende a 841 mil millones de pesos, de los cuales tuvo que pagar 90 677 millones de pesos tan sólo en 2014. Esta deuda es producto de que el gobierno federal le cobra contribuciones que superan sus utilidades y le quita recursos para la inversión. Tan sólo en 2013, Hacienda le cobró a Pemex el 119 por ciento. En el caso de la CFE, la deuda total ascendía a 325 mil millones de pesos —de los cuales, 180 mil millones de pesos corresponden a proyectos de infraestructura (Pidiregas)—, que la compañía contrajo para la construcción de plantas generadoras, actividad que en el nuevo esquema se privatizará totalmente.

El Estado mexicano seguirá pagando y absorbiendo las deudas de ambas empresas que, finalmente, serán paulatinamente privatizadas y desmanteladas para beneficiar a los grandes consorcios. Es decir, se subsidiará la privatización con recursos del erario y con la propia renta petrolera.

En ambos casos se modificó el gobierno corporativo para que el gobierno federal actúe como "propietario" y no como "administrador". Sin embargo, la injerencia es enorme en la determinación de reglas de operación, de organización, en la designación de consejeros y sus remuneraciones.

En el artículo 12 de la nueva Ley de Pemex y en el 11 de la ley de la CFE se establece que ambas serán dirigidas y administradas por un Consejo de Administración y un director general, es decir, no modifica su diseño actual. Los consejos estarán integrados por 10 integrantes, 5 de los cuales son funcionaros públicos, designados libremente por el Ejecutivo federal, con lo cual se garantiza la mayoría a favor del presidente. En el caso de la CFE, uno de los consejeros sería designado por sus trabajadores, pero en el caso de Pemex no se permite ninguna participación del sindicato, hecho que generó un intento de rabieta de Carlos Romero Deschamps, senador y líder de los petroleros a quienes ha controlado y desfalcado de manera escandalosa, en la sesión de comisiones para dictaminar las leyes reglamanetarias energéticas.

En las mismas leyes, se establece que tanto Pemex como la CFE podrán contar con las empresas subsidiarias y filiales que sean necesarias para su operación. En el caso de Pemex se propone que las actividades de exploración y explotación se lleven a cabo a través de empresas productivas subsidiarias.

La senadora Dolores Padierna advirtió que este ordenamiento propiciará la fragmentación de Pemex y la creación de un sinnúmero de empresas encargadas de operar cada una de las asignaciones que el Estado le otorgue a la petrolera. Esto facilitará "su migración a contratos privados y, en consecuencia, la privatización de los mismos". En síntesis, se trata de fragmentar a Pemex para facilitar su privatización.

Por añadidura, a ambas empresas se les impuso una serie de restricciones y candados de pagos al gobierno federal que les da una carga financiera adicional al régimen fiscal que se determinó en la Ley de Ingresos sobre Hidrocarburos, lo cual limitará aún más su capacidad de inversión y facilitará el camino a los privados.

Por ejemplo, en el transitorio décimo cuarto de la Ley de Pemex se aprobó que el dividendo estatal para el 2015, que se cobrará en 2016, será como mínimo 30% del remanente que quede de restar los ingresos, los impuestos y derechos aplicados exclusivamente a las actividades de exploración y extracción. A las cuentas de 2013, esta carga de dividendos sería una sangría adicional de 118 mil millones de pesos.

Según la ley, el porcentaje se iría reduciendo hasta alcanzar 15% en 2021 y 0% en 2026. En otras palabras, se legisló de manera transexenal un candado para exprimir a Pemex.

En el caso de la CFE, la Ley de la Industria Eléctrica reduce sustancialmente su participación, limitando sus actividades a la operación de las redes de transmisión y distribución. Transitoriamente, según la ley, seguirá operando las plantas generadoras que actualmente tiene, incluyendo a las de particulares que funcionan bajo el esquema de Pidiregas. La totalidad de las plantas generadoras de electricidad que se construyan en un futuro serán privadas. Las que se integren al "mercado eléctrico mayorista" requerirán de permisos otorgados por la Comisión Reguladora de Energía (CRE). La discrecionalidad para establecer asociaciones o contratos con privados será una facultad de la propia CRE que, además, le impone a la CFE una tasa de "retorno objetivo" para todas las inversiones que realice.

Por su parte, el control operativo del sistema eléctrico nacional y la operación del mercado eléctrico mayorista ya no dependerá de la CFE sino del Centro Nacional de Control de Energía (Cenace), organismo nuevo, dependiente de la Secretaría de Energía, que se creó con la reforma.

El desmantelamiento de la CFE tenderá a reducir su participación como proveedor a los usuarios domésticos y comerciales, cuyas tarifas estarán definidas por Hacienda, y los grandes clientes industriales y gubernamentales serán el gran mercado para los privados.

Asimismo, la reforma permitió la libre generación, importación y comercialización de energía eléctrica cuando no se utilice la red de transmisión y distribución, a través de los denominados "generadores exentos". Esto puede propiciar la existencia de un sinnúmero de sistemas aislados que resulten buenos negocios privados, pero que reduzcan la eficiencia e incrementen los costos del sistema eléctrico nacional.

Actualmente, 45% de la generación de energía eléctrica en el país ya está en manos de grandes corporaciones privadas, como las trasnacionales estadounidenses AES, Intergen y Sempra Energy; de españolas como Iberdrola, Unión Fenosa, Mareña y Endesa; la canadiense Transalta, la japonesa

Mitsubishi y la belga Tractebel. La mayoría simulaba permisos de autoconsumo, pero en realidad vendían la energía eléctrica, algo que ahora ya estará permitido constitucionalmente. Estas empresas fueron las grandes cabilderas para abrir el sector eléctrico.

El problema fundamental es que las reformas no garantizan candados reales y medidas drásticas para combatir la corrupción, el enorme cáncer que ha afectado a Pemex y a la CFE. Por el contrario, son mayores los incentivos para los embustes, las comisiones, la facturación falsa y la triangulación de fondos (prácticas que se han observado en casos como Oceanografía).

En ningún país, como en México, el Estado decidió acabar de manera simultánea con la figura de los operadores únicos en materia energética y eléctrica. Esto debilitará directamente la soberanía del país en esas dos áreas fundamentales para su desarrollo.

En síntesis, la reforma peñista decidió terminar con la estrategia gradualista de desmantelamiento de Pemex —iniciada formalmente con Carlos Salinas de Gortari cuando dividió en cuatro subsidiarias a la paraestatal— para iniciar una nueva etapa, radicalmente distinta a la que surgió en 1938.

En su extraordinario ensayo "El desmantelamiento de Pemex", David Ibarra Muñoz —quien fuera secretario de Hacienda de 1977 a 1982— apuntó desde 2008 que "la descapitalización de Pemex ha sido brutal y se ha producido de manera sistemática y deliberada desde hace tres o cuatro lustros". A pesar de eso, los rendimientos operativos de la empresa subieron nueve veces entre 1995 y 2006 y las utilidades antes de impuestos fueron de 68.9 a 584.4 miles de millones de pesos. Ibarra advirtió:

Pemex ha cedido la totalidad de las rentas petroleras al fisco al aportarle casi 3 billones españoles o 3 trillones anglosajones de pesos de 1995 a 2006. Pocas son las empresas que generan márgenes tan altos de utilidades y ninguna cubre impuestos directos tan elevados hasta generarle pérdidas.[12]

[12] "El desmantelamiento de Pemex", Colección Economía UNAM, vol. 5, núm. 15, 2008, p. 27.

Para el ex funcionario, el desmantelamiento de Pemex es el resultado de "tentaciones extranjerizantes" y de "factores ideológicos, reforzados por intereses vernáculos y foráneos". David Ibarra sintetizó de esta manera los argumentos que en 2008 —durante la administración calderonista—se utilizaron para justificar el desmantelamiento de Pemex que se concretó con Peña Nieto:

La más repetida y en cierto grado exitosa estrategia es la de privatizar la industria petrolera con el propósito de recabar recursos y quizá, como se publicita en exceso, mejorar la eficiencia y competitividad de Pemex. La privatización de las operaciones de compra y transporte de gas, la venta de las instalaciones petroquímicas, los contratos de servicios múltiples, el desplazamiento del Instituto Mexicano del Petróleo por servicios externos de asesoría y el *outsourcing* de otras funciones —alquiler de barcos [como el caso de Oceanografía], plataformas e instalaciones, por ejemplo— son otros tantos casos de la fragmentación deliberada de Pemex y de la transferencia de oportunidades de negocios principalmente al sector privado del exterior.[13]

A los promotores de la privatización de Pemex y de la CFE no les gusta recordar y, mucho menos, investigar, que el desmantelamiento de ambas empresas y su apertura gradual al capital privado no ha mejorado la productividad ni ha aminorado la corrupción y menos ha beneficiado directamente a la población.

Ahí están las decenas de expedientes sobre desfalcos, fraudes, asignaciones directas irregulares, contratos sin fiscalización que se dieron con empresas privadas, nacionales y extranjeras, para construir refinerías, abrir ductos, contratar a precios millonarios a exploradoras del "tesorito" petrolero en aguas profundas —sin encontrar ni 100 mil barriles de crudo— y que han resultado un fracaso, pero ha enriquecido a un núcleo de privilegiados gestores, funcionarios y contratistas.

---

[13] *Op. Cit.*, pp. 35-36.

El desmantelamiento de Pemex y de la CFE viene de atrás. La solución que nos quieren vender en este gobierno sólo acrecienta las sospechas de que estamos ante la disputa de un gran botín energético y eléctrico.

4. *El* fracking *y el daño ambiental.*

Si durante el gobierno de Felipe Calderón el tema más mediático fue la promoción de la exploración del "tesoro" de aguas profundas para justificar la apertura privada y el desmantelamiento de Pemex en la reforma de 2008, seis años después, en el sexenio peñista, el tema de moda fue promover la exploración y explotación de las "enormes reservas" de gas shale o gas de lutitas que tiene México, según las trasnacionales interesadas en esta industria.

Desde 2012, personajes como el poderoso ex secretario de Hacienda salinista, Pedro Aspe —actual representante de fondos de inversión como Evercore Partners e involucrado en decenas de Consejos de Administración de empresas mediáticas y energéticas—, y otros *think thankers* tomaron la misión de promover que México es el cuarto país del mundo con las mayores reservas de gas shale, según los datos de la Agencia Internacional de Energía (IEA, por sus siglas en inglés), el brazo geopolítico nortemaericano.

Según la IEA, México cuenta con reservas de 681 billones de pies cúbicos de gas shale, el cuarto lugar mundial por debajo solamente de China (1275 billones), Estados Unidos (872 billones) y Argentina (774 billones), países donde las empresas privadas han aplicado la técnica del *fracking* para extraer el gas de los sedimentos rocosos conocidos como lutitas. El *fracking* consiste en la inyección a presión de enormes cantidades de agua (30 a 35 millones de litros de agua) para "fracturar" las rocas, junto con más de 700 productos químicos, y así provocar explosiones dentro de los túneles horizontales para romper la capa de la roca y liberar el gas shale.

Los riesgos de contaminación y afectación al ambiente son tan obvios que hasta el propio Pedro Aspe admitió en una conferencia magistral realizada en un foro del Senado, en vísperas de la aprobación de la reforma energética, que existen "algunos problemas" ambientales con el *fracking*. Las consecuencias más graves tienen que ver con la contaminación de los mantos freáticos, los residuos químicos y los sismos provocados por las explosiones.

El negocio está no en la extracción de grandes cantidades de gas (que no compensa con el costo de aplicar el *fracking*), sino en cobrar miles de millones de dólares por la perforación, la cementación y las detonaciones, además de compartir otros hidrocarburos o recursos minerales.

El cabildeo de las grandes compañías agrupadas en International Association of Oil & Gas Producers (IOGP) o de la Shale Gas Europe es muy intenso. Compran funcionarios, legisladores, comunicadores, medios. Entre las empresas que participan están la estadounidense Chevron, la francesa Total, la británica British Petroleum, la anglo-holandesa Shell, la noruega Statoil y la rusa Lukoil.

El ejemplo más cercano a lo que podría suceder en México tras la apertura del mercado del gas es Argentina. En 2012 la renacionalización parcial de Yacimientos Petrolíferos Fiscales (YPF) estuvo acompañada de una serie de reformas para explotar el gas shale en ese país.

YPF firmó un contrato con Chevron para explotar 1562 plataformas de gas que incluyeron zonas naturales protegidas, afectando a poblaciones indígenas locales y provocando una clara oposición de los habitantes. En la discusión sobre la legislación secundaria, legisladores del PRD como Benjamín Robles insistieron mucho en el tema de las consecuencias del *fracking* y pidieron expresamente prohibir el uso de esta técnica para extraer el gas shale.

Para variar, el senador "verde" Pablo Escudero subió varias veces a tribuna para justificar el uso del *fracking* y tratar de demostrar que en varios estados de la Unión Americana hay aceptación y consenso de esta técnica de explotación. En México el Partido Verde es el único que siempre se alía a las causas de mayor daño ambiental. Una vez más se confirmó esta simulación en el debate energético.

En un informe conjunto, elaborado por 11 organizaciones e investigadores que formaron la Alianza Mexicana contra el Fracking, se realizó una dura crítica a la reforma energética porque se excluyeron los conceptos y las prácticas de sustentabilidad, energías renovables, tecnologías limpias, combate al cambio climático y las externalidades ambientales y sociales.

En particular, condenaron el menosprecio a una legislación que protegiera los recursos hidrológicos:

> La relación agua-energía es muy estrecha, ya que todas las fuentes de energía, la electricidad entre ellas (incluyendo la geotermia), utilizan agua en todas las fases de su proceso productivo, incluyendo la extracción de materias primas, la refrigeración de las centrales térmicas, las actividades de limpieza, el cultivo de biocombustibles, la turbinación de caudales, etcétera.
>
> Sin embargo, las iniciativas de las leyes secundarias de la reforma energética ponen en riesgo estos derechos al suponer el beneficio económico generado por los proyectos de la cadena productiva de hidrocarburos y la generación de energía eléctrica como una prioridad del Estado Mexicano, siendo que para asegurar la conservación y aprovechamiento de los recursos naturales en México es necesario asegurar que el derecho a un medio ambiente sano prevalezca sobre la base de las actividades productivas y extractivas de México.[14]

La coalición de organizaciones defensoras de los derechos ambientales demandó que la Comisión Nacional de Áreas Naturales Protegidas (Conanp), así como la Semarnat aseguren la elaboración y publicación de planes de manejo para las 120 áreas naturales protegidas federales que no cuentan con ellos. También sugirieron que la nueva Agencia Nacional de Seguridad Industrial y Protección Ambiental (ANSIP) sea un órgano rector y coordinador de la política ambiental en materia de hidrocarburos en el país y no un órgano desconcentrado, incluso con mayor poder que la Semarnat.

Durante el debate, el bloque de la mayoría de los senadores rechazó prohibir el uso del *fracking* en alguna de las 120 áreas naturales protegidas. Mucho menos, prohibir expresamente esta técnica de fracturación hidráulica para extraer gas shale.

---

[14] Centro Mexicano de Derecho Ambiental, *Consideraciones para la Reforma Energética, Sustentabilidad, Derechos Humanos y Energías Renovables.*

La ANSIP no fue el resultado de una deliberación y de un apoyo de grupos ambientalistas con trayectoria y arraigo social, sino una negociación entre el PRI y el Partido Verde, específicamente con la senadora Ninfa Salinas, hija del dueño de TV Azteca, Ricardo Salinas Pliego, para crear una enorme burocracia bajo el pretexto "verde", pero sin atribuciones fundamentales para combatir y mitigar los riesgos del daño ambiental.

Por ejemplo, la ANSIP, tal como está la nueva ley que le dio su origen, no tiene entre sus atribuciones aprobar los estudios de impacto ambiental que deben elaborarse obligatoriamente antes del otorgamiento de asignaciones, contratos o licencias. Tampoco tendrá capacidad de autorizar materia de impacto y riesgo ambiental en los sectores más delicados como la exploración y explotación de hidrocarburos, en el transporte y almacenamiento que no sea por ductos y en la comercialización. Puede aplicar sanciones y multas económicas, pero la ley no establece la posibilidad de revocar contratos en los casos de faltas graves. Sólo puede revocar licencias, autorizaciones, permisos y registros.

Peor aún, no tendrá ninguna capacidad de incidir sobre los riesgos ambientales que plantea el uso del *fracking* para extraer gas shale. Hasta ahora, se desconocen los alcances y las consecuencias reales y precisas de la técnica de fracturación hidráulica. Ante la duda, varios países han decidido prohibir o establecer una moratoria a la explotación de hidrocarburos utilizando el *fracking*.

Hasta ahora, a través de distintos estudios que fueron ignorados por los legisladores mexicanos que aprobaron las leyes energéticas, se ha establecido que el *fracking* tiene impactos ambientales por las siguientes razones:

a) Manejo de millones de litros de agua para fracturar la roca con la presión necesaria.

b) Contaminación de las fuentes de agua.

c) Contaminación del subsuelo por la acción de aditivos químicos nocivos.

d) Deterioro de la calidad del aire.

e) Aceleración del cambio climático debido a las emisiones del gas metano que se producen por ineficiencias en la extracción, procesamiento, almacenamiento, traslado y distribución.

f) Uso de grandes cantidades de energía para el transporte.

g) Mecanismos satisfactorios para la eliminación de residuos.

El gas metano contiene un potencial 24 veces más alto de calentamiento global que el dióxido de carbono.[15]

Sin embargo, nada podía poner un dique, un freno al optimismo desbordado y a la promoción del gas shale como el nuevo caramelo envenenado de la reforma energética peñista.

El Congreso aprobó y autorizó la legislación que abre las compuertas para una explotación gasera con nefastas consecuencias para el ambiente y los recursos naturales mexicanos.

5. *El presidencialismo energético.*

Los cambios constitucionales y la batería de reformas secundarias aprobadas sin discusión ni deliberación profundas en menos de año y medio tuvieron un sello en común: fortalecer el control del Ejecutivo federal sobre las empresas del Estado (que no del gobierno), como Pemex y CFE, sobre los órganos reguladores nuevos y ya existentes (la CRE, la CNH, la Secretaría de Energía, Cenagas y la Agencia Ambiental), y sobre el esquema de contratos y de reparto de la renta petrolera a través del Fondo Mexicano del Petróleo.

La privatización se dio de la mano de la presidencialización. El Ejecutivo federal, a través de sus secretarios de Hacienda y de Energía, controlará tanto el Fondo Mexicano del Petróleo como los consejos de administración de Pemex y de la CFE, y será el jefe real tanto de los comisionados de la Comisión Nacional de Hidrocarburos (CNH) como de la Comisión Reguladora de Energía (CRE), que tendrán el manejo de los contratos con los privados, sus detalles, sus montos, sus plazos y los concursos.

El gran botín petrolero será administrado y gestionado por el Ejecutivo federal, sin necesidad de rendirle cuentas al Congreso, a los estados y menos a las instancias judiciales. Incluso, los funcionarios de estos organismos nue-

---

[15] *Op. cit.*

vos no estarán regidos por la ley de servidores públicos, en un esquema de discrecionalidad casi absoluta.

En la forma y en el fondo, la reforma petrolera fue un proceso de imposición presidencial a la sociedad y al Congreso. Y sobre el titular del Ejecutivo federal mexicano ya sabemos que dominan el poder de las grandes corporaciones petroleras, del gobierno de Estados Unidos, de los fondos de inversión y del mundo bursátil que consiguieron lo que querían a través de Peña Nieto: que la renta petrolera mexicana pasara a formar parte del circuito financiero trasnacional.

En este sentido, la contrarreforma de Peña Nieto es, en esencia, una operación similar a la expropiación petrolera decretada en marzo de 1938 por Lázaro Cárdenas, pero con objetivos, apoyos y convicciones ideológicas diametralmente opuestas.

Cárdenas hizo uso de sus atribuciones presidenciales para hacer valer la defensa de los intereses de la nación frente a un largo conflicto con las empresas trasnacionales petroleras —en especial, las británicas— que vieron con recelo desde 1917 la redacción del artículo 27 constitucional, donde se prohibían las concesiones sobre los recursos del subsuelo mexicano.

La medida de Cárdenas fue defensiva y ayudó a la consolidación del Estado nacional, a promover la industrialización del país y a configurar a la empresa más importante (y saqueada) en la historia de México en el siglo XX: Pemex.

La expropiación fue una decisión presidencialista que consolidó a la misma institución presidencial como eje del sistema político, del modelo económico, como jefe real de las fuerzas políticas y sociales y como titular del Estado ante intereses trasnacionales muy poderosos e invasivos.

Toda esta operación se realizó con un consenso y apoyo populares que ningún otro primer mandatario mexicano volvió a tener, ni siquiera Adolfo López Mateos cuando replicó la medida de Cárdenas con la nacionalización de la industria eléctrica en los años cincuenta.

Durante décadas, los mandatarios mexicanos priístas vivieron del mito fundacional del presidencialismo moderno generado por Cárdenas. Lo quisieron imitar. Lo glorificaron y hasta abusaron discursivamente de la expropiación de 1938 para justificar sus propios abusos y delirios de poder, cometidos a nombre de la industria petrolera, como el *boom* de los años setenta que terminó en la quiebra del modelo de Estado benefactor y árbitro con el sexenio de López Portillo.

Peña Nieto y su grupo de poder hicieron algo similar, pero sin ninguna visión de Estado, sin consenso social, sin proyecto alternativo al que Washington presentó con toda claridad. La "devolución petrolera" de 2013-2014 culminó un proyecto iniciado tres décadas atrás, pero ignoró las lecciones y los fracasos de ese mismo proceso de apertura gradualista en Pemex que encabezó Carlos Salinas de Gortari, primero como secretario de Programación y Presupuesto y luego como presidente de la República.

Su sucesor, Ernesto Zedillo, su rival político, pero no ideológico, sintetizó en una frase histórica —pronunciada en 2014 durante un foro sobre los 20 años de la firma del TLCAN, en Nueva York— lo que Peña Nieto estaba imponiendo: "Ni en mis sueños más salvajes" había pensado en algo tan radical y profundo como la reforma energética y eléctrica peñistas.

Zedillo fue el único que dijo sinceramente de lo que se trataba: una salvajada. Estaba feliz, sin duda, pero en ese éxtasis de los tecnócratas logró la descripción exacta de lo que Peña impuso con una gran dosis de simulación discursiva. Repetir una y otra vez que no se trata de privatizar y que no se pone en riesgo la renta petrolera mexicana sólo formó parte de la retórica ofensiva que ni sus promotores creen.

Peña Nieto vino a desmantelar lo poco que quedaba del modelo cardenista, a completar el ciclo de apertura salinista que terminó en una gran debacle económica (1994), a dar un paso más allá de Felipe Calderón en 2008 y a inaugurar el *contratismo presidencialista* que desea ser beneficiario directo de esa apertura y prolongarlo más allá de una década.

El gran sueño de Carlos Hank González, el político empresario más prominente del Grupo Atlacomulco, fue concretado por un oscuro burócrata de las clases medias de Toluca, educado en la Universidad Panamericana y admirador en secreto de Napoleón y de Porfirio Díaz. Hank González, el multimillonario contratista de transporte, obras viales, turismo, desarrollos urbanos y todo cuanto dependiera de una concesión del Estado, anheló ser una especie de Rockefeller a la mexicana. Los límites del sistema se lo impidieron. Él no fue presidente de la República.

Peña Nieto abrió esas compuertas al contratismo. Evitó el más mínimo debate histórico serio, profundo. Redujo todo a una operación de spots televisivos que, como vimos en el primer capítulo, no convenció a nadie. Aplicó con severidad y paciencia el método de cooptación de las burocracias partidistas para presentar a México como el país de los acuerdos por la vía del Pacto por México. A través de "bonificaciones" mensuales para no dejar registro, repartió mucho dinero de manera directa e indirecta a los legisladores del PRI, del PAN, del Partido Verde, a no pocos del PRD que estuvieron presentes hasta altas horas de la madrugada para aprobar "la madre de todas las reformas", aunque sólo entendieran una mínima parte de los dictámenes que estaban aprobando.

El investigador Lorenzo Meyer, quien se especializó en el impacto de la industria petrolera en la consolidación del Estado mexicano, sintetizó así la operación de Peña Nieto:

Quienes hayan sido los artífices de esta reforma leyeron mal a Maquiavelo. Él decía que el Príncipe debía aprender de los malos para fortalecer la autonomía del Estado frente a los otros poderes. Ellos lo han aplicado al revés: hay que ser perverso para debilitar al Estado, no para fortalecerlo.[16]

Estado fuerte y presidencialismo no son lo mismo. Ya lo estamos viendo con Peña Nieto. Su operación es altamente riesgosa, pues como jefe del Estado mexicano pretende debilitarlo para fortalecer al presidencialismo. Ignora las graves consecuencias históricas que esto acarrea.

La disminución abrupta de los precios del petróleo a principios de 2015 obligó a tomar medidas de emergencia, aunque los funcionarios de Hacienda

---

[16] *Proceso,* núm. 1937.

insistieron en que el seguro petrolero contratado para garantizar un precio de 79 dólares por barril (cuando bajó a menos de 40 dólares) podría cubrir la pérdida de ingresos por el desplome de los precios internacionales. Más moderados, otros especialistas consideraron que apenas cubrirá poco más del 50 por ciento de la pérdida de ingresos.

El jueves 15 de enero de 2015, Pemex colocó en mercados internacionales tres distintos vencimientos que sumaron una deuda total de 6 mil millones de dólares, el mayor endeudamiento realizado en la historia del país. El primer paquete fue por 1500 millones de dólares, con vencimiento en julio de 2020; el segundo por un monto similar, para el 2026, y el tercero por 3 mil millones de dólares, con vencimiento a enero de 2046.

Cuatro días después, el lunes 19 de enero, Pemex anunció un recorte de 21 300 millones de pesos de su presupuesto para un periodo de cuatro años (hasta 2018), que incluyen disminución en la contratación de bienes, servicios, arrendamientos y obra pública, así como una disminución de 21% de los contratos y el despido de 17% de los trabajadores (casi una quinta parte de la planta laboral). Pemex llamó a estas medidas "ahorro por eficiencias". En realidad, fue un resultado de caída de los ingresos petroleros.

Con o sin caída de los precios internacionales, el desmantelamiento de Pemex seguirá en marcha, con todos los riesgos que esto representa. En una década la producción sufrió un declive acelerado: de 3.38 millones de barriles diarios en 2004, disminuyó a 2.43 millones de barriles, al cierre de 2014, casi 4% menos que la producción registrada en 2013. El presupuesto federal depende en 35% de los ingresos petroleros y la caída de los precios pronosticaba un año de recortes a las grandes obras.

Se configuró así una especie de "tormenta perfecta" que pone en jaque a la "madre de todas las reformas" peñistas: caída de producción, combinada con caída de precios internacionales de petróleo, con Estados Unidos que depende cada vez menos de nuestro crudo de exportación y mantiene una disputa geopolítica con la OPEP y con Rusia; recortes y despidos de personal en Pemex que acelerarán la corrupción y el descontento interno; el anuncio de México de que importará entre 100 mil y 200 mil barriles diarios de crudo ligero de Estados Unidos, con lo que nuestro país pasaba de su condición histórica de "exportador" a "importador" frente a la potencia norteamericana. El mundo al revés.

La explosión de la Torre B de Pemex, en enero de 2013, al inicio del gobierno peñista, fue apenas un botón de muestra de lo delicado y difícil que representa una reforma que busca desmantelar a Pemex y deshacerse de un modelo corporativo construido en décadas de corrupción y complicidades en el sistema priísta.

Las expresiones sociales de rechazo no se dan de manera directa o explícita en relación con el daño causado por la contrarreforma energética. Para la mayoría de la población, los cambios legales son intangibles.

Lo que no es intangible son las consecuencias de un nuevo presidencialismo energético fundado sobre el debilitamiento de las funciones principales del Estado y sobre un enorme e irreal montaje de paz y consenso públicos.

LOS FACTORES DE RIESGO: PEMEX ANTE LA SEC Y LA CNBV

La inminencia de una crisis para el futuro de Pemex fue admitida por la propia paraestatal en un informe entregado el 15 de mayo de 2014 ante la Securities and Exchange Commission (SEC) y ante la Comisión Nacional Bancaria y de Valores (CNBV) de México.

En la parte medular donde describe los "factores de riesgo", Pemex admite que el decreto de la reforma energética podría tener efectos adversos a los intereses de la paraestatal:

En aspectos significativos y, tratándose de ciertas estipulaciones establecidas conforme al marco legal anterior al decreto de la reforma energética en los contratos de financiamiento de la emisora, pudieran requerirse dispensas por parte de sus acreedores o tenedores, según sea el caso.

El deterioro en la condición económica de México, la inestabilidad social, movimientos políticos u otros acontecimientos sociales adversos en México podrían afectar, en forma adversa, el negocio de Pemex y su situación financiera. Estas situaciones podrían llevar a una mayor volatilidad en el tipo de cambio y en los mercados financieros, afectando así la capacidad de Pemex para obtener nuevos financiamientos y para pagar su deuda.

También señala, a manera de contexto, que:

México ha experimentado un aumento de la violencia criminal, principalmente debido a las actividades de diversos grupos de la delincuencia organizada. Como respuesta, el gobierno federal ha implementado varias medidas de seguridad y ha reforzado las fuerzas militares y policiacas. A pesar de estos esfuerzos, este tipo de delitos continúan. Estas actividades, su posible incremento y la violencia asociada a ellos, podrían tener un impacto en la situación financiera y los resultados de la operación de Pemex.

Las advertencias de Pemex ante las autoridades bursátiles norteamericana y mexicana es un desmentido claro a las supuestas bondades de la reforma que el gobierno de Peña Nieto presumió entre 2013 y 2014:

El decreto de la reforma energética establece la transferencia de determinados recursos de Pemex Gas y Petroquímica Básica relacionados con el sistema nacional de ductos de transporte y almacenamiento a un nuevo organismo público descentralizado que será creado en el futuro. El gobierno federal podría, en la implementación del decreto de la reforma energética a través de la legislación secundaria, reorganizar la estructura de Pemex o transferir la totalidad o parte de Pemex y los organismos subsidiarios, o bien, sus respectivos activos a una entidad que no esté controlada por el gobierno federal. La reorganización y transferencia de activos contemplados en el decreto de la reforma energética o cualquier otra reorganización o transferencia que el gobierno federal realice *podría afectar de manera adversa la producción de Pemex, causar una alteración en su fuerza de trabajo y en sus operaciones, así como un posible incumplimiento en ciertas obligaciones.*

¿Dónde está el gran futuro para una empresa productiva del Estado que supuestamente saldría fortalecida de la reforma energética? Pemex no lo veía así en su informe ante la SEC y la CNBV. Desde enero de 2013 estaba claro que se planeaba el desmantelamiento de la principal compañía del país.

CAPÍTULO 3

La ley Peña-Televisa: pretensión de control

Julio de 2014. Se consumó el "golpe de Estado intangible" en el Congreso mexicano. Por 80 votos a favor de una mayoría automática de los senadores del PRI, PAN y Partido Verde, contra 37 de un bloque de legisladores del PRD, PT y algunos de Acción Nacional se aprobó, después de 13 horas de malograda discusión, la nueva Ley Federal de Telecomunicaciones y Radiodifusión, más un anexo sobre la Ley del Sistema Público de Radiodifusión.

La mayoría de los legisladores respondieron sin mayor cuestionamiento al guión impuesto por los intereses de los operadores de Grupo Televisa y por el gobierno federal para aprobar una ley secundaria, que de tan ambiciosa y sobrevendida resultó ser una promesa frustrada.

Los operadores del monopolio televisivo aplastaron, intimidaron y presionaron —hasta donde pudieron— para imponer como criterio legal que la "preponderancia" fuera por sector y no por servicio, una discusión muy técnica que encubría el gran objetivo de esta ley: tener el privilegio del control sobre los contenidos audiovisuales en los próximos 20 años, incluyendo la posibilidad de comercializar al máximo las pantallas de la televisión abierta y las plataformas de televisión restringida. Redujeron a su mínima expresión los derechos de audiencia, y el derecho a la información volvió a quedar como un enunciado en la Constitución, sin aterrizaje real en la ley secundaria. Por el contrario, los riesgos de control y de censura, ahora también a través de las plataformas digitales, se legalizaron.

Convirtieron al órgano autónomo recién creado, el Instituto Federal de Telecomunicaciones (IFT), en una oficina decorativa, de investigaciones del sector y con escasos dientes, frente a los poderosos intereses que mueven el mundo de las telecomunicaciones y la radiodifusión, servicios de interés público, según la definición constitucional.

Cerraron la posibilidad de nuevos modelos de medios de comunicación realmente viables, que no sólo fuera el mercantil e hipercomercializado. Los medios comunitarios, prácticamente asfixiados, apenas sobrevivirán. Los medios públicos serán extensiones del control gubernamental. La competencia será de menor calidad y habrá más banalidad en telenovelas, deportes, *realities*, entretenimiento para una sociedad anestesiada con la cultura aspiracional y de consumo.

Esos legisladores fomentaron la creación de una ley que viola, al menos, 27 preceptos que fueron aprobados por ese mismo Congreso en la reforma constitucional de 2013. Se citan sólo algunos:

1. Se vulneró la autonomía constitucional del órgano regulador, el IFT, para quedar subordinado al Poder Ejecutivo en asuntos fundamentales, como las licitaciones, la contraprestación y el uso de las infraestructuras públicas.

2. Los derechos de las audiencias frente a los medios de comunicación y también ante la televisión restringida (cuyos contenidos cada vez se uniforman más, a pesar de la multiplicidad de canales) quedaron como letra muerta.

3. La Secretaría de Gobernación volverá a regular los contenidos con criterios de vigilancia política y policiaca, no de libertad de expresión e información.

4. La regulación sobre el "agente económico preponderante" dejó en letra muerta el precepto constitucional. Regular los mercados de telecomunicaciones y de radiodifusión por sectores, no por servicios, fue la compuerta para alentar modelos de cartelización y no de genuina competencia.

5. Desfiguró el principio de neutralidad de la red, una condición básica para que la sociedad tenga acceso universal a las nuevas tecnologías de la información y la comunicación. Se permitió, además, la interferencia de las comunicaciones, sin un estricto control judicial.

6. Se omitieron temas tan importantes como la alfabetización digital y mediática, indispensables para que la sociedad pueda ejercer y gozar debidamente sus derechos a la información. Ni siquiera se propone discriminar entre lo que es publicidad, información y entretenimiento para crear una auténtica cultura de audiencias.

7. Estableció plazos y porcentajes excesivos que les permitirá a los concesionarios transformar las señales de televisión abierta y restringida en auténticos supermercados virtuales. Podrán publicitar más de 40% del tiempo.

8. Planteó criterios de competencia en telecomunicaciones que no se utiliza ya en ningún modelo o país avanzado, porque desincentiva las inversiones, como fue el caso de la "tarifa de interconexión cero", que no afecta al monopolio telefónico (léase América Móvil) sino a la conectividad.

9. Se evitó darle un contenido claro al precepto de que los servicios de telecomunicaciones y de radiodifusión son "servicios públicos de interés general" y no sólo grandes negocios. La decisión fue deliberada. Una definición de este tipo implicaba la obligación del Estado de garantizar el ejercicio pleno del derecho a la información y a la cultura en todas sus modalidades. Garantizar la universalidad de los servicios, su acceso no discriminatorio, el respeto a la pluralidad y la diversidad cultural y lingüística, los derechos de las personas con capacidades diferentes, la neutralidad informativa y la más amplia cobertura geográfica en los servicios de telecomunicaciones, entre otros puntos.

En síntesis, no fue una reforma que democratizara el régimen de medios y las telecomunicaciones. Por el contrario, es un incentivo para el control de los monopolios económicos, de contenidos y gubernamentales cuyos intereses se imponen por encima de los derechos de los millones de mexicanos que somos televidentes, radioescuchas, usuarios de Internet y de telefonía.

La ley Peña-Televisa

En la revista *Proceso* la bautizamos como la ley Peña-Televisa por una razón muy clara: fue gestada, negociada y operada como resultado de una renovada alianza entre el gobierno de Enrique Peña Nieto y la empresa que lo llevó, a golpe de anuncios, manejo de imagen e incondicionalidad de la pantalla televisiva, hasta la Presidencia de la República desde 2005. Los dos negociadores y gestores principales fueron el secretario de Hacienda, Luis Videgaray, y el vicepresidente de Televisa, Bernardo Gómez, responsable de la operación de presión política en el Congreso.

La novedad no estuvo en el pacto político-empresarial que el gobierno peñista y Televisa lograron para prolongar su matrimonio por conveniencia y sobrevivencia. El "golpe de Estado intangible" fue la burda y evidente traición a una reforma constitucional aprobada un año antes y presumida por algunos de sus promotores como "un parteaguas", la "caída del muro de Berlín" a la mexicana y el inicio de un nuevo régimen más democrático en las telecomunicaciones y los medios de comunicación.

Nada de eso. Una de las grandes mentiras del Pacto por México fue la reforma de telecomunicaciones. La ley Peña-Televisa fue no sólo el reverso de la moneda de una reforma constitucional que también quedó muy por debajo de las expectativas y la promoción que se hizo a escala internacional: se trató de la culminación de un largo proceso de traición a la transición mexicana.

En esencia, el país asistió a la reinstauración de un modelo de control presidencialista sobre la comunicación, la información y las nuevas tecnologías, a cambio de facilitar el plan de negocios de esta peculiar "empresa privada del Estado" que es Televisa y sus múltiples tentáculos. Dicha ley demostró también el menosprecio y desconocimiento profundo de una clase política al derecho a la información, a los derechos de las audiencias, a los derechos de los usuarios de las telecomunicaciones, a los avances de la convergencia tecnológica que posibilitan la democratización de los contenidos para privilegiar la agenda de intereses corporativos.

La legislación, aliada del poder de la pantalla, fue coherente con el modelo de control monopólico y político de la opinión pública que se gestó desde 1997, cuando llegó una nueva generación "presidida" por Emilio Azcárraga Jean y Bernardo Gómez a decidir los destinos de

Televisa. Desde entonces, esos *juniors* decidieron que ya no serían los "soldados del presidente" sino que todos los políticos serían sus siervos, clientes y cómplices.

El gobierno de Vicente Fox (2000-2006) empoderó a los ejecutivos de Televisa y de TV Azteca a niveles nunca vistos durante los sexenios anteriores del PRI: abortó una reforma muy ambiciosa en el régimen de medios de comunicación (el *decretazo* de 2002), les permitió pasar por encima de la ley para apropiarse de señales que son concesiones de un bien público (el *chiquihuitazo* de TV Azteca contra Canal 40), los dejó imponer su agenda legislativa en pleno proceso de sucesión presidencial (la ley Televisa de marzo 2006), los utilizó como aliados y arietes ante la posibilidad de una alternancia de izquierda (los videoescándalos, el desafuero de López Obrador). El bravucón gerente que llegó con más desplantes que proyecto a la Presidencia de la República acabó siendo rehén y cómplice de los intereses mediáticos. Su esposa, Marta Sahagún, fue la gestora de este contubernio.

Débil, ilegítimo, dependiente de los "favores" televisivos en la campaña presidencial, el gobierno de Felipe Calderón (2006-2012) consolidó el cártel de las televisoras, a imagen y semejanza de los cárteles de la droga que dijo combatir y acabó fortaleciendo durante su sexenio. Calderón frenó el proceso de convergencia, permitió la fusión de Televisa y TV Azteca con el pretexto de combatir al monopolio de Carlos Slim en telefonía, bloqueó la tercera cadena de televisión, operó concesiones favorables al duopolio televisivo para facilitar su incursión en las telecomunicaciones, invirtió más de 12 mil millones de pesos del erario en publicidad para las televisoras, consintió y alentó sus abusos, telemontajes, presiones, chantajes y extorsiones a cambio de un hipócrita apoyo a su cruenta "guerra contra el narco".

El resultado fue evidente: el panismo empoderó a Televisa, juez y parte en el proceso de sucesión presidencial, y acabó convirtiéndola en el factótum para el retorno del PRI a la Presidencia de la República a través del Grupo Atlacomulco y su representante Enrique Peña Nieto.

Aunque quisiera, Peña Nieto ya no cuenta con los instrumentos institucionales, ni la habilidad y menos la estrategia para *destelevizar* a la Presidencia de la República. Optó por una alianza de control político del gobierno sobre las comunicaciones, a cambio de que Televisa impusiera su modelo de negocios sobre una ambiciosa reforma legislativa.

Para ello, Televisa contó con la docilidad de los legisladores, la apatía ciudadana, sus nuevos negocios y chantajes con gobernadores que aspiran emular el "modelo Peña Nieto" y con el juego pragmático de sus adversarios (Carlos Slim, principalmente) que le apostaron a una batalla de largo plazo para ganar en el terreno del mundo financiero y los contratos en otras áreas de negocios con el Estado. América Móvil no se subió al ring legislativo, a pesar de que los propios voceros de Televisa calificaron a sus críticos como parte de una entelequia llamada *Slim media*.

Televisa configuró una sólida alianza con el secretario de Hacienda, Luis Videgaray; con el jefe de la Oficina de la Presidencia, Aurelio Nuño; con el consejero jurídico de la Presidencia, Humberto Castillejos, y con sus principales interlocutores del Congreso (Emilio Gamboa Patrón y Manlio Fabio Beltrones, los jefes de las bancadas del PRI) para que nada alterara su plan de negocios ni tuviera que perder su condición de monopolio de contenidos en televisión abierta y televisión restringida.

A cambio, el gobierno de Peña Nieto construyó sus propios insumos de control político y económico: la Secretaría de Gobernación y la Secretaría de Hacienda volvieron a ser las extensiones del dominio presidencial sobre los contenidos y las concesiones de radiodifusión y telecomunicaciones. Su desconocimiento y temor a las nuevas tecnologías, como internet, facilitó que en la ley se instaurara un modelo represivo y de vigilancia, al estilo Big Brother, sobre la red. La Secretaría de Comunicaciones y Transportes tendrá el control del gran negocio clientelar y electoral, que será el reparto de más de 15 millones de aparatos televisivos durante 2015 para impulsar el "apagón analógico". El nuevo organismo regulador y autónomo del sector resultó el principal damnificado de la ley Peña-Televisa, cuyo origen se halla en las semanas previas a la elección presidencial de 2012. En junio de ese año se fue configurando lo que sería el tamaño de la telecracia a la mexicana.

Junio de 2012, la fusión Televisa-Iusacell

La historia reciente del "golpe de Estado intangible" inició un mes antes de las elecciones presidenciales del 1º de julio de 2012. Al gobierno de Felipe Calderón le llegaron durante la primera semana de junio las últimas encuestas sobre los comicios presidenciales.

La debacle del PAN y de su candidata Josefina Vázquez Mota era total. El candidato de la izquierda, Andrés Manuel López Obrador, la había desplazado hacia el tercer lugar. El priísta Enrique Peña Nieto se mantenía en primer sitio, pero la preferencia electoral del telecandidato disminuía. El movimiento #YoSoy132, surgido en mayo del mismo año, había tenido un impacto de al menos cuatro puntos sobre el ex gobernador del Estado de México.

Calderón tomó una de sus últimas y más polémicas decisiones del sexenio: negociar un pacto de impunidad y de transición con Peña Nieto y autorizarle a Televisa y a TV Azteca la fusión al 50 por ciento en la empresa de telefonía móvil Iusacell, a pesar de que en enero de 2012, el organismo antimonopolio, la Comisión Federal de Competencia, había votado en contra de unir al duopolio de las televisoras en una compañía de telecomunicaciones.

Para Calderón era una razón de sobrevivencia política. Su sexenio terminaba en el desprestigio más grande. Y la inminente llegada al poder de Peña Nieto lo obligaba a negociar también con Televisa un enorme favor del poder presidencial para evitar futuros ataques en su contra. Se sabían demasiadas cosas entre ambos. Y la relación de Calderón con los ejecutivos comandados por Emilio Azcárraga Jean fue siempre tirante, aunque acabó cediéndoles en todo.

El presidente panista mandó llamar a los dos presidentes de los órganos reguladores: Eduardo Pérez Motta, de la Comisión Federal de Competencia, y Mony de Swaan, de la Comisión Federal de Telecomunicaciones. Desde Los Pinos se operó la presión para que se autorizara una fusión entre Televisa y TV Azteca, "condicionada" a una serie de medidas que tratarían de salvarle la cara a su sexenio.

La fusión de Televisa y TV Azteca en Grupo Iusacell era un golpe a cualquier posibilidad de democratizar los medios de comunicación. Su justificación fue la misma que utilizó el gobierno calderonista durante todo su sexenio para defender las prebendas del poder político a las televisoras: se necesitaba el "músculo" de ambas para competir contra el monopolio de América Móvil, de Carlos Slim, que concentra 70% del mercado de telefonía móvil en México, el de mayor crecimiento en todo el sector de las telecomunicaciones.

Operó un criterio maniqueo, típico del rasgo ideológico del calderonismo que polarizó a la sociedad en otros aspectos: en telecomunicaciones hay "buenos" y "malos". Los buenos son aquellos que quieren competir con el perverso monopolio comandado por el implacable hombre más rico del mundo.

En ningún otro país la competencia en telecomunicaciones alentada desde el poder político ha sido sana. Por el contrario, pervierte esta relación porque obliga a un pacto de control y de intereses mutuos entre el poder político y el poder mediático.

La importancia de las telecomunicaciones ha sido indudable. De 2007 a 2012, la inversión privada en los diferentes servicios de este sector alcanzó una cifra de 24 mil 739 millones de dólares. Más del 70% de esta inversión fue en telefonía móvil, que desplazó a otros servicios (telefonía fija y de larga distancia, televisión restringida, servicios satelitales e internet).

En 2010 se generó el mayor monto (2 835 millones de dólares), pero en 2011 y 2012 las inversiones privadas cayeron: 1 800 y 1 459 millones de dólares. No fue casual. Coincidió con la abierta "guerra de las televisoras" contra el conglomerado de empresas de Carlos Slim.

Obsesionado con frenar a Slim, el gobierno de Calderón también vetó otras inversiones importantes, como las programadas por grupos como MVS en el proyecto Banda Ancha para Todos, que hubiera explotado la banda 2.5 GHz para ampliar la conectividad y el acceso a millones de usuarios a un costo más bajo. En agosto de 2012, en vísperas de terminar su sexenio, Calderón ordenó la última medida arbitraria de su sexenio, consistente en el "rescate" de la banda 2.5, que derivó en una confrontación abierta e inédita con el grupo que dirige Joaquín Vargas. Su claro sesgo a favor de Televisa llevó al sexenio de Calderón a un fracaso absoluto en sus objetivos de competencia, cobertura y calidad en telecomunicaciones. En lugar de "alcanzar un grado de penetración de internet superior al 60%" de la población, como prometió en su Plan Nacional de Desarrollo, apenas llegó al 40%, por debajo de otros países latinoamericanos, como Brasil. Casi 70 millones de mexicanos se quedaron rezagados frente a internet. En telefonía fija, el número de suscriptores disminuyó de 26.5 millones a 19.7 millones de líneas. La principal empresa, Telmex, acabó desinvirtiendo en este sector, en un claro reflejo por limitar su servicio sólo al *doble play* (telefonía e internet) y no los servicios audiovisuales (televisión restringida).

La administración calderonista fue un desastre en esta materia. Tuvo tres secretarios de Comunicaciones y Transportes, cuatro subsecretarios de Comunicaciones y emprendió una vulgar cacería contra una de ellas, Purificación Carpinteyro.

A los servicios televisivos no les fue mal en ese sexenio. El porcentaje de consumo de televisión abierta creció entre 2005 y 2010, de 76 a 81 por ciento.[1] El consumo de televisión restringida se incrementó casi al doble: pasó de 11 a 20%; mientras que el consumo de radio disminuyó en el mismo lapso de 37 a 29%; y el consumo de periódicos, de 53 empresas monitoreadas, bajó de 19 a 17 por ciento.

Con este claro desnivel a favor del modelo televisivo, el 14 de junio de 2012, cuatro de los cinco comisionados integrantes de la Comisión Federal de Competencia autorizaron la fusión de Grupo Televisa y Grupo Salinas en Iusacell, la tercera empresa de telefonía móvil con un lejano 6% del mercado, frente al 70% de América Móvil (Telcel) y 20% de Telefónica (Movistar).

La resolución de más de 600 cuartillas incluyó seis condiciones que tanto Televisa y TV Azteca debían cumplir para que el Estado autorizara la

---

[1] Cofetel, "Informe de resultados 2006-2012".

operación, valuada en cerca de 1 600 millones de dólares. Lo anterior iba en contra de la propia resolución que la CFC había emitido en enero de 2012. Las disposiciones fueron:

a) La licitación de una tercera cadena de televisión (el plazo se cumplió en junio de 2014, pero se concretó a medias en abril de 2015. De las dos cadenas de 123 frecuencias cada una, sólo se concretó una, la empresa de Olegario Vázquez Aldir.

b) La no discriminación de la venta de publicidad a otras empresas de telecomunicaciones en los canales de Televisa y TV Azteca.

c) La prohibición de venta de contenidos de manera "empaquetada", una demanda de las empresas de televisión restringida que no pertenecen a la esfera de Televisa.

d) Prohibir que en el consejo de administración de Iusacell estén empleados de otras empresas filiales de Televisa o de Grupo Salinas.

e) La prohibición de que Televisa participe en Total Play, la pequeña compañía de Salinas Pliego en televisión restringida.

f) La obligación de permitir el *must carry* y *must offer*, que no quedó muy clara en la resolución.

En ningún momento se consideró una de las condiciones más duras que se manejaron en la negociación: que Televisa y TV Azteca se deshicieran de alguna de sus cadenas de televisión nacionales, para dejar de tener el control del 70 y el 30%, respectivamente, del mercado de la televisión abierta.

Al día siguiente de autorizarse la fusión, Grupo Dish (sociedad de MVS-Echostar y Telmex) calificó de "lamentable" la decisión de la Comisión Federal de Competencia. "Si el duopolio era nocivo, ahora será peor", afirmó la compañía que representaba la única competencia para Sky, la televisión restringida vía satelital controlada por Televisa.

Las mismas condiciones estipularon que las bases de licitación para una tercera cadena de televisión debían estar listas el 30 de noviembre de 2012, un día antes de que terminara el sexenio. Las bases nunca estuvieron listas. La estafeta se le pasó al gobierno de Enrique Peña Nieto.

Televisa y TV Azteca demostraron de qué estaba hecho su poder. Antes de que terminara el sexenio emprendieron nuevas campañas por presunta "corrupción" en contra del presidente de Cofetel, Mony de Swaan, quien insistió hasta el final del gobierno calderonista en la licitación de dos cadenas de televisión. En un artículo publicado en *Reforma*, en el ocaso del sexenio de Calderón, Pérez Motta advirtió:

Sí hay un plazo fatal para esta licitación, y es junio de 2014. Veinticuatro meses a partir de los condicionamientos impuestos por la CFC a Televisa y TV Azteca para aprobar la alianza Televisa-Iusacell. Si para este momento no se ha publicado la convocatoria para la licitación, pero ésta no se ha concluido exitosamente, las empresas tendrán que deshacer su alianza.[2]

Dos años después, en septiembre de 2014, Televisa y TV Azteca deshicieron su alianza en Iusacell, pero no por las razones aludidas por Pérez Motta. La licitación de las dos cadenas de televisión no se había concretado. Las condiciones que le impusieron los órganos reguladores fueron abiertamente ignoradas sin consecuencias ni para una ni para otra empresa.

El matrimonio por conveniencia entre Televisa y TV Azteca resultó ser un mal negocio. La reforma de telecomunicaciones de Peña Nieto apalancó a Televisa para garantizar su dominio absoluto en televisión de paga, pero no les garantizó que desde el poder político ambas empresas pudieran enfrentar una decisión que América Móvil tomó casi al mismo tiempo de que se aprobaba la ley: anunciar la venta del 20% de sus activos para dejar de ser "agente económico preponderante" (con más del 50% de control en un sector) y, por tanto, evadir la obligación legal de compartir su infraestructura de forma gratuita con sus competidores.

Televisa y TV Azteca en Grupo Iusacell apostaron a esta posibilidad. Su aventura en telefonía móvil le costó a los órganos reguladores, acabó perdiendo Televisa (compró en 1 600 y vendió en 700 millones de dólares),

---

[2] Eduardo Pérez Motta, "Licitación de televisión: no nos hagamos bolas", *Reforma*, 20 de noviembre de 2012.

pero demostraron que pueden maniobrar a su antojo a los presidentes que sean adictos a la endeble legitimidad que da la pantalla televisiva.

Para el 16 de enero de 2015, Iusacell dejó de ser mexicana. El gigante estadounidense AT&T adquirió el 100% de la tercera empresa de telefonía móvil en México por 2 500 millones de dólares, con un ambicioso proyecto de vincular a sus usuarios a la red de Estados Unidos y Canadá.

Las promesas del Pacto por México

El tema de dos nuevas cadenas de televisión abierta reapareció en el arranque del gobierno de Enrique Peña Nieto. En una de sus 13 "decisiones administrativas" anunciadas en su discurso del 1º de diciembre de 2012 y en el llamado "compromiso 43" del Pacto por México, firmado al día siguiente, se mencionó lo siguiente:

Se licitarán más cadenas nacionales de televisión abierta, implantando reglas de operación consistentes con las mejores prácticas internacionales, tales como la obligación de los sistemas de cable de incluir de manera gratuita las señales de radio difundidas (*must carry*), así como la obligación de la televisión abierta de ofrecer de manera no discriminatoria y a precios competitivos sus señales a operadores de televisión de paga (*must offer*), imponiendo límites a la concentración de mercado y a las concentraciones de varios medios masivos de comunicación que sirvan a un mismo mercado, para asegurar un incremento sustancial de la competencia en los mercados de radio y televisión.

Este "compromiso 43" repitió la táctica de la "zanahoria" y el "garrote". La "zanahoria" fue la licitación de las cadenas, con beneficios explícitos para Televisa y TV Azteca, que siempre se han negado a ofrecer de manera gratuita sus señales de televisión abierta en los sistemas de cable que no sean de su propiedad.

La redacción original del "compromiso 43" se modificó por presiones de los potentados de la televisión. Comprometía a la televisión abierta a "ofrecer de manera gratuita" sus señales a todos los operadores de televisión. La modificaron para que dijera "de manera no discriminatoria y a precios competitivos".

Al salir de Palacio Nacional, después de la ceremonia del 1 de diciembre, Emilio Azcárraga Jean, presidente de Grupo Televisa, no pudo evitar expresar su discordia con la promesa de licitar nuevas cadenas de televisión.

"A ver quién le entra a lo de las cadenas de televisión abierta. El pastel de la publicidad no crece. Es de sólo 2 a 3 por ciento. La banda ancha sí es el negocio", afirmó *el Tigrillo*.

Sin embargo, el Pacto por México enunció otras nueve medidas que fueron configurando lo que sería el antes y después de la reforma de telecomunicaciones del gobierno de Peña Nieto.

En buena medida, las promesas del Pacto por México respondieron al compromiso asumido por Peña Nieto ante la Organización para la Cooperación y el Desarrollo Económicos (OCDE), organismo que presionó a través de José Ángel Gurría para que el nuevo gobierno incorporara los temas de competencia económica en el sector.

Por otro lado, a Peña Nieto le urgía deshacerse del sambenito de "telepresidente" o "títere de Televisa" y demostrar que su gobierno iba a ir en contra de todo tipo de monopolios y "poderes fácticos" para recuperar el terreno del control presidencial, no necesariamente para democratizar el régimen de las telecomunicaciones (internet, telefonía, satélites) y la radiodifusión (televisión y radio).

Los nueve compromisos que firmaron Peña Nieto y los partidos (PRI, PAN y PRD), en relación con telecomunicaciones, fueron los siguientes:

1. Crear tribunales especializados en materia de competencia económica y telecomunicaciones (compromiso 38).

2. "Generar mayor competencia en telefonía fija, telefonía celular, servicios de datos y televisión abierta y restringida". Para ello es necesario reformar la Constitución y "reconocer el derecho de acceso a la banda ancha" (compromiso 39).

3. Reforzar la autonomía y capacidad decisoria de la Comisión Federal de Telecomunicaciones "para que opere bajo reglas de transparencia y de independencia respecto de los intereses que regula" (compromiso 40).

4. Garantizar el crecimiento de la red de fibra óptica de la Comisión Federal de Electricidad, los usos óptimos de las bandas 700 MHz y 2.5 GHz y el acceso a la banda ancha en sitios públicos, con el esquema de una red pública del Estado (compromiso 41).

5. Crear una instancia específicamente responsable de la agenda digital, que deberá encargarse de "garantizar el acceso a internet de banda ancha en edificios públicos", fomentar la inversión pública y privada en telesalud, telemedicina y expediente clínico electrónico (compromiso 42).

6. Generar competencia efectiva en las telecomunicaciones y "eliminar barreras a la entrada de otros operadores, incluyendo tratamientos asimétricos en el uso de redes y determinación de tarifas, regulación de la oferta conjunta de dos o más servicios y reglas de concentración, conforme a las mejores prácticas internacionales" (compromiso 44).

7. Licitar "la construcción y operación de una red compartida de servicios de telecomunicaciones al mayoreo con 90 MHz en la banda 700 MHz para aprovechar el espectro liberado por la Televisión Digital Terrestre (compromiso 44).

8. Reordenar la legislación del sector de telecomunicaciones "en una sola ley que contemple, entre otros, los principios antes enunciados" (compromiso 44).

9. Adoptar "medidas de fomento a la competencia en televisión, radio, telefonía y servicio de datos que deberá ser simultánea" (compromiso 45).

No se ve a las audiencias ni a los ciudadanos en ninguno de estos compromisos. Mucho menos la agenda del derecho a la información y el derecho al conocimiento. Sin embargo, los compromisos del Pacto por México fueron sobrevendidos como la posibilidad de que el telepresidente iba a afectar los intereses monopólicos y lograr lo que Calderón no pudo: garantizar un mayor acceso a la banda ancha y abrir el sector de las telecomunicaciones a la competencia y a la inversión privada.

Las promesas del Pacto por México parecían afectar tanto los intereses del Grupo Televisa como los de Telmex. Prometían la apertura de mayor competencia. La configuración de una red compartida de servicios de telecomunicaciones para no depender sólo de la que tiene en su poder Carlos Slim. Se licitaban dos nuevas cadenas en televisión abierta digital que, cuando mucho, en cinco años tendrían apenas el 15% de este mercado.

Sin embargo, en la hoja de ruta trazada desde entonces no había plazos, estrategias claras, ni principios legislativos rectores que comprometieran al gobierno federal a adoptar una política pública de telecomunicaciones que no terminara naufragando, como en los últimos 12 años, en la batalla entre gigantes corporativos.

En un comunicado difundido el 14 de diciembre de 2012, la Asociación Mexicana de Derecho a la Información (Amedi) fijó su posición frente a las promesas del Pacto por México:

No basta con asegurar la competencia, también es indispensable generar las condiciones necesarias para el pluralismo y la diversidad, pues si hay un gran pendiente en la transición democrática en este país es precisamente el de la reforma estructural del concentrado sistema de medios. El Pacto por México obliga a sus firmantes a cumplir los compromisos adquiridos, de lo contrario, se evidenciará una vez más el miedo y sometimiento de la "clase política" al poder fáctico de la televisión y las telecomunicaciones.

Esta posición resultó ser profética.

La Asociación Mexicana de Internet (Amipci) y el Instituto Tecnológico de Estudios Superiores de Monterrey elaboraron varias recomendaciones a raíz de los compromisos del Pacto por México. "Encontramos una dispersión de esfuerzos; hubo 300 iniciativas legislativas que se quedaron pendientes en materia de reformas de Tecnologías de la Información y Comunicación (TIC) y telecomunicaciones, lo que afecta la seguridad jurídica, desarrollo e innovación", afirmó María Elena Meneses, del Centro de

Estudios sobre Internet y Sociedad (CEIS), del Tecnológico de Monterrey.[3] El estudio de ambas organizaciones incluyó, entre sus recomendaciones, que existiera un Programa de Desarrollo Digital Nacional, otro programa de innovación sobre tecnologías de la información y, sobre todo, programas de conectividad para eliminar la brecha digital, incluyendo a la red educativa y de apoyo al sector agropecuario.

Por supuesto, esto jamás sucedió.

Lo más significativo fue el silencio público de Grupo Televisa y de Telmex frente a las promesas del Pacto por México.

En declaraciones a la agencia *Bloomberg*, ese mismo diciembre de 2012, el magnate de la telefonía Carlos Slim afirmó que se necesitan "regulaciones que estimulen la inversión, que promuevan la cobertura y la competencia en todos los servicios… No necesitamos regulaciones que únicamente penalizan a las compañías por su tamaño". Al buen entendedor, pocas palabras.

Desde el sexenio de Calderón, Slim había advertido que las medidas regulatorias tendientes a disminuir el tamaño de América Móvil iban a provocar la desinversión. Incluso, amagó con la posibilidad de trasladar el domicilio fiscal de sus empresas a Brasil.

"Ustedes quieren destruir mi compañía", les reprochó en varias ocasiones Slim a los reguladores del gobierno de Calderón. A pesar de su evidente molestia, Slim no utilizó —ni podía hacerlo— el poder de los medios de comunicación para marcar una agenda informativa favorable a sus intereses.

A pesar de que los ingresos en telefonía son 10 veces más grandes que la televisión, y que el poderío financiero de Slim es muy superior al de Grupo Televisa y al de TV Azteca juntos, careció en todo este proceso del poder para influir en la opinión pública y utilizar la pantalla para presionar políticamente. Para Slim y sus principales asesores, la batalla era de resistencia financiera. Quien tuviera más dinero, ganaría. Y no necesariamente más influencia mediática.

---

[3] Carla Martínez, "Proponen al gobierno política digital", *Reforma*, 13 de diciembre de 2012.

Por su parte, Emilio Azcárraga Jean sólo hizo un escueto comentario en su cuenta de Twitter: "Sobre el recién firmado Pacto por México, celebro la apertura y mayor competencia en telecomunicaciones y TV (compromisos 37 al 45)".

Otros grupos importantes, como MVS, fueron más cautelosos, pero registraron que la presión de Televisa modificó la redacción original del compromiso sobre el *must carry* y el *must offer*.

Juan Abellán, presidente de Grupo Telefónica, el rival más fuerte de América Móvil en México y la segunda compañía de telefonía celular, afirmó que "existe todo un contexto para que en este gobierno cambie el sector de las telecomunicaciones". El optimismo de la empresa de origen español tenía dos objetivos: lograr una parte del espectro que se licitaría en la banda 700 MHz para los servicios de *cuádruple play* y presionar a América Móvil a la firma de un convenio marco de interconexión.

LA REFORMA CONSTITUCIONAL

En abril de 2013, cuatro meses después de que se firmara el Pacto por México, se aprobó en el Congreso una ambiciosa reforma constitucional en materia de derecho a la información, telecomunicaciones, radiodifusión y competencia económica, que fue el resultado de las altas expectativas generadas por las promesas de acabar con los monopolios y "ahora sí" abrir la agenda a la sociedad de la información.

Muchos de los cambios propuestos en la iniciativa original del Ejecutivo federal, construida en la negociación de un equipo redactor, formado en el seno del Pacto por México, se incorporaron en contra de la posición original del PRI. Por ejemplo, la autonomía constitucional del Instituto Federal de Telecomunicaciones que le quitaba facultades y poder a las secretarías de Comunicaciones y Transportes, Hacienda y Gobernación.

Tampoco fue del agrado de la parte gubernamental que se legislara para crear una figura, denominada "agente económico preponderante", que fue una fórmula ideada y propuesta por Santiago Creel (del equipo negociador del Pacto por México) para darle la vuelta a la regulación existente sobre prácticas monopólicas, que ya existe en la Ley Federal de Competencia Económica, y acotar el poder de grupos como Televisa o América Móvil.

En el seno de ese equipo redactor del Pacto por México se generó una singular alianza entre panistas (Santiago Creel, el senador Javier Corral, Juan Molinar Horcasitas), perredistas de la corriente de Nueva Izquierda (Jesús Zambrano y Guadalupe Acosta Naranjo) y asesores y especialistas que se incorporaron a las negociaciones (la diputada federal Purificación Carpinteyro, el ex consejero electoral Alfredo Figueroa, el entonces comisionado presidente de Cofetel, Mony de Swaan y el académico Raúl Trejo Delarbre, entre otros) para sacar adelante las partes más avanzadas de esa reforma.

Uno a uno, estos logros en materia constitucional se revirtieron, un año después, en la ley secundaria. Como se ha dicho, la ley se bautizó Peña-Televisa por la conjunción de los intereses de control político y monopólico en las telecomunicaciones.

En otros casos, los cambios constitucionales sirvieron de justificación al gobierno federal para ejercer mayor control sobre los contenidos y, paradójicamente, restringir el derecho a la información.

Estos fueron los cambios más importantes:

Artículo 6 constitucional. En materia de derecho a la información, se adicionaron cuatro párrafos y se agregó un amplio apartado B:

a) "Toda persona tiene derecho al libre acceso a la información plural y oportuna, así como a buscar, recibir y difundir información e ideas de toda índole por cualquier medio de expresión" (párrafo segundo).

b) "El Estado garantizará el derecho de acceso a las tecnologías de la información y comunicación, así como a los servicios de radiodifusión y telecomunicaciones, incluido el de banda ancha e internet" (parrafo tercero).

c) "El Estado garantizará a la población su integración a la sociedad de la información y el conocimiento, mediante una política de inclusión digital universal con metas anuales y sexenales". Ésta es la primera vez que se menciona en un texto constitucional mexicano el tema de la inclusión digital.

d) Se definieron a las telecomunicaciones y a la radiodifusión como "servicios públicos de interés general", por tanto, el Estado deberá garantizar que sean prestados "en condiciones de competencia, calidad, pluralidad, cobertura universal, interconexión, convergencia, continuidad, acceso libre y sin injerencias arbitrarias", en el caso de las telecomunicaciones. En el caso de la radiodifusión, deberá ser prestado en "condiciones de competencia y calidad y brindar los beneficios de la cultura a toda la población, preservando la pluralidad y la veracidad de la información, así como el fomento de los valores de la identidad nacional, contribuyendo a los fines establecidos en el artículo 3 constitucional".

e) En el numeral IV del mismo apartado B del artículo 6 se incluyó un ordenamiento constitucional que cayó como bomba en los concesionarios de radio y televisión: "Se prohíbe la transmisión de publicidad o propaganda presentada como información periodística o noticiosa; se establecerán condiciones que deben regir los contenidos y la contratación de los servicios para su transmisión al público, incluidas aquellas relativas a la responsabilidad de los concesionarios respecto de la información transmitida por cuenta de terceros, sin afectar la libertad de expresión y de difusión".

Esta última frase fue agregada en el proceso legislativo por los representantes de las televisoras y radiodifusoras. Consideraron esta prohibición constitucional como un "atentado" a la libertad de expresión, confundiendo ésta con libertad de venta de los espacios informativos.

Tan sólo por este apartado, el propio Enrique Peña Nieto no hubiera llegado a la Presidencia de la República con el modelo de contratación de propaganda, presentada como información en la televisión, tal como lo hemos documentado desde el libro *Si yo fuera presidente* (2009).

Curiosamente, la prohibición constitucional excluyó a los programas de entretenimiento, es decir, la mayoría de los contenidos de televisión donde se realiza la promoción de los políticos y gobernadores con recursos públicos (telenovelas, programas musicales, de espectáculos, de deportes, de teleseries o *realities*).

f) Se ordena que la ley secundaria establezca "un organismo público descentralizado con autonomía técnica, operativa, de decisión y de gestión, que tendrá por objeto proveer el servicio de radiodifusión sin fines de lucro, a efecto de asegurar al mayor número de personas en cada una de las entidades de la Federación". Aquí se ordenaba claramente un organismo autónomo del Poder Ejecutivo para los medios públicos.

g) A manera de promesa vaga, se estipuló en la Constitución que la ley secundaria "establecerá los derechos de los usuarios de telecomunicaciones, de las audiencias, así como los mecanismos para su protección".

Artículo 7. Se aprobó el segundo párrafo en este artículo para prohibir "la previa censura". "En ningún caso podrán secuestrarse los bienes utilizados para la difusión de la información, opiniones e ideas, como instrumentos del delito", se le agregó en este párrafo. En el debate algunos especialistas consideran este agregado como una peligrosa medida de censura o de persecución.

Artículo 28. Sin duda, el artículo más complejo, al que se le agregaron varios artículos transitorios, fue el artículo 28 constitucional, objeto de una reforma en doble sentido: en materia de competencia económica y para crear un organismo autónomo de las telecomunicaciones y la radiodifusión.

Los cambios más importantes en este artículo ordenaron:

a) La creación del Instituto Federal de Telecomunicaciones como autoridad competente también "en materia de competencia económica de los sectores de radiodifusión y telecomunicaciones, por lo que en éstos ejercerán en forma exclusiva las facultades que este artículo y las leyes establecen para la Comisión Federal de Competencia Económica" y "regulará de forma asimétrica a los participantes en estos mercados con el objeto de eliminar eficazmente las barreras a la competencia y a la libre concurrencia".

b) El nuevo IFT también "impondrá límites a la concentración nacional y regional de frecuencias, al concesionamiento y a la propiedad cruzada que controle varios medios de comunicación que sean concesionarios de radiodifusión y telecomunicaciones que sirvan a un mismo mercado o zona de cobertura geográfica". Un claro mandato en contra del monopolio que mantiene Televisa.

c) El nuevo IFT también ordenará "la desincorporación de activos, derechos o partes necesarias para asegurar el cumplimiento de estos límites, garantizando lo dispuesto en los artículos 6 y 7 de esta Constitución". Otra facultad que no gustó nada en América Móvil ni en Televisa.

d) Al instituto también le corresponderá "el otorgamiento, la revocación, así como la autorización de cesiones o cambios de control accionario, titularidad u operación de sociedades relacionadas con concesiones en materia de radiodifusión y telecomunicaciones". Se convirtió en el árbitro de ambos sectores.

Sin embargo, en la negociación legislativa se incorporó este candado: el IFT tendrá que consultar con el titular de la SCT, "quien podrá emitir su opinión técnica".

e) Se determinó que las concesiones "podrán ser para uso comercial, público, privado y social que incluyen a las comunitarias y las indígenas, las que se sujetarán, de acuerdo con sus fines, a los principios establecidos en los artículos 2, 3, 6 y 7 de esta Constitución". El ordenamiento constitucional desapareció la figura de los "permisos" que durante décadas existió para el régimen de los medios públicos, sociales, comunitarios y universitarios.

Sin embargo, la reforma constitucional sólo enunció los diferentes tipos de concesiones y no estableció ningún porcentaje para una mayor equidad o diversidad de estos medios.

f) El IFT fijará "el monto de las contraprestaciones por el otorgamiento de las concesiones, así como por la autorización de los servicios vinculados a éstas, previa opinión de la autoridad hacendaria". En otras palabras, la Secretaría de Hacienda tendrá también un papel tutelar en este proceso de fijar las contraprestaciones, el gran negocio de las telecomunicaciones y la radiodifusión.

La reforma constitucional también estableció en el artículo 28 que "en ningún caso el factor determinante para definir al ganador de la licitación será meramente económico".

"Las concesiones para uso público y social serán sin fines de lucro y se otorgarán bajo el mecanismo de asignación directa."

g) El IFT tendrá la facultad de sancionar y revocar las concesiones, incluyendo aquellos casos de "incumplimiento de las resoluciones que hayan quedado firmes en casos de conductas vinculadas con prácticas monopólicas".

Sin embargo, se incorporó otro candado presidencialista: "En la revocación de las concesiones, el Instituto dará aviso previo al Ejecutivo federal, a fin de que éste ejerza, en su caso, las atribuciones necesarias que garanticen la continuidad en la prestación del servicio".

h) La reforma al artículo 28 incorporó un cambio que generó fuertes presiones de los organismos empresariales durante la discusión en el Congreso: se estipuló en el numeral VII que tanto los actos y las omisiones del IFT como de la Comisión Federal de Competencia Económica podrán ser impugnados "únicamente mediante el juicio de amparo indirecto y no serán objetos de suspensión".

Esta simple frase generó una fuerte presión y resistencia del Consejo Coordinador Empresarial. En la Cámara de Diputados se le agregó la siguiente redacción, a propuesta del legislador panista Rubén Camarillo: "Solamente en los casos en que la Comisión Federal de Competencia Económica imponga multas, o la desincorporación de activos, derechos, partes sociales o acciones, o éstas se ejecutarán hasta que se resuelva el juicio de amparo que en su caso se promueva".

Los artículos transitorios. Esos fueron los cambios más importantes en la redacción de los artículos constitucionales. El verdadero "diablo de los detalles", como lo señaló el senador panista Javier Corral, estaba en los 18 artículos transitorios que se convirtieron de facto en una ley secundaria.

Los 18 artículos transitorios —como en el caso de la reforma energética— no hacían referencia sólo a asuntos circunstanciales sino sustanciales. Gran parte de la disputa y la decepción entre los sectores reformistas que apoyaron estos cambios constitucionales fue por los retrocesos que estableció la ley secundaria en referencia con estos artículos.

Entre las órdenes más discutidas y polémicas:

a) Se permitirá la inversión extranjera directa, como máximo del 49% en radiodifusión y del 100% en telecomunicaciones. El límite del 49% estará condicionado al llamado "candado de reciprocidad" que exista en el país en el que se encuentre el corporativo o agente económico que quiera invertir en México.

La izquierda criticó la apertura hasta del 100% a la inversión extranjera en telecomunicaciones, Televisa, TV Azteca y los radiodifusores defendieron a capa y espada que se mantuviera el límite de 49% en su sector.

Por tanto, la reforma constitucional, en lugar de establecer reglas convergentes, mantenía separados los dos sectores, aunque sus servicios fueran cada vez más entrelazados, como se ve en el *triple play* o en el *cuádruple play*.

b) La transición digital terrestre culminará el 31 de diciembre de 2015. Los Poderes de la Unión deben promover "la implementación de equipos receptores y decodificadores necesarios", y los concesionarios y permisionarios están obligados a *devolver, en cuanto termine el proceso de televisión digital terrestre,* las frecuencias que originalmente les fueron concesionadas por el Estado, a fin de garantizar el uso eficiente del espectro y el uso óptimo de la banda de 700 MHz (quinto transitorio).

El compromiso 41 del Pacto por México está sujeto a la devolución de las frecuencias por los concesionarios. Un proceso que se ve sumamente difícil de cumplir para el 31 de diciembre de 2015 y que generará tensiones y negociaciones entre el Estado y los poderes mediáticos.

c) El octavo transitorio constituyó la fuente de muchas de las discordancias en la legislación secundaria. Entre los negociadores se le bautizó como "cláusula de Angoitia", en referencia explícita al vicepresidente de Televisa, Alfonso de Angoitia, estratega de la expansión y concentración del monopolio televisivo en los mercados de telecomunicaciones. Es uno de los artículos más extensos y estipuló, entre otras cosas, las siguientes reglas del juego:

Must carry y *must offer.* Que los concesionarios de televisión abierta "están obligados" a permitir a los concesionarios de televisión restringida "la retransmisión de su señal, de manera gratuita y no discriminatoria" (*must carry*), al tiempo que los concesionarios de televisión restringida "están obligados" a retransmitir la señal de televisión abierta, en forma íntegra, simultánea y sin modificaciones (*must offer*).

Sin embargo, se incluyó un candado que claramente tenía dedicatoria a Grupo Dish y a Telmex, adversarios de Televisa: "Los concesionarios de televisión restringida vía satélite sólo deberán retransmitir obligatoriamente las señales radiodifundidas de cobertura de 50% o más del territorio nacional". Aquellos concesionarios que hayan sido declarados con poder sustancial en los mercados o "agentes económicos preponderantes" no tendrán derecho a la regla de gratuidad de los contenidos de radiodifusión.

Licitación de las dos cadenas de TV digitales. Se estipuló un plazo de 180 días, como máximo, para la publicación de las bases de licitación de las nuevas frecuencias que deberán ser agrupadas "a efecto de formar por lo menos dos cadenas de televisión con cobertura nacional".

Se le incorporó un candado con clara dedicatoria a Televisa y a TV Azteca: no podrán participar aquellos concesionarios o grupos que tengan más de dos cadenas de televisión.

Se ordenó que el IFT deberá determinar la existencia de "agentes económicos preponderantes" en los sectores de radiodifusión y telecomunicaciones en un plazo no mayor a 180 días. Esto sucedió así antes de la discusión de la ley secundaria. El IFT declaró a Televisa y América Móvil "agentes económicos preponderantes" en sus respectivos sectores (radiodifusión y telecomunicaciones). Ambas empresas mantuvieron un litigio por esta resolución que implicaría la compartición de infraestructura con sus competidores.

La discusión legislativa más agria se generó por la ambigua definición de "agente económico preponderante" y cómo debe ser regulado en la ley secundaria. El siguiente párrafo del octavo transitorio de la reforma constitucional estableció lo siguiente:

Para efectos de lo dispuesto en este decreto, se considerará como agente económico preponderante, en razón de su participación nacional en la prestación de los servicios de radiodifusión o telecomunicaciones, a cualquiera que cuente, directa o indirectamente, con una participación nacional mayor al cincuenta por ciento, medido este porcentaje ya sea por el número de usuarios, suscriptores, audiencia, por el tráfico en sus redes o por la capacidad utilizada de las mismas, de acuerdo con los datos con que disponga el Instituto Federal de Telecomunicaciones.

Esta definición, negociada, aprobada y discutida por los legisladores en la reforma constitucional, fue dinamitada en la ley secundaria. Claramente establece que el criterio para definir un "agente económico preponderante" es por la "prestación de servicios". Regular los servicios tiene un objetivo claro: otorgarle al órgano regulador la capacidad de definir la preponderancia en servicios, como televisión restringida (dominado por Televisa, pero perteneciente al sector de telecomunicaciones) o en internet (dominado por Telmex y dentro del sector de telecomunicaciones).

Televisa salió ganando en esta discusión por un criterio absurdo: sólo puede haber un agente económico preponderante por sector, no por servicio. De esta manera, si la empresa de Azcárraga Jean era definida como preponderante en radiodifusión, ya no podría serlo en telecomunicaciones, aunque tuviera el dominio de más de 60% en número de usuarios y suscriptores en televisión restringida. Esta discusión coincidió con la operación de la empresa de Emilio Azcárraga Jean para adquirir 100% del control en la empresa Cablecom, su cuarta gran filial en televisión por cable.

Al principio, la discusión de este asunto demostró que el gobierno de Peña Nieto tenía poca disposición a elaborar una auténtica ley convergente, pues buscaba mantener a dos monopolios divergentes, con regulaciones separadas, para obtener los beneficios y privilegios que derivan de este arbitraje discrecional. No obstante, debe decirse que en marzo de 2015 un tribunal federal ratificó la resolución de "preponderancia económica" que el IFT dictara un año antes a Televisa y sus filiales.

d) En el décimo primero transitorio se estableció que para que la publicidad en radio y televisión sea equilibrada, la ley secundaria dotará al IFT de atribuciones para vigilar el cumplimiento de los tiempos máximos que la misma ley señale. No se estableció el límite en la reforma constitucional.

e) A diferencia de este transitorio, en el décimo cuarto sí se establecieron metas específicas para la política de inclusión digital universal. Esta política tendrá la meta de que, "por lo menos 70% de todos los hogares y 85% de todas las micros, pequeñas y medianas empresas a nivel nacional, cuenten con accesos a una velocidad real para descarga de información", de acuerdo con los estándares de la OCDE.

f) En el décimo quinto transitorio se ordena que la Comisión Federal de Electricidad le "cederá totalmente" a Telecomunicaciones de México (organismo público desentralizado que forma parte del sector de comunicaciones y transportes) su concesión para instalar, operar y explotar "una red pública de telecomunicaciones". Esta nueva red troncal, paralela a la que ya existe en manos de Telmex, permitirá "promover el acceso a servicios de banda ancha", entre otros objetivos.

g) Además de esta red pública de telecomunicaciones que administrará Telecomunicaciones de México, el décimo sexto transitorio ordenó que el Estado instalará otra "red pública compartida de telecomunicaciones", que aproveche al menos 90 MHz del espectro liberado en la banda 700 MHz tras la culminación de la política de televisión digital terrestre.

Esta nueva red pública "podrá contemplar inversión pública o privada". Su instalación iniciaría a fines de 2014 y estará en operación antes de que concluya el 2018, es decir, de que termine el sexenio de Enrique Peña Nieto.

Hasta la fecha, estas dos grandes redes que se ordenaron en la reforma constitucional no han aterrizado. Resultan ser más una gran promesa que una realidad. O un millonario negocio público privado.

EL PACTO PEÑA-TELEVISA

En febrero de 2014 tuve información sobre un pacto entre los dos principales ejecutivos de Televisa, Emilio Azcárraga Jean y Bernardo Gómez, con el gobierno de Enrique Peña Nieto para no afectar los intereses del grupo mediático, en vísperas de que se conociera la ley secundaria de telecomunicaciones. El pacto se realizó a principios de enero, en un encuentro privado en Valle de Bravo. Por supuesto, lo negaron airadamente, como suelen hacer cuando algo con veracidad los desenmascara.

Las relaciones entre Televisa y la Presidencia de la República se enfriaron a raíz de la reforma constitucional. Había otra serie de negocios alternos que afectaban el "pacto", que los ejecutivos de Televisa tenían con el ex gobernador mexiquense.

A Peña Nieto le interesaba tener una buena relación con Televisa, sobre todo, en el año 2014. La reforma energética, la crisis de seguridad pública en Michoacán, la difícil situación económica (no se iban a cumplir los pronósticos de crecimiento) requería que los medios masivos, en especial la televisión, privilegiaran la propaganda gubernamental y frenaran el descontento y desconcierto de la población. Las encuestas indicaban que la percepción hacia el gobierno de Peña Nieto era crecientemente negativa.

Por su parte, a Televisa le interesaba tener garantías de que el gobierno de Peña no le iba a afectar en cinco cosas importantes: el proceso de investigación iniciado por el IFT para declararlo como "agente económico preponderante" y la posibilidad de tener que desagregar activos, eliminar la propiedad cruzada en varias empresas, especialmente en televisión restringida; el proyecto de licitación de las dos cadenas de televisión digital abierta, anunciado formalmente por el mismo instituto el 20 de diciembre de 2013 a través del *Diario Oficial de la Federación*; el avance del llamado "apagón analógico" dentro del programa conocido como Televisión Digital Terrestre; la instalación de una "red compartida de servicios de telecomunicaciones" en la banda 700 MHz, que la empresa de Azcárraga Jean veía como una amenaza para su proyecto de incursión en el *triple play*; y la presión para que la ley secundaria obligara a América Móvil a aceptar la "tarifa de interconexión cero", que le permitiría a Grupo Iusacell y a otras telefónicas aliadas no tener que pagar por la interconexión con la infraestructura de las empresas de Carlos Slim.

La compra de Cablecom no era una adquisición más. Al adquirir el control de Tenedora Ares y tener la opción de compra del 100% de esta empresa —la cuarta más grande en televisión por cable—, Televisa contaría con una clara mayoría de suscriptores de este servicio. Con Cablevisión, Cablemas, tvI y algunas empresas más pequeñas que fue adquiriendo con amenazas desde 2007, la empresa de Azcárraga Jean se volvía dominante en los dos principales sistemas de televisión restringida: vía cable y vía satelital.

El control de Cablecom garantizaba una sociedad en otras áreas con uno de los financieros más astutos y enigmáticos: el regiomontano David Martínez, propietario del fondo de inversiones Fintech, el mismo empresario que asesoró en algún momento a Paula Cussi, la última esposa de Emilio Azcárraga Milmo, en su demanda por el reparto de la sexta parte del legado del *Tigre*. A Cussi le fue muy mal. A Martínez muy bien: les tomó la medida a los "cuatro fantásticos" que dirigen Televisa.

Televisa presentó ante la Suprema Corte de Justicia un amparo en contra de la investigación que realizaba la Comisión Federal de Competencia Económica en materia de dominancia. El 3 de octubre de 2013, la Segunda Sala del máximo tribunal le negó el amparo a la compañía y determinó que era constitucional el procedimiento iniciado por el regulador antimonopolios. En noviembre del mismo año, Televisa también se amparó contra la investigación del IFT para emitir la declaratoria de "agente económico preponderante". La fecha límite, de acuerdo con la reforma constitucional, era el 9 de marzo de 2014.

A pesar de las intensas presiones y el cabildeo de Televisa, los comisionados de IFT emitieron esa declaratoria en contra de la empresa de Azcárraga Jean, pero también de Carlos Slim. Los cabilderos del "canal de las estrellas" lograron que en esa declaratoria a Televisa sólo le ordenaran un mínimo de seis medidas y a América Móvil, el poderoso monopolio de telecomunicaciones, más de 30.

Entre presiones para lograr que el pacto Peña-Televisa se respetara, el entonces subsecretario de Comunicaciones, Ignacio Peralta, fue el responsable de elaborar la redacción final de la ley secundaria. El 28 de enero de

2014, el funcionario anunció que habían recibido "más de 30 propuestas no solicitadas por parte de la industria", así como opiniones y consultas de la OCDE y de la Unión Internacional de Telecomunicaciones.

En las dos cámaras del Congreso se preparó todo para que las comisiones dictaminadoras no estuvieran encabezadas por políticos que fueran adversarios de los intereses de Televisa. En el Senado, el panista Javier Lozano Alarcón, ex secretario de Trabajo calderonista y ex presidente de Cofetel durante el zedillismo, se convirtió en el intermediario más "confiable" para Televisa al quedarse como el eje de la negociación en la Comisión de Comunicaciones. Desplazó a la perredista Alejandra Barrales, presidenta de la Comisión de Radio, Televisión y Cinematografía en el Senado, y obtuvo el apoyo tácito de la priísta Graciela Ortiz, presidenta de la Comisión de Estudios Legislativos, la tercera que dictaminaría.

Lozano Alarcón, junto con Federico González Luna, diputado federal por el Partido Verde y presidente de la Comisión de Radio y Televisión en San Lázaro, fueron parte del consejo fundador del Instituto del Derecho de las Telecomunicaciones (Idet), junto con Javier Tejado Dondé, vicepresidente de Información de Televisa. Tejado volvió a desempeñar un papel fundamental como el principal especialista y cabildero de la empresa de Azcárraga Jean ante el Congreso.

Cuando se presentó la iniciativa de ley secundaria del Ejecutivo federal para la reforma de telecomunicaciones y radiodifusión, el 24 de marzo de 2014, los peores augurios se confirmaron: se trataba de una auténtica contrarreforma. Los avances más importantes logrados en la reforma constitucional quedaban en segundo plano. Además, tenía más de 20 artículos con un claro tinte represor en contra de las comunicaciones en internet y de los medios alternativos.

El mismo lunes 24, en conferencia de prensa citada en el Hotel Hilton de la avenida Juárez, los dirigentes nacionales del PAN, Cecilia Romero, y del PRD, Jesús Zambrano, leyeron un escueto comunicado para desconocer y expresar su oposición a la iniciativa del Ejecutivo federal. Era la primera vez que los dos partidos signantes del Pacto por México decidían desacreditar una iniciativa de ley surgida en el ámbito presidencial.

La declaración de ambos dirigentes fue el resultado de un intenso intercambio de mensajes, apenas se dio a conocer la iniciativa de Peña Nieto. Cecilia Romero ocupaba la presidencia del partido, mientras Gustavo Madero contendía para reelegirse al frente del PAN. Romero se había reunido con Santiago Creel, Juan Molinar Horcasitas, así como con el senador panista Javier Corral —quien advirtió los riesgos de una contrarreforma—, y decidió apoyar la posición de desconocimiento de la iniciativa del Ejecutivo federal.

A su vez, Zambrano se reunió con Guadalupe Acosta Naranjo, con la diputada federal Purificación Carpinteyro y con otros especialistas que opinaron lo mismo: la ley secundaria daba marcha atrás a lo logrado en la reforma constitucional.

Romero y Zambrano reclamaron la necesidad de una "ley democrática, antimonopólica, cultural y en defensa de las audiencias y de los usuarios de telecomunicaciones" y que respetara lo acordado en la reforma constitucional.

Ni a Televisa ni al gobierno federal les preocupó mucho la unión de los dos dirigentes. En el Senado ya contaban con el apoyo de Javier Lozano Alarcón, cercano al grupo de los senadores afines a Ernesto Cordero, quienes tenían mayoría en la bancada de Acción Nacional. En el PRD, el coordinador de la bancada, Miguel Barbosa, coqueteaba ya con la posibilidad de entablar una negociación directa con el gobierno federal que pasara por alto la posición de Zambrano.

En otras palabras, le apostaron a la fragmentación y división de las bancadas del PAN y del PRD para lograr una mayoría. Si no tenían los votos de los perredistas, al menos tendrían los sufragios de la mayoría de los panistas que encabezaban la dupla Cordero-Lozano.

Desde el principio, Lozano demostró cuál era su juego: descalificar el pronunciamiento de los dirigentes del PAN y del PRD acusándolos de "desconocer "el contenido de la iniciativa.

Lozano contó en el Senado con el apoyo de la bancada del PRI, encabezada por otro viejo conocido de las televisoras y los concesionarios de radio y televisión: Emilio Gamboa Patrón, ex secretario de Comunicaciones y Transportes en el sexenio salinista y uno de los intermediarios más fuertes a favor de los intereses de los grandes medios de comunicación.

Emilio Gamboa Patrón, un político priísta que se ha especializado en el poder del picaporte y la negociación con los grandes intereses, tenía además el acceso directo con Enrique Peña Nieto. Las reformas más importantes pasaron por la "aduana" del Senado y por la operación del ex secretario particular de Miguel de la Madrid.

El presidente de la Mesa Directiva del Senado, Raúl Cervantes Andrade, ex abogado de Televisa y ex responsable jurídico en la campaña presidencial de Enrique Peña Nieto, también facilitó que Lozano tomara el control de la dictaminación.

El jueves 27 de marzo, Lozano estableció un calendario para la aprobación de la ley secundaria: foros a modo, discusión y aprobación en las comisiones y en el pleno del Senado, con una fecha límite entre el 23 y 25 de abril.

La prisa de Lozano despertó más suspicacias y fuertes choques dentro de la bancada del PAN. Desde una posición diametralmente opuesta, el senador panista Javier Corral denunció que se trataba de la "ley Televisa Reloaded" y que había varios candados para favorecer a la empresa de Azcárraga Jean. Coincidió en que se trataba de una reforma que iba en contra de la Constitución y bautizó como "cláusula Cablecom" a uno de los ordenamientos para favorecer la expansión de Televisa en la industria de la televisión por cable.

Corral, duro crítico de la ley Televisa en 2006 y de los intentos constantes de la empresa de Azcárraga Jean para tener una legislación a la medida de sus intereses, contó con menos apoyo en 2014 que ocho años atrás para revertir la contrarreforma. En su bancada, al menos seis senadores apoyaron sus críticas, mientras que en el PRD, el bloque de los 22 legisladores se opusieron al principio, pero luego su coordinador Miguel Barbosa entabló su propia negociación para salvar los intereses de la empresa.

El PRI y el Partido Verde, juntos, tenían 61 votos para aprobar en el Senado por mayoría simple la ley Peña-Televisa. Sólo necesitaban "cuatro votos o cinco ausencias" para aprobar por 65 votos. Lozano presumió que ya tenía, al menos, 10 o 12 votos de Acción Nacional "amarrados".

Lozano fue uno de los cuatro redactores originales de la iniciativa del Ejecutivo federal. Participó en el "cuarto de guerra", junto con el subsecretario de Comunicaciones, Ignacio Peralta; el consejero jurídico de la Presidencia, Humberto Castillejos; el vicepresidente y estratega jurídico de Televisa, Javier Tejado Dondé, así como con Luis Videgaray y sus representantes. Previamente, el poderoso secretario de Hacienda ya había sostenido un pacto con Bernardo Gómez, vicepresidente de Televisa, para que los negocios de la empresa no se vieran afectados con la ley secundaria.

LOS FOROS Y LA CRÍTICA

Con esa confianza que le daba formar parte del *dream team*, Lozano convocó a unos foros de consulta, que fueron dominados ampliamente por las posiciones favorables a la iniciativa del Ejecutivo federal. Contó con la anuencia tácita o implícita de las otras dos senadoras presidentes de comisiones dictaminadoras, Graciela Ortiz (PRI) y Alejandra Barrales (PRD).

Lozano bloqueó la posibilidad de que participaran en los foros los propios comisionados integrantes del IFT, al igual que el secretario de Gobernación, Miguel Ángel Osorio Chong, cuestionado por varios legisladores, entre ellos los panistas Marcela Torres Peimbert y Ernesto Ruffo Appel, porque la iniciativa del Ejecutivo federal le otorgó amplias facultades al principal responsable del control político del país para regular los contenidos de los medios, ordenar bloqueos de señales en internet y tener el control de los medios públicos.

De los 49 participantes en los tres días de foros *fast track*, convocados en el Senado, 66% fueron representantes de los gigantes del sector (Televisa, TV Azteca, América Móvil, Telmex, Grupo MVS, las cámaras de radio y televisión, la Asociación Internacional de Radio, entre otros). Acudieron pocas organizaciones defensoras de los derechos de información, no hubo académicos que dieran un punto de vista sobre los investigadores y tampoco estaban los especialistas que apoyaron la reforma constitucional de 2013 y ahora criticaban la ley secundaria.

Para sorpresa de muchos —incluyendo a Lozano—, una de las críticas principales a la ley secundaria provino de la propia OCDE, la misma que apoyó y alentó la reforma constitucional.

En un documento enviado por el secretariado de la OCDE al Senado, le pidió a la cámara de origen que corrigiera los siguientes aspectos sustanciales de la iniciativa:

1. Principios de competencia. Pidió que se preste mayor atención "a mantener la coherencia entre los principios de competencia en esta ley y los aprobados recientemente en la Ley de Competencia Económica, dado que será el IFT el órgano que analice los mercados y las fusiones en los sectores de telecomunicaciones y radiodifusión".

2. Régimen de interconexión. Criticó que la iniciativa no consideró las recomendaciones de la OCDE "en el sentido de que las tarifas de interconexión deberían regularse con base en eficiencia de costos, para todos los operadores".

3. Régimen de concesiones o licencias. La OCDE demandó que a la figura de la "concesión única" no debería ponérsele "ningún requisito para tener una red de telecomunicación o radiodifusión".

4. Protección al consumidor. Recomendó que el IFT "esté en posibilidades de emitir regulaciones que protejan y fortalezcan a los consumidores de los servicios de telecomunicaciones" y que "pueda imponer multas si los operadores las omiten".

5. Régimen de sanciones. Consideró las penalidades máximas como "relativamente bajas" (5% de los ingresos anuales para las empresas de telecomunicaciones). Recomendó aumentar de 10 a 15 por ciento.

Las recomendaciones de la OCDE cayeron como bomba. No se esperaban los promotores de la contrarreforma que el mismo organismo que "inspiró" los compromisos iniciales del Pacto por México desacreditara en sus observaciones aspectos fundamentales de la ley Peña-Televisa.

Como se pronosticaba, la participación de los representantes jurídicos de Grupo Televisa y de América Móvil provocó un choque de trenes en la sesión del foro matutino del 3 de abril de 2014.

"Telmex nos ha visto la cara por más de 15 años", sentenció Luis Mancera Arrigunaga, vicepresidente jurídico de Regulación de Televisa. Afirmó que el sector de telecomunicaciones "se encuentra altamente concentrado por un solo jugador" y pidió que la ley secundaria "empareje la cancha". A esta posición se sumó la de Francisco Borrego, vicedirector jurídico de TV Azteca.

Los representantes jurídicos de América Móvil y Telmex, Alejandro Cantú y Javier Mondragón, criticaron la iniciativa del Ejecutivo federal por desalentar la inversión de ambas compañías al obligarlas a "regalar" su red a los competidores.

"Ciertamente, en televisión de paga no hay condiciones de competencia y no las hay porque hay una barrera de entrada a que otros competidores podamos prestar esos servicios", reprochó Alejandro Cantú, en clara referencia al impedimento de que Telmex y América Móvil ofrezcan servicios de televisión restringida.

Irónico, Javier Mondragón alabó la gratuidad para utilizar ahora las señales de televisión abierta en los sistemas de televisión de paga (*must carry*), "nomás que lo estuvieron cobrando 30 años, ¡eh!, cobrándolo tres veces. Entonces, no se entiende por qué las empresas de televisión por cable le pagaban a Televisa o a TV Azteca para que después esas empresas de televisión por cable aumentaran sus costos y se lo hubieran reflejado a sus usuarios".

En esos mismos foros, el subsecretario de Comunicaciones, Ignacio Peralta, justificó el plazo de dos años para que Telmex y América Móvil accedan al mercado de la televisión de paga. "La implementación y maduración de las medidas llevará tiempo, tienen que estar en cumplimiento y tener un periodo de maduración", afirmó el funcionario. El mismo argumento que sostuvo durante seis años el gobierno de Calderón.

La intemperancia de Lozano, quien actuó como maestro de ceremonias durante esos foros, lo llevó a confrontarse con Francisco Hernández Juárez, dirigente sindical de los telefonistas, quien criticó la ausencia de una visión a favor de los trabajadores de las empresas de telecomunicaciones.

"Qué fácil es llegar a criticar todo, tiene 30 años de líder y viene a criticar todo y no responde una sola pregunta", le reprochó Lozano a Hernández Juárez. La antipatía entre ambos era mutua y evidente.

No sólo los grandes consorcios hablaron en esos foros *fast track*, también participaron algunos representantes de la sociedad civil. La gran mayoría fueron muy críticos de la iniciativa y advirtieron que se estaba consumando una contrarreforma.

Clara Luz Álvarez, especialista en telecomunicaciones del Instituto de Investigaciones Jurídicas de la UNAM, identificó 12 violaciones a derechos humanos y a la Constitución en la iniciativa, en especial, los derechos de las audiencias, de los usuarios de telecomunicaciones y de las personas con discapacidad. Advirtió que esta ley no fomentaba la producción nacional independiente y penalizaba a las audiencias que deberían soportar más tiempo de comercialización.

El presidente de la Amedi, Agustín Ramírez, calificó la iniciativa como "un despojo a los derechos fundamentales", pues "pervierte la finalidad de la reforma constitucional", debilita al órgano regulador, desfigura el principio de neutralidad de la red, ignora los derechos de audiencias y a los medios públicos y de uso social.

Luis Fernando García, en nombre de la Red por la Defensa de los Derechos Digitales, subrayó que la ley Peña-Televisa "confirma el deliberado propósito por neutralizar internet como herramienta para el ejercicio de las libertades y convertirlas en un instrumento de control político". En específico, mencionó el artículo 145 que ordenaba un mecanismo de censura previa.

Fue justamente el tema de la censura previa en internet y los mecanismos de control y vigilancia que se ordenaban en el apartado de "Colaboración con la justicia", lo que despertó una severa reacción internacional contra la ley secundaria. Nadie entre los burócratas que redactaron la iniciativa esperaba que este tema adquiriera resonancia entre medios y redes sociales más allá de las fronteras en México.

Así, tuvieron que modificarse o "descafeinarse de la iniciativa presidencial" los aspectos más represivos y restrictivos en materia de internet y de órdenes de vigilancia y geolocalización. Algunos observadores, suspicaces, comentaron que eran tan evidentemente represivos estos artículos que se convirtieron en una "pieza de negociación" de Peña y de Televisa para no cambiar lo sustancial.

El primer intento de aprobación de la ley secundaria fue un predictamen que elaboró y presentó, como obra suya, el senador Javier Lozano, el 22 de abril de 2014, ante las comisiones dictaminadoras. No se consensó ni se consultó con los otros legisladores participantes en las comisiones. Así le fue al atrabancado legislador. El coordinador del PRD, Miguel Barbosa, lo enfrentó. Su correligionario Javier Corral lo desacreditó. Y Lozano, nervioso, sólo alcanzó a abanicarse con unas hojas de papel mientras caía el primer intento de imponer la ley Peña-Televisa.

El predictamen duró un mes en la aparente "congeladora". Sólo se trataba de ganar un poco más de tiempo. La negociación sobre la reforma energética ya estaba en marcha en mayo y junio de 2014. Además, venían en camino los tiempos del mundial de futbol de Brasil, cuando la mayoría de la población estuviera anestesiada por la magia efímera de la selección mexicana.

Y así fue. La ley Peña-Televisa se aprobó en medio de la absoluta evasión social por el mundial. Si alguna prueba se necesitaba del poder distractor de la pantalla televisiva y de su capacidad para manipular la agenda informativa, acorde con sus intereses, ahí estaba la prueba.

TELEVISA ORDENA, EL SENADO APRUEBA

Desde el lunes 16 de junio de 2014 comenzó a circular un nuevo borrador sobre el predictamen de la legislación secundaria. En alguno de esos escritos, presuntamente negociados por el PRD y el gobierno federal, se admitía la posibilidad de que se determinara al "agente económico preponderante" por servicios y no por sector, uno de los temas "intransitables" para Televisa.

Ese borrador fue un distractor. En realidad prevaleció un documento que fue negociado durante 10 días por el gobierno federal con el PRI y el coordinador de la bancada del PRD, Miguel Barbosa, el mismo que se rebeló contra Lozano durante la sesión de comisiones del 22 de abril.

"Me sorprendió saber que el PRD está sentado con el gobierno, negociando la reforma de telecomunicaciones. Decir que el PRD está listo para un periodo extraordinario me parece un signo preocupante, pues el PRD se está oponiendo a que la reforma petrolera sea tratada junto al mundial de futbol", declaró el panista Javier Corral, quien convocó al Frente por la Comunicación Democrática, en el cual, paradójicamente, participaban dirigentes perredistas destacados, como Cuauhtémoc Cárdenas.

Barbosa hizo su propia negociación y pretendió ganar desde ese momento la interlocución que tenían los panistas negociadores (como Lozano) o sus adversarios y ex aliados de Nueva Izquierda (los Chuchos) dentro del PRD. Fue un juego de poder en el que salió perdiendo la sociedad mexicana. La parte negociadora del PRD presumió un "decálogo" de avances en el dictamen. En realidad, eran cambios menores, cosméticos. No iban a las partes sustanciales. Mucho menos se eliminaban las características de anticonstitucionalidad.

Incluso, se redactó un nuevo artículo 9 transitorio, que Javier Corral denominó la "nueva cláusula Cablecom", ya que favorecía aún más a Televisa en su intento por adquirir la cuarta empresa de televisión por cable y dominar en este sector.

La redacción de ese texto es una joya del lenguaje confuso:

En tanto exista un agente económico preponderante en los sectores de telecomunicaciones y radiodifusión, con el fin de promover la competencia y desarrollar competidores viables en el largo plazo, no requerirán de la autorización del IFT las concentraciones que reúnan los siguientes requisitos:

a) Generen una reducción sectorial del Índice de Dominancia (ID), siempre que el Índice Hirschman-Herfindhal (IHH) no se incremente en más de 20 puntos.

b) Tengan como resultado que el agente económico cuente con un porcentaje de participación sectorial menor del 20 por ciento.

c) No tengan como efecto disminuir, dañar o impedir la libre competencia y concurrencia.

En términos llanos, este galimatías le permitía a Televisa no tener que esperar la autorización del IFT para adquirir más empresas de telecomunicaciones, porque no impactaría en los índices de dominancia. Esta redacción salió de las oficinas de Javier Tejado Dondé, el especialista enviado por Televisa para presionar y "convencer" a los legisladores. Con él y con los representantes del gobierno federal, encabezados por Humberto Castillejos, se realizó la negociación final.

Si lograron doblegar al coordinador del PRD en el Senado, los operadores de Televisa también consiguieron un guiño del entonces presidente nacional del PAN, Gustavo Madero, quien desacreditó el propio documento firmado por Cecilia Romero y Jesús Zambrano, el 24 de marzo.

Madero se tomó la foto con Javier Lozano, el mismo legislador que lo acusó de "corrupto" durante la recién terminada contienda interna del PAN para elegir al presidente nacional. Al mismo tiempo emitió un comunicado el 26 de junio para admitir que debía regularse por sector y no por servicio al agente económico preponderante.

"Ya autorizó Madero, como presidente del CEN del PAN, para que un grupo de senadores de Acción Nacional le den mayoría al PRI en este tema", afirmó Corral, quien había apoyado a Madero en la contienda interna.

Para que no quedara ninguna duda de quién estaba dando las órdenes, Grupo Televisa publicó el mismo 26 de junio un desplegado en el periódico *Reforma* para definir que la preponderancia debe regularse por sector:

La Carta Magna establece que "el concepto de preponderancia considera a todo un sector, a diferencia de un mercado en particular, idea que resulta relevante en los sectores de telecomunicaciones y radiodifusión toda vez que se tratan de economías de redes, y por el desarrollo de la convergencia y de infraestructura.

La empresa de Azcárraga Jean aprovechó el viaje para criticar a Javier Corral:

Para impulsar una interpretación inconstitucional, a modo del monopolio telefónico, *Reforma* recurre como otras veces al senador Javier Corral como fuente principal de una información inexacta. El senador desde hace años encabeza una campaña para descalificar a Televisa. Lo que *Reforma* no dice es que esta fuente mantiene un conflicto de interés derivado de un adeudo con Televisa por la contratación de servicios (spots publicitarios) que se negó a pagar en su momento, por lo que fue llevado a juicio, mismo que perdió, y que aun sentenciado como deudor moroso, se ha negado a pagar.[4]

La vieja artimaña del dinero y del chantaje de Televisa.

Para cerrar la pinza, el presidente del IFT, Gabriel Contreras, declaró que el organismo regulador ya había determinado "un agente económico preponderante por sector".

Fueron sólo unos cuantos días para que el Senado aprobara la ley Peña-Televisa. El martes 1° de julio, la mayoría de legisladores del PRI acudió a la sesión de comisiones unidas y aprobaron el predictamen que ya había sido "consensuado" y cocinado por Luis Videgaray, secretario de Hacienda, y por Humberto Castillejos, consejero jurídico de la Presidencia de la República. La anécdota más notable de esa sesión no fue la discusión del dictamen sino la forma gorilesca en que el personal de seguridad del Senado sacó a los jóvenes del movimiento por los derechos de internet de la sesión de comisiones.

Por 25 votos a favor, incluyendo el sufragio de varios perredistas y de un legislador del PT, y sólo cinco en contra, el dictamen de la ley Peña-Televisa

---

[4] Desplegado de Grupo Televisa, *Reforma*, 26 de junio de 2014.

se aprobó sin modificación alguna. El jueves 3 de julio de 2014 se aprobó convocar a un periodo extraordinario ex profeso para la ley de telecomunicaciones. El viernes 4 de julio, en una sesión de 13 horas de discusión, sin ningún cambio sustancial, la ley se aprobó por 80 votos a favor y 37 en contra.

Los 22 senadores del PRD optaron por votar en contra, incluso, algunos de los que habían aprobado en comisiones el dictamen. Fue una visita y un amago inesperados, de última hora, de su dirigente nacional Jesús Zambrano, lo que provocó este voto unificado en contra. Zambrano le cobró así la osadía a Miguel Barbosa, quien perteneció al grupo de los Chuchos, por tener una interlocución directa con el gobierno de Peña Nieto en esta negociación.

Slim, el "eje del mal"; Azcárraga, todo para Televisa

Muy pocos nos dimos cuenta de que en el dictamen de la ley Peña-Televisa también se incluyó un artículo 12 transitorio, que le permite al "agente económico preponderante" dejar de serlo si desincorpora los activos necesarios para disminuir su presencia de más de 50% del mercado.

El martes 8 de julio, minutos antes de que cerrara la Bolsa Mexicana de Valores y poco después de que la Cámara de Diputados aprobara la minuta proveniente del Senado, América Móvil informó a los mercados de "la desincorporación y venta de ciertos activos a favor de algún nuevo operador independiente".

El propósito, según la compañía, era dejar de ser agente económico preponderante, es decir, disminuir de 70 a menos de 50% su dominio en el mercado de telefonía fija, telefonía móvil e internet. Por tanto, no estará obligado a compartir su infraestructura con otros competidores (léase Iusacell, entonces de Televisa y TV Azteca, o la española Telefónica), y también estaría en posibilidades de ingresar al mercado del *triple play*.

La decisión de la compañía de Slim representaba una jugada sorpresiva. Una clásica carambola del mundo financiero. La firma ganó 6 851 millones de dólares el miércoles 9 de julio con esa decisión y recuperó gran parte del valor de sus acciones que había perdido desde marzo de 2014, cuando se presentó la iniciativa de la ley Peña-Televisa.

La venta de activos de América Móvil sería un proceso más prolongado de lo que se esperaba, pero la reacción del primer círculo gubernamental se fue configurando en octubre y noviembre de 2014, en plena crisis por los acontecimientos de Iguala. Con el apoyo de Grupo Televisa, dicho círculo lanzó una campaña para señalar que Slim, al ver afectados sus intereses, apalancó financieramente a los principales medios impresos y electrónicos que criticaron sus decisiones en esta crisis.

Desde las oficinas de Luis Videgaray, el vicepresidente en funciones exhibido por su mansión en Malinalco, y de Aurelio Nuño, jefe de la Oficina de la Presidencia, comenzó a circular la versión de que existe un "eje del mal" en los medios de comunicación mexicanos y extranjeros, que son apoyados financieramente por el billonario magnate de las telecomunicaciones.

A ese "eje del mal" pertenecerían el periódico *Reforma* (que documentó las irregularidades de la licitación del tren México-Querétaro, cuya licitación se canceló el 6 de noviembre de 2014 y se revivió a principios de enero de 2015); la revista *Proceso*, uno de los pocos medios que cuestionó todas las imposiciones de las reformas estructurales; *La Jornada*, tradicional medio de las izquierdas mexicanas y con una cobertura puntual y crítica de Iguala y Michoacán; y a MVS, especialmente por el noticiario matutino de Carmen Aristegui, periodista incómoda desde antes, pero quien se convirtió en el "dolor de cabeza" del peñismo, tras la revelación de la propiedad de la Casa Blanca, en un impecable trabajo periodístico.

A este "eje del mal" se sumarían columnistas, cartonistas, editorialistas que no están en la nómina de las dos grandes televisoras y sus canales diseñados específicamente para la cooptación (Foro TV y Proyecto 40), que tampoco aparecen en las páginas de los medios claramente alineados al proyecto peñista (*Milenio Diario, El Universal, El Financiero, El Economista, Nuevo Excélsior, La Razón, El Sol de México, La Crónica*) y las principales estaciones de radio en FM, incluyendo a los grupos del Estado de México, como el

Grupo Mac, de la familia Maccise, quien se apropió de varios medios, como Efekto TV y *Reporte Índigo*, más otra decena de estaciones de radio, con la pretensión de convertirse en el grupo mediático del sexenio peñista.

Nunca han podido explicar los creadores de esta insidia, cómo si Slim financia a este "eje del mal" el magnate de la telefonía también es criticado en éstos y otros medios, o por qué el accionista principal de América Móvil continúa obteniendo contratos y licitaciones del gobierno federal o mantiene una relación cada vez más estrecha con Olegario Vázquez Raña, uno de los ganadores de las dos cadenas de televisión abierta digital.

Los hechos hablan por sí solos. Mientras reviven la versión paranoica de un "complot contra las grandes reformas" de esta administración, el gobierno peñista ha permitido un avance sustancial del Grupo Televisa en su plan de negocios y de concentración, ya no sólo en la televisión abierta sino en la televisión restringida, con el objetivo claro de ser también el agente dominante en el mercado del *triple play* y el principal beneficiario de una multimillonaria campaña de publicidad y propaganda de los "logros" gubernamentales.

En octubre de 2014, Grupo Televisa lanzó su nueva marca, Izzi Telecom, para competir en el mercado del *doble* y *triple play*, que incluyeron llamadas ilimitadas en servicios de telefonía fija y móvil, así como televisión por cable e internet de alta velocidad. Así, la empresa de Azcárraga Jean se propuso capitalizar la condición de agente económico preponderante de Telmex y utilizar las redes de esta empresa como resultado de la reforma legal en telecomunicaciones. Al mismo tiempo, arreció en sus espacios informativos y de opinión una campaña contra el IFT y contra Telmex por una presunta violación a los plazos establecidos para permitir la portabilidad numérica, es decir, la posibilidad de que un usuario pueda cambiar de compañía telefónica y mantener su número. En esta campaña por la "violación a la portabilidad", Televisa contó con el apoyo entusiasta de un grupo de senadores encabezados por Javier Lozano, del PAN, y presidente de la Comisión de Comunicaciones, así como otros integrantes de la telebancada. En enero de 2015 comenzó una nada sutil presión para que el tema llegara a la Suprema Corte de Justicia.

El 8 de enero de 2015, Televisa logró otro avance en su plan de concentración de televisión restringida: adquirió por 3 mil millones de pesos 100% del control de Telecable o Cablevisión Red, una compañía que opera en 10 entidades de la República y que le permitirá agregar 600 mil suscriptores; al tiempo que el IFT ordenó una sanción de 54 millones de pesos contra el Grupo Dish (de MVS) y Telmex por violación a la vieja Ley Federal de Competencia Económica, al no notificar su "compromiso de compra".

Grupo Dish es la única competencia real que se creó en los últimos 10 años contra el creciente poder de Televisa en el mercado de la televisión restringida. Esa empresa obligó a Sky (el sistema de televisión restringida vía satelital que tiene 74% del mercado) a reducir sus precios y detonó una auténtica guerra de medios y en tribunales.

Con la adquisición de Cablecom y Telecable, Televisa avanzó de 55 a 65% en el control de los casi 10 millones de 15.2 millones de suscriptores en total, en los sistemas de televisión de paga. De esta manera, la empresa de Azcárraga Jean tendrá no sólo el dominio de la televisión abierta (70% del mercado) sino también de la televisión restringida y, por tanto, del *triple play*.

A TV Azteca la reforma en telecomunicaciones lo benefició de manera colateral, pero la empresa de Ricardo Salinas Pliego ha capitalizado como pocos su condición de segunda empresa televisiva. Se benefició con la venta en 2 500 millones de dólares de Iusacell, una empresa que adquirió por menos del 10% de esa cantidad, en la cual no invirtió lo comprometido y cuya concesión de espectro fue subutilizada durante más de 10 años sin recibir una sola sanción.

En reciprocidad, Televisa, TV Azteca y sus extendidos tentáculos en la prensa, la radio y los medios publicitarios han evadido la cobertura crítica del gobierno de Peña Nieto. Han silenciado los grandes escándalos de corrupción y conflicto de intereses que involucran a la primera dama, al secretario de Hacienda, al propio primer mandatario y los que se acumulen.

El más afectado en este esquema de concentración monopólica y de sumisión y control informativo es finalmente el ciudadano. Las promesas de mayor conectividad y acceso a la banda ancha en internet se han incumplido porque ningún agente económico nacional o extranjero está decidido a invertir en un mercado con enormes barreras de entrada, establecidas para favorecer el plan de negocios de Televisa. El reparto de casi 14 millones de televisiones para el "apagón analógico" es una verdadera burla y un dispendio que no conseguirá ni siquiera el objetivo de cumplir con la cobertura de 90% para diciembre de 2015. Los medios públicos y comunitarios electrónicos están reducidos a su mínima expresión. Y los contenidos están cada vez más alineados con la agenda gubernamental.

A pesar de eso, la ley Peña-Televisa y la política de favorecer abiertamente a uno solo de los monopolios que domina la producción, distribución y comercialización de contenidos audiovisuales, no lograron frenar la creciente ola de repudio, crítica y hartazgo de los ciudadanos mexicanos frente al gobierno que presumió la concreción de algunas reformas estructurales que se han ido revirtiendo una a una.

CAPÍTULO 4

Del *Mexican moment* al *Mexican murder*

Septiembre de 2014. Enrique Peña Nieto, escoltado por su esposa Angélica Rivera y por el canciller José Antonio Mead, entró la tarde del 23 de septiembre al hotel Waldorf Astoria, en Nueva York, con una gran sonrisa. Ese día recibió de la Appeal of Conscience Foundation el premio al estadista mundial 2014 por su liderazgo y los avances en el país.

Peña Nieto fue muy bien recibido por la élite política, diplomática y financiera de la influyente comunidad judía de Nueva York. Hasta el magnate Carlos Slim lo acompañó en esa ceremonia de festejo anticipado de sus primeros 20 meses de gobierno. Henry Kissinger, el célebre ex secretario de Estado estadounidense en los tiempos de la Guerra Fría, no perdió la oportunidad para lucirse y darle parabienes a la administración peñista.

El joven presidente de origen mexiquense se sentía tocado por los dioses del primer mundo y de la geopolítica con el sello neoliberal. Les había cumplido. México abrió de par en par el último resquicio que le quedaba al modelo nacionalista revolucionario: el petróleo y la propiedad del subsuelo. Además, abrió las compuertas a la inversión extranjera en el sector de las telecomunicaciones. Hizo una reforma educativa a la medida de las demandas de los sectores privados y de la OCDE, y convenció a muchos con el montaje de un gobierno que "pactó" con todos los partidos políticos.

"Gracias al respaldo de las distintas fuerzas políticas de izquierda, de centro y de derecha, fue posible en 20 meses alcanzar importantes reformas transformadoras que sientan una nueva base, una plataforma para impulsar el desarrollo, el bienestar y la prosperidad en México", presumió el mandatario mexicano.

El acto que pasó inadvertido en los medios más importantes de la Gran Manzana fue ampliamente difundido en las televisoras (especialmente Televisa y TV Azteca), así como en los medios impresos y radiofónicos del "consenso exitoso" de Peña Nieto. Estuvo acompañado por su secretario de Hacienda, Luis Videgaray, reconocido anticipadamente en enero de 2014 por la publicación británica *Banker* y la revista *América Economía* como el secretario de finanzas del año.

La prensa estadounidense y británica le dedicaron extensos reportajes al logro mayúsculo del equipo peñista en la reforma energética. Ya no lo comparaban ni siquiera con el receloso Carlos Salinas de Gortari, el ex presidente que inició el "ciclo reformista" para los neoliberales, y cuya herencia y nombre habían dejado de ser mencionados por los medios extranjeros. La estrella en ascenso se llamaba Enrique Peña Nieto.

El lema del Segundo Informe de Gobierno, "Mover a México", se escuchaba en todos los medios electrónicos mediante la típica saturación a través de los spots, y en el extranjero se reiteraba el *Mexican moment.*

Una bien pensada e insistente campaña de relaciones públicas y de recursos con los medios y las agencias internacionales, encabezada por Aurelio Nuño, jefe de la Oficina de la Presidencia, colocó el término después de un texto firmado por Enrique Peña Nieto en *The Economist*, la influyente revista británica, en noviembre de 2012. Antes de iniciar su gobierno, Peña habló del *Mexico's moment*. El columnista Thomas Friedman acuñó en *The New York Times* la frase "*The Mexican moment*" y la OCDE lo replicó en sus análisis. Fue una operación de percepción pública entre los círculos financieros y de negocios muy amplia.

El escenario de fiesta cambió radicalmente en menos de una semana. Las páginas de los medios internacionales dejaron de insistir en Peña Nieto como el gran "reformador", el "salvador de México" y el político que se atrevió a cumplir con los cambios estructurales necesarios para abrir la inversión extranjera.

El *Mexican moment* se transformó en el *Mexican murder* a raíz de una concatenación de hechos sangrientos que desembocaron en la desaparición y presunta ejecución de 43 jóvenes normalistas en el estado de Guerrero. Fue *The Washington Post* el periódico norteamericano que empleó este término, poco después de que se hallaran 28 cuerpos en diversas fosas del municipio de Iguala. Y los dos medios que fueron el origen de la campaña de promoción de la administración peñista (*The Economist* y *The New York Times*) publicaron sendos reportajes en la primera quincena de octubre para advertir que el gobierno de Peña Nieto pasaba por "una decadencia en materia de derechos humanos" y vincular las matanzas de Tlatlaya e Iguala.

Algo salió mal en la operación mediática. Se olvidaron de que las percepciones internacionales no se pueden construir solamente con mercadotecnia y dinero, al estilo de Televisa y las agencias publicitarias mexicanas. La "narrativa" del peñismo que trató de ocultar o minimizar el impacto de la crisis de seguridad pública y de violaciones a los derechos humanos explotó en la cara de los mexicanos y de los observadores extranjeros.

Entre junio y septiembre de 2014, tres episodios concatenados agrietaron la fachada del avance del gobierno de Enrique Peña Nieto como un gran reformista: la matanza de 22 jóvenes en una bodega del municipio mexiquense de Tlatlaya el 30 de junio; el asesinato del diputado federal priísta Gabriel Gómez Michel, el 24 de septiembre, cuyo cuerpo fue hallado en Zacatecas, calcinado y con claros indicios de una venganza del narcopoder; y el episodio que abrió las compuertas del infierno: la fiesta de las balas en el municipio guerrerense de Iguala, entre la noche del 26 y la mañana del 27 de septiembre.

Los sucesos de Iguala fueron presentados como un enfrentamiento más entre presuntos narcos o jóvenes con sospecha de serlo contra agentes policiacos. Hubo seis muertos en el primer día, pero la desaparición masiva de 43 jóvenes de la Escuela Normal Rural Isidro Burgos de Ayotzinapa le dio otro enfoque y otra dimensión a los hechos.

No era un caso menor. No se trataba de jóvenes vinculados con el crimen. No eran policías comunes sino todo un cuerpo de seguridad municipal al servicio del cártel Guerreros Unidos. Por lo demás, Guerrero era la entidad más vigilada por el Ejército y con mayores recursos destinados por el gobierno federal para enfrentar las contingencias ambientales de 2013 y promoverla como su modelo de política de desarrollo social, a través de la Cruzada Nacional contra el Hambre. El secuestro y asesinato masivos de jóvenes normalistas desembocó en la peor crisis de Estado que se haya vivido en los últimos años.

A partir del 10 de noviembre, a la "rueda de la fortuna del horror" que representó el caso de las matanzas de Tlatlaya y las desapariciones forzadas de los normalistas, se sumó el expediente de corrupción más dañino para la administración peñista: la revelación de la existencia de la Casa Blanca, una mansión de 7 millones de dólares vinculada con el contratista estelar de Peña Nieto desde que fue gobernador del Estado de México.

De golpe, las dos agendas de gobierno minimizadas o menospreciadas por la propaganda gubernamental (la de seguridad pública y derechos humanos, más la lucha contra la corrupción) le estallaron en las manos a Enrique Peña Nieto, en una espiral de crisis, alentada por la ineficacia de la respuesta oficial y el claro afán de encubrimiento y engaño.

La guerra que no se fue

El verdadero fondo del problema que detonó en Iguala no fue la desaparición de los 43 normalistas de Ayotzinapa sino la sucesión de fracasos para aparentar que la guerra contra el crimen organizado había detenido su ola de corrupción, violencia, miedo y abusos. El Ejército en las calles en labores policiacas y la nueva figura de la Gendarmería Nacional (formada también por militares transformados en agentes policiacos) no modificó la esencia del problema: privilegiar las medidas punitivas, los "golpes espectaculares" contra algunos capos y olvidar la extensa red de corrupción y de impunidad que alcanzan a las tres principales fuerzas políticas del país.

Entre diciembre de 2012 y septiembre de 2014, en México fueron asesinados 31 892 mexicanos, según las propias cifras del Sistema Nacional de Seguridad Pública, pero todos los medios se concentraban en la "heroica" reforma energética y sus promesas de inversión extranjera. Detenciones sorpresivas como la de Joaquín Guzmán Loera, *El Chapo*, o Héctor Beltrán Leyva o algunos de los otros cabecillas de los cárteles no frenó la ola delictiva.

Tan sólo entre enero y septiembre de 2014 se registraron 27 347 averiguaciones previas por desapariciones. La Secretaría de Gobernación entró en una agria polémica con las organizaciones no gubernamentales porque insistió que el número de desaparecidos no era de 27 mil sino de 8 mil personas, pero tampoco aportó una base de datos creíble.

En febrero de 2013, la organización Human Rights Watch (HRW) documentó 249 casos de desapariciones forzadas con nombres, fechas y el nivel de involucramiento de alguna de las instituciones de seguridad pública, una cantidad mínima frente a los 25 mil de 27 mil desaparecidos que se consideran como posibles casos de desaparición forzada. HRW alertó que en México la gran mayoría de los casos de desaparición forzada (se considera así a todos aquellos casos que involucran a los cuerpos de seguridad pública, seguridad nacional y agentes ministeriales) son procesados sólo como "desapariciones". Se carece de mecanismos de búsqueda inmediata. Se debe esperar un plazo de 72 horas, de acuerdo con la mayoría de los códigos penales estatales.

El Registro Nacional de Personas Extraviadas admitió que de 2007 a octubre de 2014 se registraron 23 605 casos de desapariciones, 40% ocurridas durante la administración de Enrique Peña Nieto. Tan sólo entre enero y octubre de 2014 se registraron 5 mil 98 casos de personas desaparecidas.

La entidad con mayor número de desapariciones (tanto del fuero estatal como del federal) fue Tamaulipas, con 5 380 personas, de las cuales, 30% ocurrieron durante la administración de Peña, según el mismo registro. En segundo lugar, Jalisco, con 2 150 casos (49% en el gobierno de Peña Nieto). En tercer sitio, el Estado de México, con 1 745 casos (51.6% durante la presidencia del mexiquense).

La polémica por las cifras no tenía rostros, nombres ni historias. Los mexicanos estábamos bajo tierra, y a Peña Nieto lo premiaban en Nueva York con el galardón de mejor estadista del año, ignorando los problemas derivados de la seguridad pública.

La crisis de Michoacán, detonada desde finales de 2013 con la aparición de los grupos de autodefensa, comandados por el doctor José Manuel Mireles y otros pequeños y medianos hombres del campo de la entidad, hartos de las extorsiones y el "Estado paralelo" construido por la Familia y los Caballeros Templarios, pretendió ser aplacada con el envío de un comisionado presidencial.

La detención de Mireles y de más de 300 personas ante la supuesta "regularización" de los grupos de autodefensas sólo fueron la fachada para encubrir la crisis terminal de una entidad donde todos habían sido detenidos, indiciados o señalados por presuntos nexos con el crimen, menos el principal artífice de la guerra civil michoacana: Servando Gómez, *la Tuta*, quien no sería aprehendido hasta febrero de 2015.

El maquillaje michoacano frenó temporalmente la presión del Departamento de Estado norteamericano y de los principales medios de Estados Unidos y Europa, que desde febrero de 2013 alertaron del riesgo de un narcoestado en Michoacán, gobernado en ese momento por el priísta Fausto Vallejo.

La crisis michoacana derivó en la primera remoción de un gobernador en el sexenio de Peña Nieto. Fausto Vallejo, quien estuvo ausente del cargo la mayor parte de su gobierno por problemas de salud, tuvo que abandonar la gubernatura, en medio de crecientes escándalos que involucraban a su hijo, a su secretario de Gobierno y a gran parte de los alcaldes de la entidad con la red de narcocorrupción de los Caballeros Templarios.

En Michoacán se puso a prueba, por primera vez, el fracaso de una política de seguridad pública que ignora a las propias comunidades. En medio de este proceso, el doctor Mireles se transformó en un símbolo y un modelo a seguir para muchos otros mexicanos de Guerrero, Tamaulipas, Veracruz, Estado de México o Morelos, quienes viven fenómenos similares al michoacano.

La matanza de Tlatlaya

El 30 de junio de 2014 ocurrió una matanza de 22 personas en el pequeño municipio de Tlatlaya, Estado de México. La información fue minimizada por los medios estatales y nacionales. El gobernador Eruviel Ávila afirmó que se trató de un "enfrentamiento" entre soldados y una presunta banda de secuestradores y narcotraficantes pertenecientes a los Guerreros Unidos. La procuraduría estatal llegó al lugar, no preservó el sitio y se hizo una intensa operación de control de daños para no manchar el triunfo anticipado de las reformas estructurales peñistas.

Al día siguiente de la matanza, el 1º de julio, Eruviel Ávila declaró:

El Ejército Mexicano, allá en Tlatlaya, tuvo una valiente presencia y acción al poder rescatar a tres personas que estaban secuestradas. Lamentablemente, un militar resultó herido, pero el Ejército en su legítima defensa, actuó y abatió a los delincuentes.

Ese mismo día se celebró en Toluca un cónclave privado, de muy alto nivel, con los secretarios de Gobernación, Miguel Ángel Osorio Chong; de Hacienda, Luis Videgaray; el jefe de la Oficina de la Presidencia de la República, Aurelio Nuño, así como 21 gobernadores del PRI, incluyendo al anfitrión Eruviel Ávila y al dirigente nacional priísta César Camacho, ex gobernador mexiquense también. Tras ocho horas, al final llegó "por sorpresa" el primer mandatario Enrique Peña Nieto.

La versión oficial es que este encuentro, horas después de la masacre de 22 jóvenes, fue para hacer una "pausa en el camino", a dos años de la recuperación de la Presidencia de la República por el PRI. Las versiones extraoficiales indican que no sólo se habló del retorno del tricolor y de las elecciones federales de 2015.

Los mandatarios estatales priístas discutieron, sobre todo, el tema de la seguridad pública y, en especial, el caso del Estado de México, cuyos índices de violencia se dispararon hasta convertirla en la entidad más insegura en

2013, con una tasa de 47 mil 778 delitos por cada 100 mil habitantes y una nueva oleada criminal que llevó a la intervención de la Gendarmería Nacional en el municipio de Valle de Bravo, donde se mencionaba la disputa entre el cártel de los Guerreros Unidos y la Familia Michoacana.

La matanza de Tlatlaya no pasó inadvertida en esa reunión. Menos las contradicciones entre lo ocurrido y la versión oficial de la Secretaría de la Defensa Nacional. La masacre aceleró las versiones sobre la remoción de Eruviel Ávila y su presunta incapacidad para gobernar.

Su administración había sido "intervenida" por el gobierno federal desde mayo de 2014: con la venia de Peña Nieto se designó a José Manzur Ocaña, empresario y político vinculado con el Grupo Atlacomulco, como secretario de Gobierno; a Alejandro Jaime Gómez Sánchez, como nuevo procurador; y a Damián Canales Mena, como nuevo titular de Seguridad Pública en la entidad.

En otras palabras, la matanza que trataron de ocultar era un severo golpe también para el gobierno federal. Falló la estrategia de "intervención" desde el centro. Y el Estado de México, la entidad cuyos hilos aún mantiene Peña Nieto desde Los Pinos, es considerado como bastión electoral y económico del grupo en el poder. No pueden permitir que se les salga de control, a pesar de que la inseguridad sea una herencia directa del peñismo.

El escándalo de Tlatlaya reventó cuando la agencia informativa norteamericana Associated Press (AP) publicó el 11 de julio que las 22 personas fueron ejecutadas por el Ejército y que no fallecieron durante un enfrentamiento, sino que fueron secuestradas, torturadas y ejecutadas por miembros de las Fuerzas Armadas en la comunidad de San Pedro Limón, municipio de Tlatlaya. Esta versión fue retomada por varios medios norteamericanos.

Ante el escándalo inminente, la PGR atrajo la investigación. La CNDH, entidad autónoma que supuestamente hizo su propia investigación, tuvo que meterle reversa a su apresurada versión preliminar que le daba la razón a la versión inicial que protegía a los soldados. Por su parte, HRW afirmó que era poco creíble la versión de que sólo tres soldados actuaron por cuenta propia para ejecutar a 22 personas y luego convencieron a todo el gobierno mexicano de que fue un tiroteo.

En medio de gran hermetismo, comenzaron a ser investigados los soldados integrantes del 102 Batallón de Infantería, acantonados desde 2010 en
San Miguel Ixtapan, al sur del estado. Doce integrantes de ese batallón fueron arrestados y se les comprobó nexos con el cártel michoacano de la Familia, específicamente con Johnny Hurtado, alias *el Fish*, a quien el gobierno
mexiquense considera el principal responsable de la ola de secuestros en
Valle de Bravo.

Tlatlaya es un municipio conectado con las otras comunidades de la Tierra Caliente de Guerrero y de Michoacán, donde operan no sólo grupos
armados, presuntamente vinculados con la guerrilla, sino también con cárteles de la droga, especialmente con los Guerreros Unidos y los Rojos, células delictivas derivadas del cártel de los Beltrán Leyva, y con los Caballeros
Templarios, que imperan en Michoacán.

Anteriormente, en Tlatlaya ocurrió otra matanza similar que quedó
impune. En agosto de 2008, al menos 23 personas, incluyendo a varios
menores, fueron ejecutadas por agresores que llegaron con rostros cubier-
tos y vestimenta militar. Lo anterior de acuerdo con el relato del periodista Miguel Ángel Granados Chapa, quien dio a conocer el episodio en su
columna Plaza Pública del 9 de octubre de 2008, donde consignó que horas
después de la masacre, miembros del Ejército recogieron los casquillos de
las AR15 y AK47 y limpiaron la escena del crimen. Los soldados despoja-
ron a los lugareños de sus celulares y los amenazaron: si denunciaban, sufri-
rían las consecuencias.

Y eso sucedió. La matanza de agosto de 2008 en Tlatlaya nunca se inves-
tigó. Sólo algunas organizaciones no gubernamentales registraron este episodio. En el Estado de México gobernaba Enrique Peña Nieto, preocupado
al máximo porque ningún otro episodio similar o peor que la represión en
San Salvador Atenco interrumpiera su imparable ascenso hacia la Presidencia de la República.

En 2014 la situación fue diferente. El papel de la prensa norteamericana
fue determinante. Dos meses después de la matanza del 30 de junio, en
medio del escándalo provocado por la divulgación en medios internacionales

y nacionales del testimonio de una sobreviviente, la PGR confirmó que consignaría a tres militares implicados en los hechos de Tlatlaya.

Los soldados "incurrieron en exceso de fuerza", afirmó el procurador general Jesús Murillo Karam, acompañado por su homólogo militar Gabriel López Benítez, en una versión enredada y poco creíble del caso.

Según esta versión, las pruebas establecieron que los militares ingresaron en la bodega en la que se encontraban los 22 presuntos delincuentes y realizaron disparos después de un enfrentamiento contra hombres armados, que duró entre ocho y 10 minutos. "Al cesar los disparos, ingresaron tres elementos militares […] y realizaron una secuencia nueva de disparos que no tienen justificación", afirmó Murillo Karam.[1]

Horas antes de que Murillo pretendiera darle un nuevo giro al caso de Tlatlaya, en el sur profundo mexicano detonó otra crisis de seguridad pública de dimensiones inimaginables.

El 26 y 27 de septiembre, en el municipio de Iguala, Guerrero, a unas tres horas del Distrito Federal, cercano también a la zona de Tierra Caliente del Estado de México, y ante la presencia del 27 Batallón de Infantería de la Secretaría de la Defensa Nacional, fueron asesinadas seis personas y secuestrados 43 normalistas del municipio de Ayotzinapa, Guerrero.

IGUALA, EL BAILE DEL TERROR

La tarde del viernes 26 de septiembre, el alcalde perredista del municipio de Iguala, José Luis Abarca, celebraba junto con más de 3 mil invitados y acarreados, el segundo informe de su esposa y socia María de los Ángeles Pineda, directora del DIF municipal y claramente perfilada para ser su sucesora al frente de la alcaldía. Después del informe oficial, la llamada "pareja imperial" de Iguala fue a festejar en un salón de baile privado.

---

[1] Marcos Muedano y Doris Gómora, "Caso Tlatlaya: 3 militares caen por homicidio", *El Universal*, 1° de octubre de 2014.

Abarca y su esposa eran impunes en Iguala, a pesar de los innumerables testimonios de corrupción, amenazas violentas contra opositores y vínculos con los Guerreros Unidos, famosos por su crueldad y expansión en el negocio de la heroína y la marihuana.

La "pareja imperial" de Iguala contaba con el firme apoyo de la corriente perredista Nueva Izquierda, mejor conocida como los Chuchos, que acababa de ganar nuevamente la presidencia nacional del principal partido de izquierda, a través de Carlos Navarrete.

Los Abarca también tenían a otro aliado: el coronel Juan Antonio Aranda Torres, comandante del 27 Batallón de Iguala, quien asistió al informe de la directora del DIF municipal. A nivel estatal, el gobernador Ángel Aguirre y su procurador Iñaki Blanco no realizaron ninguna acción contundente para frenar los excesos y crímenes de Abarca. Una poderosa red de protección político-militar-policiaca los hacía sentir intocables.

El coronel Aranda Torres estuvo antes en Nuevo Laredo, Tamaulipas, otra plaza caliente por la disputa entre el cártel del Golfo y los Zetas. Llegó a Iguala el 5 de octubre de 2011 y continuó con la buena relación que el 27 Batallón sostuvo con el ex alcalde de ese municipio y ex senador perredista Lázaro Mazón, transformado en 2014 en dirigente del Movimiento Regeneración Nacional (Morena), de Andrés Manuel López Obrador.

En su artículo "La matanza de Iguala y el Ejército", Luis Hernández hizo el siguiente apunte sobre la relación del militar y los hechos de Iguala el 26 de septiembre:

> Esa noche, el militar estuvo presente en el informe de labores y la fiesta de la directora del DIF municipal, María de los Ángeles Pineda Villa, esposa del alcalde José Luis Abarca. Y, según declaró el general Salvador Cienfuegos Zepeda a la comisión legislativa que investiga la desaparición de los 43 alumnos de Ayotzinapa, "él no vio nada en el evento; incluso se fue a su cuartel al término del festejo y aseguró que no pasó nada".[2]

[2] Luis Hernández Navarro, "La matanza de Iguala y el Ejército", *La Jornada*, 18 de noviembre de 2014.

Abarca bailó cumbia durante más de una hora "al ritmo de la Luz Roja de San Marcos" (como él mismo declaró en entrevista radiofónica con Joaquín López Dóriga), mientras en las arterias principales de su municipio inició una de las cacerías más sanguinarias contra un grupo de jóvenes estudiantes de la Escuela Normal Rural Isidro Burgos, de Ayotzinapa, famosa por ser la formadora de muchos luchadores sociales de Guerrero, entre ellos, el guerrillero Lucio Cabañas Barrientos, en los años sesenta y setenta.

El odio a los "ayotzinapos", como Abarca y la clase política de Guerrero llaman despectivamente a los originarios de ese municipio, ya había provocado otros episodios violentos. El 12 de diciembre de 2012, dos estudiantes de esa escuela normal fueron asesinados por agentes policiacos en la Autopista del Sol, en Chilpancingo. El 7 de enero de 2013, otros dos jóvenes de la misma institución fueron atropellados mientras boteaban (pedir recursos voluntarios) en la carretera Acapulco-Zihuatanejo. Ni los gobiernos municipales ni el estatal de Ángel Aguirre Rivero hicieron nada sustancial para investigar estos crímenes y evitar que se repitieran.

La noche del 26 de septiembre, un grupo de casi 50 estudiantes de primero y segundo grado de Ayotzinapa buscaba también botear para dirigirse a la marcha del 2 de octubre en la Ciudad de México, según la versión original.

No imaginaron que iban a ser perseguidos, balaceados, secuestrados, torturados e incendiados, como en una réplica del holocausto nazi en algún paraje de Guerrero. Menos se esperaban que este episodio creciera como una hoguera nacional hasta convertirse en la tragedia mexicana más vergonzosa y humillante para una sociedad y una clase política anestesiadas por la propaganda del *Mexican moment*.

Los primeros relatos de la noche del 26 de septiembre mencionaron que había seis muertos y 25 heridos por el ataque de más de 30 policías municipales contra tres autobuses que trasladaban a los normalistas de Ayotzinapa, a los que persiguieron por la ciudad. Hubo otro ataque contra un autobús de la empresa Castro Tours donde viajaban adolescentes jugadores del equipo de futbol Los Avispones, de tercera división, confundidos con estudiantes normalistas por los agresores.

El camión de Los Avispones se desbarrancó en la carretera de Iguala a Chilpancingo. Más de 170 balas les dispararon. Fallecieron el chofer Víctor Manuel Lugo Ortiz y el futbolista David José García Evangelista, de apenas 14 años de edad. Un taxista que pasaba por ahí fue herido también, y su pasajera Blanca Montiel Sánchez murió en el acto.

Abarca bailaba y bailaba, mientras en las calles de su municipio mataban a tres estudiantes de Ayotzinapa: Daniel Solís Gallardo, de Zihuatanejo; Aldo Gutiérrez Solano, de Ayutla; y Julio César Mondragón, apodado por sus compañeros como *el Chilango*, mientras los otros 43 eran secuestrados por policías municipales.

El cuerpo de Julio César Mondragón fue hallado la mañana del sábado 27 de septiembre en el periférico de Iguala. Estaba tirado en el suelo, con muestras de tortura. Su rostro desollado, sin ojos, demostraba la violencia sanguinaria contra él y los normalistas. La imagen de este muchacho de 22 años dio la vuelta al mundo a través de las redes sociales. El desollado fue la primera y clara conmoción de que en Iguala había ocurrido un crimen de dimensiones inimaginables.

Los primeros reportes mencionaron a 57 desaparecidos. Dos días después, los padres de los normalistas reclamaban a 43 jóvenes. La lista de sus nombres circuló a través de las organizaciones gubernamentales que comenzaron a apoyar a los familiares. Denunciaron desde el principio el vínculo de Abarca con el crimen organizado y señalaron al jefe de la policía municipal, Felipe Flores Velázquez, como el responsable de la agresión. Le demandaron al gobernador Ángel Aguirre que actuara de inmediato.

Los jóvenes desaparecidos se sumaron a la lista de más de 600 desaparecidos durante el segundo periodo de gobierno de Ángel Aguirre. La indolencia y la "normalización" de la violencia en Guerrero impidieron antes de la tragedia de Iguala prever que algo de esas dimensiones ocurriera a finales de septiembre.

El *modus operandi* del secuestro y posterior homicidio masivo recordó a varios observadores lo sucedido en mayo de 2013 en la Ciudad de México, cuando 13 jóvenes del barrio de Tepito fueron secuestrados en el Bar

Heaven, de la Zona Rosa capitalina, a causa de una supuesta venganza por el asesinato previo del distribuidor de droga, Horacio Vite Ángel, ocurrido días antes en un bar de la colonia Condesa.

Tres meses después, la PGR halló siete cadáveres de esos 13 jóvenes en fosas clandestinas de Tlalmanalco, Estado de México. Mucho después se supo que esta desaparición forzada y ejecución múltiple estaba vinculada con el mismo grupo criminal Guerreros Unidos y con los Caballeros Templarios, cuyos tentáculos llegan al gran mercado del consumo y trasiego de heroína del Distrito Federal.

Uno de los dueños del Heaven, Dax Rodríguez Ledezma, fue secuestrado en junio de 2013, junto con su novia Heidy Rodríguez Velasco y una de sus primas. Los cadáveres de los tres aparecieron en las inmediaciones de Huitzilac, Morelos,[3] zona colindante con Iguala y con fuerte presencia de los mismos cárteles en disputa en Guerrero: los Rojos y los Guerreros Unidos.

A pesar de la gravedad, el gobernador Ángel Aguirre no habló de los crímenes de Iguala sino hasta tres días después, el 29 de septiembre. Mandó a su procurador Iñaki Blanco a interrogar a más de 200 policías municipales. Detuvieron a 22. Aguirre afirmó que su administración había "realizado la parte que nos corresponde en la gobernabilidad, pero también hay situaciones que no solamente son del ámbito estatal".[4]

Ángel Aguirre viajó el 30 de septiembre a la Ciudad de México y se reunió con el secretario de Gobernación, Miguel Ángel Osorio Chong, su principal respaldo dentro de la administración federal de Peña Nieto. El titular de Hacienda, Luis Videgaray, era su adversario. Desde la crisis de los huracanes *Ingrid* y *Manuel*, el manejo desaseado de los millonarios recursos enviados por Hacienda para atender a las familias afectadas sembró el desencuentro entre Aguirre y Videgaray.

Ese mismo día, José Luis Abarca y su esposa María de los Ángeles Pineda se fugaron. Mientras Aguirre se defendía con el titular de Gobernación, Abarca solicitó una licencia por 30 días al cabildo de Iguala. Aseguró tener

---

[3] José Reveles, "El país de las masacres", *Proceso* núm. 1985, 15 de noviembre de 2014.
[4] "Hay debilidad en seguridad" (Redacción), *Reforma*, 1° de octubre de 2014.

la "conciencia tranquila" y se lavó las manos de cualquier responsabilidad en el secuestro de los 43 normalistas.

Terminó la sesión y Abarca se escapó por la puerta trasera del municipio. Cuando llegaron los agentes de la procuraduría estatal, el alcalde bailador ya había tomado camino rumbo a Temixco, Morelos.

Un día antes de su huida, el lunes 29 de septiembre, Abarca tuvo un encuentro privado con Jesús Zambrano, dirigente nacional saliente del PRD, en el Sanborns situado en Miguel Ángel de Quevedo y División del Norte en la Ciudad de México. Sólo se supo de este encuentro un mes después. Zambrano se justificó y defendió señalando que le pidió a Abarca que se "entregara" y que pidiera licencia.

Según una columna de Héctor de Mauleón, Zambrano se citó a las cinco de la tarde del 29 de septiembre con Abarca, en la Ciudad de México. Le advirtió al gobernador Ángel Aguirre de su encuentro: "Ángel, voy a verme con Abarca para decirle que tiene que separarse del cargo". Aguirre le contestó a Zambrano: "Coincido, debe ser una cosa inmediata".

Zambrano le preguntó a Abarca qué había sucedido. Y el alcalde le repitió la misma versión que le dio a Joaquín López Dóriga en su programa de radio: bailaba en el acto de su esposa, se fue a un restaurante por invitación de sus hijos y su cónyuge, no se enteró de lo que había hecho la policía hasta que su secretario particular le llamó para informarle que unos estudiantes de la normal de Ayotzinapa se habían llevado unos camiones y que "había disparos". Según Abarca, la orden que le dio a los policías fue: "No caigan en la provocación".

"Oye, presidente —interrumpió Zambrano a Abarca—, ¿sabes que nadie te va a creer eso? No puedes decir que no tienes responsabilidad. Aunque fuera por omisión, tuviste responsabilidad."[5]

Desde las primeras horas del enfrentamiento, Pedro David López, vocero de los estudiantes de Ayotzinapa, explicó a la prensa que sus compañeros estaban "boteando, se habló con los choferes de los camiones y accedieron

---

[5] Héctor de Mauleón, "En tercera persona", *El Universal*, 30 de octubre de 2014.

a hacernos el favor. No fue un rapto o una amenaza contra el chofer. No lo íbamos a hacer porque éramos estudiantes… Los autobuses ya habían bajado a sus pasajeros".[6]

Las contradicciones de Peña en Guerrero

Si Aguirre tardó cuatro días en encarar la tragedia de los seis muertos y los 43 desaparecidos, Enrique Peña Nieto dilató 10 días para mencionar públicamente, en un enigmático mensaje por televisión, que "lamentaba" de manera particular "la violencia que se ha dado" y que se tratara de "jóvenes estudiantes los que hayan resultado afectados y violentados en sus derechos en el municipio de Iguala".

No habló de desaparición forzada. No mencionó ejecuciones. No le puso ningún nombre al crimen colectivo que estaba ocurriendo en esos días ante el escrutinio de la comunidad internacional. La pretensión era muy clara: el presidente de la República evadía cualquier señalamiento que hiciera corresponsable a las fuerzas federales y a la PGR, al menos por omisión, colusión o comisión, en los hechos ocurridos en Iguala.

Peña Nieto giró "instrucciones" a las instituciones del gabinete de seguridad nacional para que contribuyeran "al esclarecimiento de estos hechos, a dar con los responsables y a aplicar la ley de manera estricta", en el clásico lenguaje burocrático y distante que suelen utilizar los políticos cuando no desean involucrarse.

Peña Nieto no se ofreció a visitar Iguala, menos el estado de Guerrero, a pesar de que en dos años realizó más de 10 giras acompañado por Ángel Aguirre. Apenas el 7 de noviembre de 2013, un año antes de la tragedia de Iguala, Peña Nieto presidió una ceremonia para dar a conocer el ambicioso Plan Nuevo Guerrero, con inversiones millonarias y tres ejes para transfor-

---

[6] Sergio Ocampo, "Policías balean a normalistas de Ayotzinapa en Iguala", *La Jornada*, 28 de septiembre de 2014.

mar el estado en un ejemplo de su nueva política de desarrollo social, tras los desastres naturales provocados por los huracanes *Ingrid* y *Manuel*.

Peña Nieto afirmó que el Plan Nuevo Guerrero consistiría en:

a) Inversión en infraestructura que incluyera el Puerto Balsas, la autopista intercostera; un plan de conectividad para dar fibra óptica; un plan hídrico para rehabilitar y construir nuevas fuentes de abastecimiento de agua potable en ciudades como Acapulco, Chilpancingo, Iguala, Taxco y Zihuatanejo.

b) Proyectos sociales para la productividad, incluyendo la construcción de Ciudad Mujer; el respaldo de 24 de los 81 municipios incluidos en la Cruzada Nacional contra el Hambre.

c) Proyectos sociales con participación ciudadana, como la puesta en marcha de 282 de 500 comedores, el Programa de Empleo Temporal, el Programa de Escuelas de Excelencia (que no incluyó a la normal de Ayotzinapa), y programas de reforestación y restauración de terrenos.

En el optimismo absoluto, Peña Nieto afirmó:

> La acción que el gobierno de la República está emprendiendo significa también que volteemos los ojos hacia el sur del país, porque como lo hemos apuntado, lo que el gobierno está impulsando realmente es buscar un desarrollo armónico igualitario para todo el país.

El gran artífice de ese millonario Plan Nuevo Guerrero fue el secretario de Hacienda, Luis Videgaray, quien presumió que a través del Fondo de Desastres Naturales (Fonden) ya se habían destinado 1 484 millones de pesos en apoyos parciales inmediatos y estaban "en vías de autorización" poco más de 20 mil millones de pesos para el ejercicio de 2014. En total, Videgaray anunció 37 mil 425 millones de pesos "listos para ser ejecutados" en 2014 y otros 30 mil 410 millones de pesos de 2015 a 2018. Una inversión que no tenía comparación con otra entidad.

El único detalle es que el Plan Nuevo Guerrero, inspirado por Videgaray y apoyado por el senador perredista de la entidad, Armando Ríos Piter, no contempló el problema de la inseguridad pública, señalado por los habitantes como el de mayor preocupación.

El Plan Nuevo Guerrero pretendió evitar el "contagio" de la crisis de Michoacán, la entidad que ocupó la atención nacional e internacional a raíz de la crisis de seguridad y el avance del narcopoder encabezado por los Caballeros Templarios.

Inspirado por esa bolsa multimillonaria de recursos presupuestales, Ángel Aguirre presumió que "ningún gobierno de la época contemporánea había volteado verdaderamente los ojos hacia el sur, hacia Guerrero, para darle el trato que, por justicia, nos corresponde".[7]

Para nadie era un secreto que había una buena relación entre Ángel Aguirre y Peña Nieto. Aguirre se retiró del PRI cuando este partido designó en 2010 a Manuel Añorve como candidato a la gubernatura. Añorve pertenece al grupo de Manlio Fabio Beltrones, el poderoso ex gobernador de Sonora, quien era adversario interno de Peña Nieto en la lucha por la candidatura presidencial priísta de 2012. Aguirre supo aprovechar esta rivalidad a su favor para salirse del PRI, pero mantener el apoyo del Grupo Atlacomulco.

Tampoco era un secreto que Aguirre tenía muy buena relación con el grupo dirigente de los Chuchos en el PRD. Gracias a ellos, él y Abarca fueron candidatos a gobernador y presidente municipal, junto con una decena más de políticos guerrerenses. Aguirre apoyó de manera abierta y con recursos la contienda interna de 2014 por la dirigencia nacional del PRD, a favor de Carlos Navarrete.

Por si se necesitaran más elementos para hablar sobre el vínculo Peña-Aguirre-los Chuchos-Abarca, María de los Ángeles Pineda, la primera dama municipal de Iguala, cuyos vínculos familiares con el cártel de los Beltrán Leyva y con los Guerreros Unidos había sido ya investigado, fue inscrita en el número seis en el orden de prelación como integrante de "Nueva Izquierda-Poder Campesino Popular" en la lista de candidatos a consejeros estatales del PRD. La tuvieron que "bajar" porque ya se había fugado con su marido.

---

[7] Versiones estenográficas, 7 de noviembre de 2013.

El baile del terror se convirtió muy pronto en el baile de los deslindes políticos. Pero la compuerta que se abrió en Iguala con la desaparición de los 43 normalistas fue apenas el inicio de una crisis mayúscula. En la búsqueda de los jóvenes aparecieron más de 30 narcofosas.

LAS NARCOFOSAS Y LAS MOVILIZACIONES

Al mediodía del sábado 4 de octubre, una semana después de los acontecimientos, 300 miembros de la Marina, el Ejército, la Policía Federal, así como agentes estatales y municipales se movilizaron en los alrededores del cerro Pueblo Viejo, en Iguala. El rumor es que habían encontrado fosas clandestinas. El procurador estatal Iñaki Blanco confirmó en rueda de prensa el hallazgo, sin precisar el número de fosas ni de cuerpos encontrados. "Allá arriba hay fosas y hay restos óseos", afirmó el funcionario, sin aclarar si se trataba de los cuerpos de los normalistas.[8]

En su crónica para *La Jornada*, Arturo Cano reprodujo el testimonio de un policía ministerial: "Son nueve cuerpos. ¿Que por qué el procurador dijo que eran huesos? Pos porque los quemaron con diesel".[9]

Un día después, el mismo procurador guerrerense precisó en otra rueda de prensa que se hallaron 28 cuerpos, todos calcinados, en seis fosas localizadas en las faldas del cerro Pueblo Viejo. Iñaki Blanco afirmó que, según versiones de los detenidos, 17 de los 43 estudiantes desaparecidos fueron llevados hasta ahí, asesinados y quemados.

En la misma conferencia, Blanco adelantó una versión que luego sería corroborada por la PGR: fue el director de Seguridad Pública municipal de Iguala quien dio la instrucción de detener a los 17 estudiantes y de entregarlos a un sujeto apodado *el Chucky*, del cártel de Guerreros Unidos. Las

---

[8] Sergio Ocampo y Rubicela Morelos, "Fosas clandestinas en Iguala", *La Jornada*, 5 de octubre de 2014.

[9] Arturo Cano, "¿Que por qué el procurador dijo que eran huesos?", *La Jornada*, 5 de octubre de 2014.

pruebas de ADN para confirmar si esos restos pertenecían a los estudiantes estarían listas entre 15 días y dos meses, afirmó Blanco.

En ese momento, el paradero de Abarca era desconocido, al igual que el del jefe de la Policía Municipal, Felipe Flores Vázquez. También el vínculo del procurador Iñaki Blanco con el crimen organizado se documentaría a finales de octubre: el líder detenido de Guerreros Unidos, Sidronio Casarrubias, afirmó ante la PGR que le había pagado 300 mil dólares a Blanco por "favores recibidos".[10]

Las protestas iniciaron en esos días hasta volverse imparables. El mismo sábado que localizaron las fosas clandestinas, los padres y alumnos de la normal de Ayotzinapa suspendieron una reunión con el gobernador Ángel Aguirre, a quien le gritaron: "¡Asesino! ¡Asesino!"

En la Autopista del Sol que une la Ciudad de México con Acapulco comenzaron los bloqueos de la Federación de Estudiantes Campesinos Socialistas de México, la antigua agrupación en la que participan las otras normales rurales del país, reclamando la renuncia de Ángel Aguirre. Ocuparon asimismo tres emisoras de radio en Chilpancingo para exigir la presentación con vida de los 43 estudiantes.

En las calles de Iguala colgaron narcomantas atribuidas a los Guerreros Unidos para reclamar "en 24 horas" la liberación de los 22 policías municipales detenidos. Y advirtieron: "Empezaremos a poner nombres de la gente que nos apoyaba del gobierno... ya empezó la guerra".

Los mensajes fueron retirados por miembros del 27 Batallón de Infantería del Ejército, con sede en Iguala. Desde el 6 de octubre, la Gendarmería Nacional tomó el control de la seguridad en ese municipio. Se repetía el fenómeno de Tamaulipas y del Estado de México: el envío de agentes federales para asumir el control policiaco del lugar.

El 8 de octubre, en conferencia de prensa realizada en la Ciudad de México, Omar García, uno de los normalistas sobrevivientes de la cacería

---

[10] Marcela Turati, "La búsqueda loca de la PGR", *Proceso* núm. 1983., 1° de noviembre de 2014.

en Iguala, relató que la madrugada del 27 de septiembre, después de que sus compañeros fueron "rafagueados" por segunda ocasión por hombres vestidos de civil, llegaron miembros del Ejército y durante 40 minutos sometieron a los sobrevivientes.

Según Omar García, les quitaron sus celulares y pretendían acusarlos de allanamiento de morada, ya que buscaron auxilio en casas vecinas. "Los capitanes o comandantes nos dijeron que nos 'lo habíamos buscado'. Aunque vieron a varios heridos, no persiguieron a los perpetradores ni enviaron ayuda. Los dejaron a su suerte", sentenció el joven.[11]

La mañana del 31 de octubre, en una narcomanta, colocada en la entrada de la Universidad Autónoma de Guerrero, cercana al cuartel de la 35 Zona Militar, *el cabo Gil*, un lugarteniente del líder del cártel Guerreros Unidos, acusó a dos oficiales del 27 Batallón de Infantería de Iguala de estar involucrados con el crimen organizado: el teniente Barbosa y el capitán Crespo. La narcomanta fue ocultada de inmediato.

La conmoción internacional con el hallazgo de las seis fosas y los 28 cuerpos fue inmediata. Amnistía Internacional afirmó que era el momento para que Peña Nieto "acelere y garantice una investigación rápida y exhaustiva sobre estos terribles abusos". Al mismo tiempo, legisladores de 33 países de América Latina y 23 integrantes del Parlamento Europeo repudiaron los hechos y advirtieron: "Todos necesitamos saber por qué las autoridades y las fuerzas de seguridad se hicieron de la vista gorda sobre los ataques, secuestros y asesinatos".

El jueves 8 de octubre fueron halladas otras cuatro fosas. No se precisó el número de restos humanos, pero la PGR también afirmó que estaban calcinados. La prensa y los peritos forenses de Argentina (designados por los padres normalistas como sus coadyuvantes) no tuvieron acceso a este segundo grupo de fosas.

---

[11] Gloria Leticia Díaz, "Ni Peña Nieto ni Gobernación actuaron…", *Proceso* núm. 1981, 18 de octubre de 2014.

El 11 de octubre, el gobernador Ángel Aguirre desmintió las versiones que señalaban que algunos de los 28 cuerpos hallados en las seis primeras fosas pertenecían a los normalistas.

"Sin dar mayores elementos, les puedo afirmar que algunos de los cuerpos, de acuerdo con los avances que se llevan de los peritajes en materia forense, no corresponden a los estudiantes", afirmó Aguirre en un acto público donde pretendía congraciarse con los medios.

De inmediato, el procurador general Murillo Karam desestimó las versiones de Aguirre: "No se han terminado las pruebas y, por tanto, no puedo dar mayor información. No sé en qué se base [el gobernador] para decir que algunos restos no corresponden a los de los normalistas".[12]

El juego de la "búsqueda loca" de los 43 normalistas continuó, mientras la crisis política y social de Guerrero ascendió a nivel federal. En paralelo con las marchas y protestas que se dieron en la entidad, en todo el país comenzó a mencionarse el caso de Ayotzinapa. El gobierno prendió los focos rojos muy tarde. Ya no era un asunto "aislado" de un municipio del sur profundo mexicano. #TodosSomosAyotzinapa se convirtió en un *hashtag* que trascendió las fronteras nacionales.

El sacerdote católico Alejandro Solalinde, con un amplio prestigio por su defensa a los derechos humanos de los migrantes centroamericanos, víctimas del cártel de los Zetas, declaró a la prensa extranjera y luego a medios mexicanos, que testigos de la matanza que pidieron el anonimato, le revelaron que los jóvenes normalistas habían sido asesinados, incinerados y sus cuerpos arrojados a distintas fosas. Las declaraciones de Solalinde confirmaron las sospechas y el temor de muchos, pero molestaron a los padres de familia que lo tomaron como una desconsideración.

El miércoles 22 de octubre, sin la convocatoria de ningún partido político —más bien todos los partidos fueron señalados como cómplices de la tragedia—, de un liderazgo visible y tampoco de una agrupación sindical o

---

[12] Sergio Ocampo y Rubicela Morelos, "Desacredita Murillo informe de Aguirre de que algunos cuerpos no son de normalistas", *La Jornada*, 12 octubre de 2014.

gremial (la CNTE, el SME y otros grupos disidentes estuvieron en la retaguardia), durante cuatro horas emergió una movilización con más de 50 mil personas que llegaron al Zócalo capitalino con veladoras, antorchas y consignas muy directas contra el gobierno federal: "Fue el Estado", se leyó en una pinta aérea en el costado sur del Zócalo.

Miles de jóvenes, muy jóvenes, casi adolescentes, marcharon junto con universitarios, padres de familia, activistas y gente de clase media portando fotografías de rostros de los 43 normalistas desaparecidos. Por primera vez, una tragedia de estas dimensiones dejaba de ser un número de víctimas para convertirse en un rostro, con nombre e historia detrás.

En uno de los templetes colocados en el Zócalo, los padres de los normalistas emplazaron al gobierno de Enrique Peña Nieto: le daban dos días para encontrar vivos a sus hijos. "Si no, aténganse a las consecuencias".

En el extranjero, la palabra Ayotzinapa comenzó a escribirse en todas las redes sociales, en la prensa, en festivales artísticos, en universidades con o sin presencia de mexicanos, en cartelones, en instalaciones y performances de protesta. Le arrebataron la centralidad al gobierno de Peña Nieto y a sus reformas.

Ya no había duda que se trataba de una de las peores crisis en la historia reciente del Estado mexicano. La combinación de una tragedia difícil de asimilar con la ineficacia y tardanza de los gobiernos estatal y federal, el hallazgo de las fosas, la narcocorrupción relatada en toda su crudeza, más la insensibilidad del primer mandatario para asumir el desafío, transformaron este episodio en un punto de inflexión para el gobierno que le apostó demasiado a la "guerra relámpago" de sus reformas estructurales y minimizó la tragedia de la inseguridad pública.

Para el 28 de octubre, en medio de una creciente presión internacional, el procurador Murillo Karam anunció que tenían localizado un tercer lugar de narcofosas, al cual se llegó tras la declaración de los últimos cuatro detenidos. Se trataba del basurero de Cocula, municipio cercano a Iguala.

Con un gran despliegue de medios electrónicos, la PGR mostró a una docena de forenses enfundados en trajes blancos peinando el terreno para ubicar posibles restos humanos.

En su reportaje "La búsqueda loca de la PGR", la reportera Marcela Turati sintetizó así el enorme fracaso que representaban los hallazgos sin contundencia de los 43 normalistas, pero confirmaban la fiesta de sangre y desapariciones forzosas que ocurrieron en los tiempos del gobierno de Ángel Aguirre y el PRD en Guerrero:

> Pese a que toda la "fuerza del Estado mexicano" está dedicada a la búsqueda (6 800 soldados, 900 marinos, 110 peritos, 300 investigadores, 1 870 agentes de fuerzas federales y 50 ministerios públicos y federales), a cinco semanas de la desaparición ninguno de los estudiantes ha sido hallado.
>
> La numeralia gubernamental es que hubo mil recorridos y 142 vuelos de rastreo, la revisión de 110 lugares, 13 cateos, la detención de 54 personas, 26 órdenes de aprehensión, 20 mil volantes repartidos y la oferta de 1 millón de pesos de recompensa para informantes (de una bolsa de 64 millones).[13]

La caída de Aguirre y de Abarca

La oleada de protestas que comenzó a crecer dentro y fuera del país fue aprovechada por el gobierno federal para encausar ministerial y políticamente el caso. El segundo intento de reducir la tragedia a un asunto de índole estatal y vinculado sólo con el gobierno del PRD y su corriente dominante (Nueva Izquierda) se echó a andar en la tercera semana de octubre: Aguirre debía irse.

El único cadáver político que se resistió a asumir que ya estaba en una fosa virtual del desprestigio fue el propio gobernador Ángel Aguirre. Pensó que podía resistir más de seis meses, como le ocurrió a Rubén Figueroa, el ex mandatario priísta a quien él sustituyó en diciembre de 1996 como interino, tras la crisis por la matanza de 16 campesinos en Aguas Blancas.

Aguirre hizo todo para quedarse al frente del Ejecutivo estatal. Chantajeó, presionó, amedrentó, advirtió que si él dejaba el gobierno, podía arras-

---

[13] Marcela Turati, *op. cit.*, nota 10.

trar a otras autoridades federales. "No me voy a ir como asesino", le repitió varias veces al secretario de Gobernación, Miguel Ángel Osorio Chong.

Su estancia al frente del Ejecutivo estatal ya representaba también un alto costo para sus propios socios económicos y electorales: los Chuchos del PRD. Su dirigente nacional, Carlos Navarrete, quien primero salió a defenderlo, terminó siendo quien el jueves 23 de octubre le comunicara a Aguirre que su salida "ya era una decisión tomada" en Los Pinos.

En realidad, la remoción de Ángel Aguirre ya estaba decidida días antes. Negociaba con el gobierno federal los términos de la impunidad. Todavía el sábado 18 de octubre, en un tenso Consejo Nacional del PRD, los Chuchos salieron a defender al mandatario estatal de Guerrero, pero se negaron a mencionar cualquier corresponsabilidad del gobierno federal en la crisis, a pesar de que otros grupos y corrientes perredistas lo exigían así.

La noche del miércoles 22, en Cuernavaca —la capital del estado gobernado por Graco Ramírez, otro político del grupo Nueva Izquierda—, Carlos Navarrete negoció con Ángel Aguirre su salida. Se acordó que el jueves 23, a las seis de la tarde, pediría licencia, a cambio de no mencionar la corresponsabilidad federal en la crisis de Iguala.

En entrevista radiofónica con Carmen Aristegui, Navarrete dio su versión del encuentro: "'No es que a ti se te acuse de ser culpable, pero hay una sensación de que el gobierno de Guerrero no hizo lo suficiente, no atendió el tema a tiempo'. Se lo pedí a nombre del comité del partido el miércoles por la tarde. Ayer [jueves] se concretó". Más allá de lo anterior, los términos de la renuncia de Aguirre fueron ambiguos. Señaló que pedía licencia para "favorecer un clima político" y sustentar su "claro compromiso político y social para con el pueblo de Guerrero".

En realidad, la orden determinante vino de Los Pinos para la bancada del PRI en el Senado, el martes 21. En medio de la discusión sobre el dictamen de la desaparición de poderes en la entidad (propuesta por el PAN y rechazada inicialmente por los legisladores del tricolor), una orden de Los Pinos modificó todo. Los senadores dirigidos por Emilio Gamboa Patrón acordaron simular que prolongarían una investigación hasta el 30 de octubre sobre las condiciones de gobernabilidad en Guerrero.

La fractura dentro del PRD se agudizó. El propio coordinador de los senadores perredistas, Miguel Barbosa (quien fue integrante de la corriente de los Chuchos), denunció en rueda de prensa nocturna y condenó "cualquier negociación" que haya ocurrido en la Secretaría de Gobernación para designar a un interino de Aguirre perteneciente a Nueva Izquierda. Y le puso nombre a su veto: Beatriz Mojica Morga, secretaria de Desarrollo Social guerrerense.

Como mandatario interino fue designado Salvador Rogelio Ortega Martínez, un viejo amigo de Ángel Aguirre, eterno aspirante a rector de la Universidad Autónoma de Guerrero, con un presunto pasado de izquierda radical, pero que en realidad siempre estuvo al servicio de los grupos de poder locales. La primera declaración de Ortega Martínez fue llenar de halagos al primer mandatario Enrique Peña Nieto.

De manera más sigilosa, el gobierno de Peña Nieto encargó a la secretaria de Desarrollo Social, Rosario Robles, encabezar la operación política y la gestión de los recursos federales en Guerrero. La ex jefa de Gobierno capitalino se convertiría en una especie de comisionada de facto para la entidad en crisis, algo similar al papel de Alfredo Castillo Cervantes en Michoacán.

Una semana después de la renuncia de Aguirre, el miércoles 29 de octubre, Peña Nieto sostuvo en Los Pinos un largo desencuentro con los padres de los 43 normalistas desaparecidos. Había pasado un mes de la tragedia. Era la primera vez que el presidente encaraba a las víctimas. Tardaron cinco horas en medio de una dura catarsis. Los padres le reclamaron todo a Peña y le advirtieron que no confiaban en su gobierno.

"Dejen de buscar a nuestros hijos en fosas y en basureros", le reclamaron una y otra vez. "No han investigado en donde deben", insistieron y se negaron a salir a dar una conferencia de prensa conjunta con Peña Nieto la noche de ese miércoles. Le exigieron firmar una serie de 10 compromisos, especialmente uno que causó mucha molestia en Los Pinos: solicitar la intervención de la Comisión Interamericana de Derechos Humanos.

Peña Nieto salió a dar una desarticulada y poco elocuente conferencia de prensa. Visiblemente agotado y sin el maquillaje televisivo que le preparan para sus ruedas de prensa, el presidente trató de dar la impresión de que fue "conmovido" por los testimonios. "Reconfortó Peña Nieto a los padres", dijeron los principales noticiarios de televisión, claramente alineados al poder presidencial.

Sin embargo, el viejo truco no funcionó. La fingida empatía presidencial difícilmente frenaba la crisis en curso. Los padres, con mayor credibilidad que el gobierno federal, ocuparon un lugar central en las versiones de prensa sobre el acto.

El 31 de octubre, los familiares de tres de los 43 normalistas protagonizaron un encuentro con académicos en el Colegio de México. Expusieron sus recorridos, las gestiones con la procuraduría y su desencuentro con Peña Nieto. Valentín Cornelio González, cuñado de Abel García Hernández, uno de los jóvenes desaparecidos, sintetizó así sus reclamos en la reunión presidencial:

> Nos reunimos antier con el presidente Enrique Peña Nieto y con su gabinete y nos dijeron que hay arriba de 10 mil elementos que andan en busca, pero así como los andan buscando dudamos que los encuentren, porque traen caballería, no sé qué otra cosa, pero hasta donde nosotros podemos ver en la televisión, los caballos andan caminando en las puras carreteras, y en las carreteras no creo que los vayan a encontrar.[14]

Los recursos mediáticos para construir la percepción de que buscaban y el gobierno federal actuaba ya no iban a funcionar. Al contrario, eran un peligroso búmeran para la propia administración peñista. Sin Aguirre en medio y sin un solo elemento sólido para presumir un avance sustancial, Peña Nieto se quedó como interlocutor directo con los padres de familia. Desde

---

[14] Arcelia Maya, "Critican plan de búsqueda de normalistas", *Reforma*, 1° de noviembre de 2014.

antes, los familiares de las 43 víctimas ya habían suspendido las negociaciones y los encuentros con el secretario de Gobernación Miguel Ángel Osorio Chong, y condicionaron su apoyo a la Procuraduría General de la República.

Urgido de otro "golpe" espectacular para aislar a las autoridades federales de esta crisis, la madrugada del martes 4 de noviembre, el gobierno federal anunció la detención de José Luis Abarca y de su esposa, María de los Ángeles Pineda, en un domicilio del barrio Santa María Aztahuacán, de la delegación Iztapalapa, en la Ciudad de México.

Abarca fue recluido en el penal del Altiplano, acusado de delincuencia organizada, secuestro y homicidio, pero no contra los estudiantes de Ayotzinapa (considerados ministerialmente como desaparecidos) sino contra los militantes del PRD, Arturo Hernández Cardona, Ángel Román Ramírez y Rafael Bandera Román, así como por la desaparición de Héctor Arroyo Delgado, Efraín Amate Luna y otros.

Los expedientes de estos casos ya los conocía (al menos documentalmente) la propia PGR desde el 12 de junio de 2013, cuando el entonces subprocurador Iñaki Blanco Cabrera le solicitó a la SEIDO que tomara cartas en el asunto de Hernández Cardona, cercano a la corriente Izquierda Democrática Nacional, dirigida por René Bejarano y la senadora Dolores Padierna.

Nueve meses después, el 18 de marzo de 2014 (medio año antes de la tragedia de los normalistas), le llegaron nuevos documentos a la PGR que confirmaban la vinculación de Abarca con el crimen organizado y su responsabilidad en los homicidios antes mencionados.

En otras palabras, la PGR tardó más de un año y medio en detener a Abarca y a su esposa. Los sucesos del 26 y el 27 de septiembre se podrían haber evitado. Sin embargo, los Chuchos y quizá el propio gobernador Ángel Aguirre hubieran tenido que sacrificar a un político que no sólo era excéntrico y autoritario, sino también un vínculo directo con los recursos del crimen organizado.

"Estaba cansado de esconderme, ya no aguantaba", habría dicho Abarca, según el testimonio de la PGR. Sin embargo, no declaró nada público relacionado con el paradero de los 43 normalistas. La crisis no tuvo ningún indicio de solución con su detención. Peor aún: todo indicaba que la PGR necesitaba detener a Abarca para que los delitos de desaparición forzosa y homicidio múltiple se le adjudicaran exclusivamente al edil perredista.

En tal contexto, entró en operación una narrativa oficial que por un lado resaltaba la importancia del caso y, por el otro, lo minimizaba a un asunto de corrupción entre policías municipales y cárteles de la droga, evadiendo lo que todos en las calles de decenas de ciudades mexicanas coreaban: la responsabilidad directa de distintas instituciones del Estado mexicano (desde la PGR y la Policía Federal hasta las Fuerzas Armadas) en la omisión, comisión y colusión con las redes criminales de Guerrero.

EL HOLOCAUSTO AL ESTILO MEXICANO

Tres días después de la detención y el encarcelamiento de Abarca, el procurador Jesús Murillo Karam ofreció una de las conferencias de prensa más vistas y seguidas por los mexicanos. No se recuerda desde los tiempos aciagos de los crímenes políticos de Luis Donaldo Colosio y de José Francisco Ruiz Massieu en 1994 a un procurador que captara tal atención enfrente a un desenlace previsible.

El miércoles 5 de noviembre circuló entre el Centro de Derechos Humanos Miguel Agustín Pro la versión de que la PGR pretendía darle carpetazo al asunto, señalando que los restos encontrados en Cocula eran de los estudiantes, pero no se podía confirmar porque estaban calcinados. Eran cenizas. El máximo responsable sería el narcoalcalde José Luis Abarca, vinculado con los Guerreros Unidos.

La conferencia de Murillo confirmó los peores augurios, pero abrió otro flanco de crisis para el gobierno federal, en lugar de cerrarlo. Ante la falta de contundencia, claridad y evidencias para sostener su dicho, Murillo Karam dejó prácticamente abiertas las compuertas para que el caso Ayotzinapa se transformara en un expediente más sin solución.

Murillo inició relatando los "avances" y las novedades del caso: la detención de tres integrantes de los Guerreros Unidos que "confesaron haber recibido y ejecutado al grupo de personas que les entregaron los policías municipales de Iguala y Cocula". Esos detenidos eran Patricio Reyes Landa, *el Pato*; Jonathan Osorio Gómez, *el Jona*, y Agustín García Reyes, *el Chereje*. Testimonios videograbados y fragmentados de estos tres presuntos criminales fueron transmitidos durante la conferencia para sustentar el dicho del procurador.

"Los testimonios que hemos recibido, aunado al resto de las investigaciones realizadas, apuntan muy lamentablemente al homicidio de un amplio número de personas en la zona de Cocula", sentenció Murillo Karam.

El relato del procurador tenía incoherencias y discontinuidades, pero pocos repararon en ellas, salvo los propios padres de los normalistas. Según Murillo Karam, fue el alcalde Abarca quien le dio la orden a los policías municipales, a través del código A5, de "contener a las personas que viajaban en esos cuatro camiones" atacados el 26 de septiembre. No explicó por qué fue atacado el autobús donde viajaban los jóvenes futbolistas de la tercera división.

Agentes de la policía de Iguala detienen con violencia a los normalistas y los llevan a la central policiaca. Desde ese punto, y con apoyo de la Policía municipal de Cocula, "trasladan en patrullas de los municipios al grupo de jóvenes hasta un punto entre Iguala y Cocula, y donde se abre una brecha hacia la zona que se denomina Loma de Coyote. En ese punto se los entregaron a los miembros de Guerreros Unidos".

¿Cuántos eran los integrantes del cártel que recibieron a los jóvenes? ¿Cuánto tiempo estuvieron en la central policiaca? ¿Cómo los trasladaron a unos vehículos? Las dudas se fueron sumando en la medida que el procurador no daba respuesta.

Basándose sólo en los testimonios de los tres sicarios detenidos, Murillo afirmó que subieron a los jóvenes en un vehículo con capacidad para carga de 3.5 toneladas y a otra camioneta de menor carga. En ellos los trasladaron al basurero de Cocula.

Uno de los testigos afirmó que en el momento de trasladar los cuerpos de las patrullas a los camiones de carga, "ya había muertos, ya había como unos, aproximadamente 15 muertos". Se desconoce la identidad de esos 15 primeros muertos del grupo de 43. Según el testigo, "se ahogaron, se asfixiaron".

En el basurero de Cocula "privaron de la vida a los sobrevivientes y posteriormente los arrojaron a la parte baja, donde quemaron los cuerpos". En esta parte, el relato de Murillo Karam tomó tintes de una crónica de los campos de exterminio nazis:

Hicieron guardias y relevos para asegurar que el fuego durase horas, arrojándole diésel, gasolina, llantas, leña, plástico, entre otros elementos que se encontraron en el paraje. El fuego, según declaraciones, duró desde la medianoche hasta aproximadamente las 14:00 horas del día siguiente, y otro dice que hasta las 15:00 horas del día 27 de septiembre, pero, por el calor que desprendía el área, los delincuentes no pudieron manipular los restos de los cuerpos, sino hasta cerca de las 17:30, según sus declaraciones. Cuando los peritos analizaron el lugar, encontraron cenizas y restos óseos, que por las características que tienen corresponden a fragmentos de restos humanos. También aquí están las imágenes…

Continuando con el relato de los hechos, los detenidos declaran que cuando bajan al lugar donde se habían arrojado y quemado los cuerpos, recibieron la orden de quien apodan *el Terco* de fracturar los restos de los huesos calcinados para ser depositados en bolsas de basura negras. Según sus declaraciones, estas bolsas fueron vaciadas en el río San Juan, salvo dos, que uno de los declarantes dice haber arrojado completas…

Buzos de la Armada de México y peritos tanto mexicanos como argentinos encontraron restos de las bolsas y sus contenidos. Una de ellas permanecía cerrada, misma que contenía restos óseos y podemos confirmar que por sus características corresponden a restos humanos…

A decir de los peritos, por el alto nivel de degradación causado por el fuego a los restos humanos se hace muy difícil la extracción del ADN que permita la identificación. Sin embargo, no agotaremos esfuerzos, no los escatimaremos, hasta agotar todas las posibilidades científicas y técnicas.[15]

El relato de Murillo Karam, las imágenes fragmentadas que se transmitieron y la sensación de estar frente a una pesadilla sin final acaparó la atención de todos los medios. El relato estaba tan lleno de puntos de fuga y de aseveraciones poco sustentables que creerlas era resultado más de un acto de fe que de una investigación acabada.

Murillo Karam no afirmó que esos restos humanos correspondieran a algunos de los 43 normalistas, pero todo inducía a pensar que así era. No aclaró cómo mataron a los 28 jóvenes que presuntamente llegaron con vida (tomando en cuenta que alrededor de 15 murieron asfixiados o ahogados en el traslado, según las declaraciones de los tres sicarios). Tampoco explicó por qué una hoguera tan prolongada no llamó la atención de pobladores ni de miembros del Ejército. En los alrededores de Iguala hay, desde décadas atrás, cerca de 600 soldados acantonados para labores de seguridad y combate al crimen organizado. La hoguera múltiple habría ocurrido en sus narices.

Para cursarse en salud, Murillo Karam afirmó que por recomendación de los equipos periciales llevarían los restos a estudiar a la Universidad de Innsbruck, en Austria. "Nos han señalado que no se puede especificar una fecha definida para la entrega de esos resultados", aclaró Murillo.

En la extensa sesión de preguntas y respuestas, el procurador general no especificó cuál fue el móvil de tal holocausto. ¿Simple escarmiento? ¿Sed de sangre? ¿Odio a los normalistas? ¿Vínculos con el crimen?

Tampoco ahondó sobre las versiones que sugieren un enfrentamiento previo entre la banda de los Rojos y los Guerreros Unidos. El 29 de octubre, el periódico *Reforma* difundió fragmentos de las declaraciones de Sidronio Casarrubias Salgado, detenido el 17 de octubre y uno de los primeros en declarar:

---

[15] Versión estenográfica, PGR, 7 de noviembre de 2014.

El 26 de septiembre desaparecieron los normalistas y 17 miembros de la organización antagónica los Rojos, "infiltrados" con los estudiantes. El Gil [dijo] que los 17 rojos ya se habían ido al agua, o sea, que ya los quemaron y que las cenizas las tiraron al agua, o me imagino que es el río Cocula.

Al ser cuestionado por el papel del Ejército en las inmediaciones del sitio, Murillo Karam soltó una pifia. Se congratuló de que no hubieran participado porque hubieran respondido para "apoyar a la autoridad constituida", que era la Policía municipal de Iguala. Su afirmación abría un flanco muy peligroso en el otro expediente: Tlatlaya. ¿Respondieron los soldados que atacaron a 22 jóvenes en Tlatlaya a la petición de alguna autoridad?

El relato de un episodio de tal magnitud no provocó reflexión alguna de Murillo Karam sobre la responsabilidad, así sea por omisión, del Estado mexicano ante múltiples denuncias previas sobre la penetración de los Guerreros Unidos en la alcaldía de Iguala, sobre el retraso de los primeros cinco días en la búsqueda de los normalistas y en considerar este expediente como un caso de desaparición forzada que involucra a cuerpos de seguridad.

Murillo Karam no convenció a la mayoría de quienes escucharon y vieron su conferencia, pero, lo principal, fue desacreditado de inmediato por los propios familiares.

Felipe de la Cruz, uno de los padres más elocuentes y precisos para fijar la posición del grupo, afirmó que mientras el titular de la PGR no tuviera pruebas de lo declarado ante medios de comunicación, ellos daban por vivos a sus hijos. Advirtió que sólo confiaban en los resultados que emitieran los peritos argentinos y no en la versión de los narcotraficantes detenidos.

"Es evidente que la búsqueda que lleva a cabo el gobierno no ha dado resultados", sentenció De la Cruz. Y Vidulfo Rosales Sierra, abogado del Centro de Derechos Humanos Tlachinollan, subrayó que demandaban "un nuevo plan de búsqueda para los 43 estudiantes".

El martes 11 de noviembre, los peritos del Equipo Argentino de Antropología Forense (EAAF) asestaron un duro golpe a la PGR. En un escueto comunicado afirmaron que de los 24 cuerpos analizados de las fosas de

Pueblo Viejo, Iguala y de Cocula, "ninguno mostró probabilidad de parentesco biológico con los 43 normalistas".

En síntesis, agregaron los peritos argentinos, "hasta el momento no ha habido identificación entre los restos recuperados en las tres localidades mencionadas y los 43 normalistas". Reiteraron que su política es "informar resultados primero a los familiares de las víctimas, así como a las autoridades a cargo de las investigaciones".[16]

Un mes después, el 6 de diciembre, los primeros resultados de la Universidad de Innsbruck revelaron que uno de los restos encontrados en Cocula correspondía al joven Alexander Mora Venancio, de 21 años, uno de los 43 jóvenes secuestrados desde el 26 de septiembre, originario de El Pericón, municipio de Tecoanapa, Guerrero.

En la página de Facebook de la Escuela Normal Rural de Ayotzinapa Raúl Isidro Burgos, con autorización de los padres de familia, fue subido este mensaje:

> Compañeros, a todos los que nos han apoyado, soy Alexander Mora Venancio. A través de esta voz les hablo. Soy uno de los 43 caídos el día 26 de septiembre en manos del narcogobierno. Hoy 6 de diciembre le confirmaron los peritos argentinos a mi padre que uno de los fragmentos de huesos encontrados me corresponden.
>
> Me siento orgulloso de ustedes, que han levantado mi voz, el coraje y mi espíritu libertario. No dejen a mi padre solo con mi pesar, para él significo prácticamente todo. La esperanza, el orgullo, su esfuerzo, su trabajo y su dignidad.
>
> Te invito a que redobles tu lucha. Que mi muerte no sea en vano. Toma la mejor decisión, pero no me olvides. Rectifica si es posible, pero no perdones. Éste es mi mensaje.

Estas frases, escritas desde una primera persona ficticia, conmocionaron y conmovieron a miles de manifestantes que protagonizaron la movilización

---

[16] Comunicado de EAAF, 11 de noviembre de 2014.

de ese día del Ángel de la Independencia al Monumento a la Revolución, día de la "toma de la Ciudad de México". Se leyeron en el momento más importante del acto político. Lejos de generar desaliento o desmovilización, la confirmación de la hipótesis planteada por Murillo Karam en su conferencia de prensa avivó el desencuentro entre los padres y el gobierno federal.

En la concentración del Monumento a la Revolución, Felipe de la Cruz advirtió:

A partir de hoy desconocemos al gobierno de Enrique Peña Nieto por asesino. Que nos escuche bien el presidente: podrán venir los días de vacaciones para aquellos que no sienten dolor, pero no habrá descanso para el gobierno peñista. Si no hay Navidad para nosotros, tampoco para el gobierno.

#YaMeCansé y la criminalización

En el remate de su conferencia, Murillo Karam cortó abruptamente la sesión de preguntas y respuestas con una frase: "Ya me cansé".

Estas tres palabras se convirtieron en el resumen de un estado anímico de hartazgo, molestia e incredulidad ciudadanas que pronto se viralizó en las redes sociales. Rompió récord como *trending topic* en Twitter a escala global y generó miles de frases, imágenes, caricaturas, memes, pintas, pancartas y consignas en las movilizaciones inmediatas.

#YaMeCansé duró más de un mes como la frase más mencionada entre los usuarios de las redes sociales. Tan sólo entre el 7 y el 20 de noviembre, esta frase se mencionó en más de 10 millones de mensajes o tuits enviados por esta red social. No existía precedente de una frase con alta carga política y emotiva que durara tanto en las cambiantes plataformas de comunicación digital. Ni siquiera cuando Enrique Peña Nieto, como precandidato presidencial, cometió la célebre pifia de confundir nombres de libros y autores y no poder mencionar tres libros que hubieran definido su vida, en la Feria Internacional del Libro de Guadalajara de 2011.

Un seguimiento elemental al uso de la frase #YaMeCansé por los miles de usuarios de redes sociales denotó varios estados anímicos:

a) Hartazgo frente a las versiones oficiales del caso.

b) El fin del miedo a protestar y enfrentarse a la narcocorrupción.

c) La molestia directa por la conferencia de prensa de Murillo Karam.

d) La empatía con la posición de los padres de familia que desacreditaron la presunta muerte colectiva de sus 43 hijos.

e) La crisis de seguridad generalizada, ya no sólo concentrada en Ayotzinapa.

f) La responsabilidad del Estado en los hechos.

g) La crítica a la manipulación de los medios masivos, especialmente, Televisa.

h) La renuncia de Peña Nieto.

Este último punto prendió los focos rojos en los centros de inteligencia y monitoreo del gobierno federal. Ya no sólo era la expresión de solidaridad #AyotzinapaSomosTodos o la serie de acciones colectivas englobadas en #AccionGlobalporAyotzinapa que promovieron cientos de colectivos y más de 115 instituciones educativas, públicas y privadas. Ahora se pedía la renuncia de Peña Nieto. El viaje a China y a Australia del presidente se percibió como una huida frente a la peor crisis vivida por su gobierno y la incapacidad para dar una respuesta a la altura de la circunstancia.

Así, desde ese momento comenzó a gestarse en Los Pinos y en los círculos de inteligencia del gobierno peñista un plan de provocación para criminalizar la protesta social. Pasaron de la reacción a la contraofensiva con una serie de mensajes equívocos y acciones represivas que alentaron la hoguera.

Había ingredientes y grupos suficientes para lograrlo. Como en el 1° de diciembre de 2012, durante la toma de posesión de Peña Nieto, había que preparar un escenario de violencia que justificara tomar medidas represivas y de persecución política.

El gobierno de Peña Nieto entraba de lleno al escenario de control de daños y contragolpe al movimiento social que se le había salido de las manos. Para colmo, la prensa internacional comenzó a escudriñar en el escándalo de corrupción y tráfico de influencias relacionado con la revelación de la exis-tencia de una mansión de ocho millones de dólares en Lomas de Chapulte-pec, conocida como la Casa Blanca, adquirida por la primera dama Angélica Rivera a través de una subsidiaria del contratista consentido del Grupo Atla-comulco: el empresario Juan Armando Hinojosa Cantú.

El viernes 7 de noviembre, en la noche, una concentración espontánea con más de 5 mil personas en las afueras de las oficinas de la PGR, sobre la avenida Paseo de la Reforma, marcó el nuevo punto de inflexión en el epi-sodio que abrió Murillo Karam con su conferencia.

Al día siguiente, el sábado 8 de noviembre, a través de una convocatoria horizontal en las mismas redes sociales, en infinidad de medios digitales y de boca en boca se convocó a otra concentración en la Ciudad de México. Lle-garon más de 15 mil personas a las oficinas de la PGR y después se dirigieron al Zócalo capitalino. Esa misma noche Peña Nieto había partido a su polé-mica gira internacional.

La concentración transcurrió sin incidentes. Se colocaron veladoras en el asta bandera. Se lanzaron consignas cada vez más fuertes contra Peña Nieto. Y un grupo muy reducido de jóvenes enmascarados decidió entrar en el escenario de la llamada "acción directa". Es decir, incendiar una de las puertas principales del Palacio Nacional, símbolo del poder presiden-cial en México.

Al filo de las 22 horas, el grupo de jóvenes que tomó las vallas que tradi-cionalmente separan el acceso a Palacio Nacional las empujó contra una de las puertas del edificio. Fotógrafos, camarógrafos y blogueros se juntaron en este momento: prendieron fuego a la puerta y ardió por un momento, antes de que entrara en acción el sistema automático de antincendios de Palacio Nacional.

La imagen fue lo suficientemente poderosa para llamar la atención inter-nacional. "Queman Palacio Nacional". "Arde la Puerta Mariana". Era la imagen-símbolo que algunos medios extranjeros equipararon con una espe-cie de Toma de la Bastilla de la Revolución francesa.

En realidad, fue algo mucho más burdo. Personas con el rostro cubierto con paliacates, gorros y máscaras de Anonymous lograron todo esto ante la mirada impasible de los miembros del Estado Mayor Presidencial que resguardan Palacio Nacional. El general Gustavo Ramírez Palacios, subjefe de Seguridad del Estado Mayor Presidencial, fue fotografiado en redes sociales en el momento que se enfrentaba ebrio a los grupos radicales.

Después, otra secuencia de fotografías identificó al mismo general Ramírez Palacios como el personaje que les da la orden a otros integrantes del Estado Mayor Presidencial y a los granaderos para que comenzaran las detenciones arbitrarias.

Al filo de la medianoche, con un Zócalo sin iluminación de luz eléctrica y con menos de mil personas en la plancha de la Plaza de la Constitución, unos 150 granaderos capitalinos comenzaron una intensa persecución por las calles del Centro Histórico para detener a los supuestos agresores de la puerta de Palacio Nacional. Arrestaron a unos 22 jóvenes. La mayoría salió días después por falta de pruebas que los vinculara con el incendio.

La orden para arrestarlos fue muy simple: "Atrapen a todo aquel que parezca estudiante y traiga una mochila". Hombres y mujeres. Jóvenes menores de 30 años. La provocación ya estaba armada. No atraparon a ninguno de los auténticos agresores porque había pasado suficiente tiempo para que huyeran. Algunos, incluso, ayudados por miembros del Estado Mayor Presidencial.

El domingo 9 de noviembre, por las puertas de la PGR salieron libres quienes fueron detenidos por la "quema" del Palacio Nacional. El primero fue el joven Luis Andrés Villegas Esparza, de 28 años de edad, detenido por los granaderos capitalinos y llevado a las instalaciones de la SEIDO. También liberaron a un joven comunicólogo del ITAM, Juan Francisco Manrique Huerta, y le siguió Ricardo Gabriel Karam, de 26 años, estudiante de administración.

Así fueron liberados todos los que sufrieron una serie de detenciones arbitrarias que parecían más una demostración de torpeza policiaca y "descuido" del Estado Mayor Presidencial. Sin embargo, los medios afines al gobierno tuvieron elementos para inducir a la siguiente fase de la reacción del Estado frente a la indignación social: la justificación del uso de la fuerza para reprimir. La criminalización de la protesta social estaba en marcha.

A falta de recursos políticos y ministeriales para enfrentar la crisis derivada de la poco creíble versión oficial de los hechos, el gobierno federal del PRI regresaba a un expediente ya muy conocido y utilizado desde la crisis de 1968: el montaje de la provocación.

A la semana siguiente, la noche del sábado 15 de noviembre, otro episodio sombrío en la Facultad de Filosofía y Letras en la UNAM provocó escenas que parecían el resultado de un guión prefabricado para inducir al miedo: agentes ministeriales de la procuraduría capitalina ingresaron en Ciudad Universitaria para liberar el auditorio Che Guevara. La justificación fue burda: el robo de un celular. El plan operativo salió mal. Un joven fue herido de bala por uno de los agentes judiciales. Enseguida los grupos radicales que ocupan ese auditorio incendiaron una de las patrullas de la PGJDF que dejaron en las instalaciones. Las imágenes del incendio circularon por todos lados. Y en la universidad entraron granaderos de la policía capitalina, algo que no sucedía desde hacía varios lustros.

El domingo 16 de noviembre, en vísperas de una movilización masiva convocada para el 20 de noviembre, hubo protestas en Ciudad Universitaria. Pidieron la renuncia del rector José Narro. Por primera vez, al conflicto de Iguala y a la situación de crisis en el Politécnico Nacional, se sumaba un agravio a la UNAM.

Narro salió a deslindarse de la presencia policiaca en la UNAM. Afirmó que "no es deseable la presencia de la fuerza pública en nuestras instalaciones. No forma parte de nuestra normalidad". El secretario de Gobierno capitalino, Héctor Serrano, ofreció "disculpas" públicas por el mal manejo del plan operativo policiaco. Mientras tanto, el jefe de Gobierno Miguel Ángel Mancera se reponía de una cirugía de corazón.

El viernes 14 de noviembre ocurrió otro acto sospechoso, cuando la carretera México-Cuernavaca fue bloqueada durante 12 horas por habitantes del poblado morelense de Huitzilac. Su protesta nada tenía que ver con Ayotzinapa sino con el presunto secuestro de un taxista. La "acción directa" de la toma de la principal arteria vial que conduce del Distrito Federal a Cuernavaca y a Acapulco (en pleno inicio de puente vacacional por el aniversario de la Revolución Mexicana) generó un malestar en decenas de miles de capitalinos que suelen salir en éxodo hacia algún centro de descanso.

En Guerrero, epicentro de la crisis, 8 mil integrantes de la Federación de Estudiantes Campesinos Socialistas de México (FECSM), padres de familia y miembros de la Coordinadora Estatal de Trabajadores de la Educación en Guerrero (CETEG) marcharon por las calles de Chilpancingo el mismo 14 de noviembre, en protesta por la acciones del gobierno federal en el caso de Ayotzinapa. Los gritos de "fuera Peña" y "juicio político al presidente" se escucharon en esa manifestación.

Durante la semana del 7 al 14 de noviembre, en Guerrero proliferaron actos violentos de protesta contra las instalaciones del Congreso, del PRI, del gobierno estatal, en la zona turística de Acapulco y otros centros vacacionales. En ese contexto, el secretario de Gobernación, Miguel Ángel Osorio Chong, lanzó la advertencia al gobierno estatal: "Cumpla su responsabilidad. Hemos trabajado por medio del diálogo, pero también éste tiene una tolerancia, y ésa es cuando se afectan los derechos de otros", advirtió el funcionario.[17]

EL GOLPE DE MANDO DE PEÑA

El escenario estaba listo para que Enrique Peña Nieto dejara el discurso conciliador, de empatía con los familiares de los normalistas de Ayotzinapa, para lanzar una advertencia muy clara sobre el uso de la fuerza.

A su llegada del viaje a China y Australia, en el hangar presidencial, el primer mandatario emitió un mensaje doble: por un lado, para deslindarse del escándalo de presunto conflicto de interés y tráfico de influencias que se detonó a raíz de la revelación de que él y su esposa poseen la Casa Blanca

---

[17] Fabiola Martínez, "El diálogo tiene límites…", *La Jornada*, 15 de noviembre de 2014.

en las Lomas de Chapultepec sin haberla dado a conocer en su declaración patrimonial; y la espiral de protestas por el caso de los normalistas.

"Yo aspiro y espero que no sea el caso de lo que el gobierno deba hacer, que no lleguemos a este extremo de tener que usar la fuerza pública. Queremos convocar al orden, a la paz", sentenció Peña Nieto, en un tono explícitamente duro e incómodo.

Esa noche del 15 de noviembre, Peña Nieto convocó:

> No hacer de este momento de duelo y de dolor por el que pasan los padres de familia una bandera de otras causas, una bandera que concite a la violencia y al desorden… Si lo que buscamos es encontrar solución, si lo que demandamos es justicia y que los responsables de estos hechos paguen por sus crímenes, esto no puede ser por medio de actos de violencia o de vandalismo, y más cuando afecten derechos de terceros.[18]

El discurso del hangar marcó el inicio de otra etapa en la gestión de la crisis del gobierno de Peña Nieto. Hasta ese momento, el presidente no había sido tan explícito en el uso de la fuerza pública para enfrentar las protestas y criminalizarlas.

En casi dos meses desde los sucesos del 26 de septiembre, el gobierno peñista intentó aplicar tres estrategias de comunicación política y gestión de la crisis para frenar la escalada nacional e internacional alrededor de la desaparición forzada de los 43 jóvenes de Ayotzinapa:

1. Minimizó el problema. El objetivo fue reducirlo a una crisis local de Guerrero y específicamente de Iguala. La protesta les estalló en el momento de los festejos del *Mexican moment.*

2. Al tomar el gobierno federal y la PGR la gestión de la investigación y la crisis pretendieron orientar el origen del conflicto a dos responsables políticos: el ex candidato presidencial Andrés Manuel López Obrador, dirigente de Morena y presunto padrino político de Lázaro Mazón; y luego a la

---

[18] Versión estenográfica, Presidencia de la República, 15 de noviembre de 2014.

corrupción interna del PRD, derivada de la protección de Nueva Izquierda al alcalde Abarca y al ex gobernador Ángel Aguirre.

3. La conferencia del 7 de noviembre de Murillo Karam trató de darle carpetazo a la indagación para excluir cualquier escenario que implicara enjuiciar a las fuerzas policiacas, estatales y ministeriales. Ni desaparición forzada ni ejecuciones extrajudiciales. El nivel de responsabilidad criminal quedaba en Abarca, los policías detenidos y el cártel de Guerreros Unidos.

Evidentemente, ninguna de las tres evitó que Peña Nieto estuviera en el centro del conflicto. Peor aún: a la crisis de ineficacia para enfrentar al crimen organizado y sus tentáculos de corrupción, ahora se sumaba un expediente de corrupción que implicaba directamente al primer mandatario con el caso de la Casa Blanca, a Televisa y a su contratista consentido desde los tiempos como gobernador del Estado de México.

Sobre la propiedad de la Casa Blanca, Peña Nieto primero afirmó el 15 de noviembre que le correspondería a la vocería de la Presidencia "aclarar lo que sin duda son aseveraciones imprecisas y carentes de sustento". Tres días después, el 18 de noviembre, el mandatario precisó su posición y su gesto ante el escándalo: orientó el caso hacia la responsabilidad de su esposa Angélica Rivera y advirtió que este asunto le generaba profunda molestia.

En Cuautitlán, Estado de México, Peña Nieto mezcló los casos de Ayotzinapa y de la Casa Blanca con un "interés de generar desestabilización, de generar desorden social y, sobre todo, de atentar contra el proyecto de nación que hemos venido impulsando".

Sin mencionar a nadie explícitamente, pero con un tono vehemente, molesto, extraño en sus cuidadas apariciones en público, Peña Nieto lanzó la advertencia y la insidia:

No nos vamos a detener. Pareciera que algunas voces unidas a esta violencia y a esta protesta, algunas de ellas, fueran aquellas que no comparten este proyecto de nación. Quisieran que el país frenara su desarrollo. Nos hemos atrevido a cambiar. Hemos ido en pos de reformas estructurales y de grandes cambios que nos dan una nueva plataforma.

[Las reformas] han afectado intereses, de los que muchos tienen, y de otros que se oponen al proyecto de nación, pero a pesar de ello, y a pesar de esas voces que al amparo de quienes sufren dolor y tienen pena, enarbolan banderas y de protesta, [es] claro que el gobierno de la República está firme en la construcción del proyecto de nación que queremos todos los mexicanos".[19]

Este discurso y las advertencias del 18 de noviembre, dos días antes de una marcha masiva en todo el país, representaron un giro de 180 grados en la narrativa peñista. Él mismo se colocaba como víctima de una conjura poco clara. Repetía un viejo recurso del presidencialismo mexicano que utilizaron presidentes como Gustavo Díaz Ordaz, Luis Echeverría, José López Portillo o Carlos Salinas de Gortari en su quinto y último años de gobierno.

Peña Nieto apenas estaba a punto de cumplir la tercera parte de su sexenio y ya asumía que vivía una crisis de final de ciclo.

"FUERA PEÑA", CRECEN LAS MOVILIZACIONES

En las calles de todo el país, sobre todo en la Ciudad de México, las intensas jornadas de protesta del 20 de noviembre, en el aniversario de la Revolución mexicana, adquirieron un claro tono de referéndum contra la administración de Peña Nieto.

A los tradicionales gritos de "¡justicia, justicia!", tras el conteo del uno al 43 en referencia a los normalistas, "todos somos Ayotzinapa", "vivos se los llevaron, vivos los queremos", se unió la consigna "¡fuera Peña, fuera Peña!"

El reclamo se escuchó desde Paseo de la Reforma hasta el Zócalo, donde confluyeron tres grandes contingentes que partieron del Ángel, la Plaza de las Tres Culturas y el Monumento a la Revolución. El clamor por la

[19] Enrique Sánchez, "EPN: no detendrán el proyecto de nación…", *Excélsior*, 19 de noviembre de 2014.

salida de Peña del gobierno también se escuchó en las protestas de más de 50 ciudades de la República y en otras 60 capitales del mundo, en especial en Estados Unidos, donde los connacionales protagonizaron movilizaciones y protestas.

La movilización del 20 de noviembre, enmarcada en la jornada titulada #AcciónGlobalPorAyotzinapa fue convocada, una vez más, a través de las redes sociales. Los medios electrónicos intentaron minimizar e inhibir la manifestación. Ya no apoyaban la "solidaridad" con los familiares de los normalistas sino que siguieron el guión presidencial: cuidado con la violencia, habrá riesgos.

En la mañana del jueves 20 de noviembre, unos 300 jóvenes intentaron bloquear el Aeropuerto Internacional de la Ciudad de México. Se enfrentaron contra granaderos en el cruce de Circuito Interior y Calzada Ignacio Zaragoza. Encapuchados, en su mayoría, representaban a "los bárbaros" y "los violentos" que el discurso presidencial había estigmatizado previamente.

La tensión no desembocó en mayores hechos violentos. Fueron aislados y arrestados algunos de los jóvenes que protestaron con ganas de hacer "acciones directas" para afectar el principal aeropuerto nacional.

Para las 17 horas, cuando estaban llamadas las concentraciones en tres puntos distintos de la Ciudad de México y en decenas de ciudades del país, los contingentes llegaron con pancartas, cartelones, mantas, consignas y miles de banderas mexicanas de negro. Era una marcha de luto, pacífica y con gran fuerza creativa.

La marcha, que se prolongó casi tres horas hasta el Zócalo capitalino, se transformó en un performance colectivo de protesta. "Por inepto, asesino y delincuente, fuera Peña", rezaba una enorme manta del Faro de Oriente. "¿Por qué, por qué nos asesinan si somos la esperanza de América Latina?", coreaban miles de jóvenes que provenían de Guerrero, Oaxaca, Estado de México e Hidalgo, con fuerte presencia de las escuelas normalistas.

También se escucharon proclamas contra los tres principales partidos políticos. Y el escándalo de la Casa Blanca y Angélica Rivera fue referido en algunas consignas: "Gaviota, Gaviota, tu esposo es un idiota".

A diferencia de las marchas anteriores, protagonizadas por jóvenes menores de 25 años, en la jornada del 20 de noviembre salieron también familias enteras, oficinistas, adultos, viejos activistas, artistas, futbolistas (hasta *Chicharito* Hernández se manifestó por la justicia en Ayotzinapa), médicos, monjas, grupos religiosos de iglesias protestantes, el Frente de Pueblos en Defensa de la Tierra de San Salvador Atenco, colectivos de diversidad sexual, sindicatos como el de telefonistas y el sme, músicos, colectivos de pintura, escultura y muchos observadores que vieron desfilar a una de las manifestaciones más numerosas en los últimos años.

En la extraordinaria diversidad de la manifestación estaba también la porosidad. Evidentemente, se infiltraron personas encapuchadas, disfrazadas algunos de anarquistas o de Anonymous, pero en muchos casos fueron repelidos por los contingentes. Las advertencias contra los provocadores fueron constantes.

Desde los tres puntos donde partieron las manifestaciones hasta el Zócalo no hubo ningún hecho de violencia. Ni siquiera algún intento de saqueo o agresión contra establecimientos comerciales, restaurantes u hoteles.

En la Plaza de la Constitución arengó el padre Felipe de la Cruz para advertir las dimensiones nacionales que adquirió la demanda de Ayotzinapa:

> Hoy queremos decirles que no sólo es Guerrero. Gracias a las caravanas nos dimos cuenta de que fosas clandestinas y desapariciones hay en todo el país. Hoy, 20 de noviembre, no festejamos el 104 aniversario de la Revolución Mexicana. Si estamos aquí parados es porque los gobernantes han mutilado nuestra Constitución en su beneficio y para justificar sus actos.

Con una oratoria impecable, De la Cruz dirigió su alocución a quien, sin duda, fue el más repudiado en la marcha, Peña Nieto: "Usted asegura estar facultado para usar la fuerza púbica contra los manifestantes, pero se olvida de que el pueblo tiene otras facultades, y justo aquí está para exigir cuentas".[20]

[20] Emir Olivares, Fernando Camacho y Alonso Urrutia, "El gobierno sabe dónde están los 43 normalistas", *La Jornada*, 21 de noviembre de 2014.

Los gritos de "¡fuera Peña, fuera Peña!" y "fue el Estado, fue el Estado" se escucharon por todos los puntos cardinales de la principal plaza cívica del país. La plancha del Zócalo no se llenó porque los padres se retiraron pronto. Y los contingentes que llegaban no tenían un acto central para escuchar. El templete que minutos antes utilizaron los padres normalistas, se transformó en una imaginaria línea divisoria entre grupos de personas encapuchadas que lanzaron bombas molotov, petardos y proyectiles contra el Palacio Nacional.

En el centro de la plaza, cerca del asta bandera, un gigantesco muñeco que representaba a Peña Nieto fue incendiado. La cabeza del monigote rodó por el suelo. Fue la imagen climática de la jornada. Reproducida por cientos de miles de veces en las redes sociales (Twitter, YouTube y Facebook, principalmente), pero ignorada por Televisa, TV Azteca y la mayoría de los periódicos al día siguiente.

A las 21:15 la calma se rompió. Contingentes de granaderos que estaban sobre la calle Corregidora comenzaron a replegar a manifestantes y a enfrentarse con gases lacrimógenos, toletes y escudos contra decenas de personas.

Los enfrentamientos duraron casi una hora. Desalojaron con chorros de agua a los ciudadanos que permanecían en la plancha del Zócalo y las detenciones proliferaron. La mayoría de estas detenciones, como en la jornada del 8 de noviembre, se hicieron de manera arbitraria. Los encapuchados que estaban lanzando bombas molotov se escurrieron entre los propios granaderos.

Las distintas versiones preliminares hablaron de entre 25 y 31 detenidos que fueron entregados a la SEIDO por presuntos hechos de sabotaje y hasta de terrorismo. Para el sábado 22 de noviembre, las detenciones arbitrarias se transformaron en un nuevo expediente contra 11 jóvenes que fueron enviados a penales de alta seguridad, acusados de cargos como asociación delictuosa, motín, tentativa de homicidio y hasta terrorismo.

Casi de inmediato iniciaron las protestas y demandas por la liberación de varios de estos jóvenes y la condena por la criminalización de la protesta.

Adrián Ramírez, presidente de la Liga Mexicana por la Defensa de los Derechos Humanos, declaró:

DEL *MEXICAN MOMENT* AL *MEXICAN MURDER*

Si alguien cometió algún delito, que se le sancione, pero de acuerdo con lo que haya hecho, en vez de usar el derecho para prostituir la justicia y criminalizar el derecho a la manifestación. Llevarlos a un penal de alta seguridad es un agravio más, y eso únicamente abona a que la población tenga más coraje.[21]

Se repetían los testimonios de abusos y detenciones arbitrarias, similares a los del 1° de diciembre de 2012, cuando Peña Nieto asumió el poder presidencial. La diferencia es que la prensa internacional consignó la demanda de la salida de Peña Nieto junto con el creciente escándalo por la propiedad inmobiliaria de su esposa Angélica Rivera.

Periódicos que antes publicaron sendos elogios a Peña Nieto, como *The Wall Street Journal* y *The Financial Times*, consignaron que el presidente mexicano y su esposa enfrentaban un conflicto de intereses.

Una semana después de la ola de detenciones arbitrarias y ante la presión de las organizaciones ciudadanas y abogados involucrados en su defensa, los 11 detenidos de la manifestación del 20 de noviembre fueron liberados por el juez 17, Juan Carlos Ramírez. Entre ellos se encontraba el estudiante chileno Laurence Maxwell Ilabaca. Su caso generó una crisis diplomática con el país sudamericano.

Los 11 liberados circularon un comunicado en el que expresaron su "indignación por el montaje judicial con el que fueron detenidos nuestros familiares. Denunciamos las agresiones contra el derecho que tenemos todos a manifestarnos, contra la violencia de Estado, así como la criminalización de la protesta".[22]

El lunes 1° de diciembre de 2014, en otra manifestación que conjuntó a poco más de 10 mil personas en los alrededores del Ángel de la Independencia, se repitió el guión de la provocación con acciones violentas, torpeza y detenciones arbitrarias por la policía capitalina.

---

[21] Fernando Camacho Servín, "Prostituyen la justicia al inculparlos de motín y asociación delictuosa: ONG", *La Jornada*, 23 de noviembre, 2014.

[22] Eirinet Gómez, Myriam Navarro y Fernando Camacho, "Liberan a los 10 mexicanos y un chileno detenidos…", *La Jornada*, 30 de noviembre, 2014.

El acto de protesta coincidió con los dos años del gobierno de Peña Nieto. Los planes para ir hacia Los Pinos se cancelaron ante la falta de condiciones políticas para lograrlo. La convocatoria fue muy abierta, a través de las redes sociales. Llegaron decenas de contingentes de estudiantes y de capitalinos para protestar frente a la emblemática glorieta de la avenida Reforma. Se evitó una marcha hacia el Zócalo y la concentración se desarrolló sin mayores complicaciones.

De nuevo, el mensaje más duro fue dirigido a Peña Nieto, quien cuatro días antes había lanzado su "decálogo" para enfrentar la crisis. "Quiero decirle a Peña Nieto que él no es Ayotzinapa; nosotros sí tenemos dignidad", remató Clemente Rodríguez, uno de los padres de los normalistas que participó como orador en el acto.[23]

En el mismo tono crítico, desautorizando los discursos recientes del mandatario y los reiterados intentos por criminalizar la protesta, representantes de la Asamblea Interuniversitaria (que agrupa a las facultades y escuelas públicas que participan en las marchas) también desacreditaron el discurso presidencial:

"Es como si *el Chapo* Guzmán presentara un plan antinarco", afirmó uno de los estudiantes en el templete del Ángel de la Independencia iluminado de rojo.

Al final de la concentración, cuando la mayoría de los contingentes se retiró, un grupo de encapuchados agredió a varios comercios, hoteles e instalaciones bancarias, ubicadas entre el Ángel de la Independencia y las instalaciones del Senado de la República.

La policía capitalina, una vez más, actuó tarde y mal. Después de los hechos de violencia aparecieron cientos de granaderos desde la glorieta de Chapultepec que acudieron a perseguir a todo aquel que fuera joven, con mochila, estudiante y presunto sospechoso.

En la persecución descalabraron a una mujer, ama de casa, Rosalinda Rojas, quien pasaba por la calle de París, a unos metros del Senado y se inter-

---

[23] Emir Olivares, Patricia Muñoz y César Arellano, "'Peña, tú no eres Ayotzinapa'…", *La Jornada*, 2 de diciembre de 2014.

puso con los granaderos que golpeaban a unos jóvenes estudiantes. Fueron tres los detenidos ese día. La intervención de los visitadores de la Comisión Nacional de Derechos Humanos y de su similar capitalina evitó una nueva oleada de detenciones arbitrarias, como las del 20 de noviembre.

Este episodio y otros le costaron el cargo a Jesús Rodríguez Almeida, secretario de Seguridad Pública del Distrito Federal, mano derecha del jefe de Gobierno capitalino Miguel Ángel Mancera, quien presumió en declaraciones públicas la arbitrariedad policiaca.

EL "DECÁLOGO MUERTO" DE EPN

A dos meses del baile del terror de Iguala, Enrique Peña Nieto convocó a un fastuoso evento en Palacio Nacional para anunciar medidas extraordinarias frente a la crisis. Los voceros extraoficiales de Los Pinos filtraron a la prensa que el primer mandatario daría un "golpe de mando". Se especuló, incluso, con la salida de varios secretarios de Estado, incluyendo la del procurador general y la del titular de Gobernación.

El discurso del 27 de noviembre fue un balde de agua fría. Peña Nieto lanzó un mensaje de poco más de media hora para anunciar 10 medidas que decepcionaron a propios y extraños. Muy por debajo de las expectativas generadas y de la situación de crisis por las que atravesaba su administración, el primer mandatario redujo la interpretación de los sucesos de Iguala y las demandas en las calles a un asunto de renovar policías municipales, decretar el "mando único" en cinco entidades, reformar la Constitución para darle facultades al Senado y al Ejecutivo federal de declarar la desaparición de poderes municipales.

Fiel a su convicción y a su proyecto de restauración presidencialista, Peña Nieto evadió cualquier responsabilidad de las autoridades federales en la crisis que detonó la desaparición de los 43 estudiantes de Ayotzinapa y desempolvó medidas que antes intentó aplicar el gobierno de Felipe Calderón para darle un mayor protagonismo a la Policía Federal, al Ejército y a la Secretaría de Marina. Además, coló propuestas de reformas constitucionales que abiertamente contradicen el principio del federalismo y legalizan las facultades metaconstitucionales del presidente en el manejo de las fuerzas del orden. Se trataba de una auténtica contrarreforma que llevó a muchos observadores y analistas a preguntarse: "¿Quién asesora a Peña Nieto?" En los hechos, el "decálogo" constituyó un intento desesperado por recuperar la centralidad de la Presidencia, la iniciativa que la crisis de Iguala y los escándalos de corrupción le quitaron al habitante de Los Pinos.

En síntesis, el "decálogo" de Peña Nieto propuso lo siguiente:

1. Reformas constitucionales para permitir la intervención o disolución de los ayuntamientos ante casos de infiltración del crimen organizado. Estas medidas incluyen la desaparición de las corporaciones policiacas municipales.

2. Reformas legislativas para evitar la "dispersión" en la competencia federal, estatal y municipal en el combate a la delincuencia organizada, en especial al narcomenudeo.

3. Disolución de los cuerpos policiacos municipales para tener un "mando único" estatal, a la usanza de Morelos. Se anunció un "plan piloto" en Guerrero, Jalisco, Michoacán y Tamaulipas. El presidente ignoró por completo su propia entidad, el Estado de México, señalado por su creciente ola delictiva y por la corrupción de los agentes policiacos.

4. Crear un Sistema Nacional Anticorrupción con nuevos esquemas de vigilancia en las autoridades y fortalecimiento de las auditorías. Incluyó el nombramiento de un fiscal anticorrupción, proyecto que estaba detenido en el Senado de la República. También anunció la imposición de sanciones a empresas (no a los funcionarios públicos) que se presten a la corrupción en licitaciones.

5. Nuevas leyes generales en materia de derechos humanos, combate a la tortura y la desaparición forzada. A su vez, la creación de un sistema nacional de búsqueda de personas no localizadas, así como un sistema de información genética y un registro nacional de víctimas.

6. Creación de un teléfono único para casos de emergencia. Peña Nieto sugirió que fuera la línea 911 para todo el país. La medida ya se incluía en la reforma de telecomunicaciones. Este anuncio creó la mayor cantidad de burlas y memes en las redes sociales por lo ridículo de proponer algo que ya estaba contemplado y nunca ha servido.

7. Creación de una clave única de identidad, propuesta desde el gobierno de Felipe Calderón.

8. Creación de portales de transparencia para dar a conocer los contratos y sus montos, algo que ya debe existir desde la reforma constitucional en materia de acceso a la información pública.

9. Relanzamiento del Plan Nuevo Guerrero, de noviembre de 2013, con millonarias inversiones presupuestales, así como la creación de tres "zonas económicas especiales" en Guerrero, Chiapas y Oaxaca para disminuir la desigualdad.

10. Un nuevo despliegue de fuerzas federales en la zona de Tierra Caliente, que abarca los estados de México, Guerrero y Michoacán.

En el remate de su discurso, Peña Nieto tuvo el desatino de afirmar que "ante la crueldad y la barbarie, ¡todos somos Ayotzinapa!"

El propio Peña Nieto desacreditó su súbita empatía con la causa de los 43 normalistas desaparecidos cuando convocó el 4 de diciembre, en otro acto realizado en Acapulco, ante empresarios y la clase política de la entidad, a "superar este momento de dolor".

La frase alentó toda clase de réplicas, críticas y protestas en las redes sociales y en el propio Congreso. Peña Nieto mandaba a su propia fosa su decálogo y su mal ensayado cálculo para decretar "superada" una crisis que lo colocó en el peor momento de aceptación popular, según las encuestas publicadas esos días en los periódicos *Reforma* y *El Universal*.

Peña Nieto apareció por debajo de los índices de aceptación que tuvo Ernesto Zedillo en el peor momento de la crisis económica de 1995. Llegó a su segundo año de gobierno en pleno declive, enfrentando una crítica generalizada, más similar a un quinto año de gobierno que a un primer tercio en el que se presumirían los logros del *Mexican moment.*

En el inicio de 2015, el caso de los 43 estudiantes desaparecidos en Iguala cobró nuevos bríos. El 12 de enero, al cumplirse 107 días de la crisis, maestros, normalistas y grupos civiles de apoyo se enfrentaron contra policías, militares y guardias del 27 Batallón de Infantería en Iguala. La demanda de abrir los cuarteles del Ejército para encontrar a los jóvenes de Ayotzinapa cobró fuerza.

En respuesta, la Sedena presentó denuncias de hechos ante la PGR por presuntas agresiones de 200 personas contra la Policía militar del 27 Batallón de Infantería, "mediante el uso de extinguidores y lanzamiento de petardos, piedras y botellas que obtuvieron mediante la retención de un tráiler que transportaba cerveza".[24]

La demanda enfureció a los altos mandos militares, a la PGR y a la Secretaría de Gobernación. En los medios de comunicación alineados con el gobierno peñista, especialmente en las cadenas de televisión abierta, las víctimas de Iguala y los familiares de Ayotzinapa comenzaron a ser tratados como "verdugos" y "vándalos".

La demanda de abrir los cuarteles fue considerada como un despropósito. Tan sólo la Secretaría de la Defensa Nacional tiene 400 instalaciones distribuidas en 12 regiones militares integradas por 46 zonas, en donde pudieran haber evidencias que conduzcan a los 43 normalistas desaparecidos, según los propios padres de Ayotzinapa.

La PGR desestimó toda información que obligara a replantear y abrir las "líneas de investigación" sobre los sucesos de Iguala y menos vincularlos con las ejecuciones extrajudiciales de Tlatlaya, Estado de México, a pesar de los indicios que señalan la presencia de las mismas células del crimen organizado (especialmente los Guerreros Unidos) en ambas zonas.

El 13 de enero de 2015, el titular de la Agencia de Investigación Criminal (AIC), Tomás Zerón de Lucio, afirmó que "se han agotado todas las líneas de investigación surgidas durante la indagatoria" y que en la desaparición de los 43 normalistas de Ayotzinapa sólo estaban involucrados los policías municipales de Iguala y Cocula, vinculados con los Guerreros Unidos.

---

[24] Comunicado oficial de la Sedena, 13 de enero de 2015.

Ni por omisión, comisión o posible colusión, han querido investigar a elementos militares, a pesar de que el propio Zerón de Lucio admitió en su conferencia de prensa que entre las 380 personas interrogadas por la PGR se encuentran 36 militares.

La tensión entre los militares y los padres de familia de Ayotzinapa se generó también en el momento que la Comisión Nacional de Derechos Humanos decidió reclasificar el expediente de Tlatlaya como "investigación de violaciones graves a derechos humanos" y determinó que, al menos con cinco de los 22 civiles ejecutados, los militares privaron de la vida a las víctimas con sus propias armas.

El 20 de enero de 2015, los especialistas de la Universidad de Innsbruck informaron que no pudieron encontrar "la cantidad de ADN útil que permita obtener un perfil genético" de los restos enviados por la PGR, debido al "calor excesivo que destruyó el ADN y el ADN mitocondrial". En su documento, la institución austriaca criticó la "falta de custodia" de las supuestas evidencias de los jóvenes normalistas. Este punto no fue destacado en las versiones oficiales.

La incertidumbre se prolongó tras este informe. Los genetistas austriacos sólo habían podido establecer la pertenencia de los restos del joven Alexander Mora Venancio, uno de los 43 desaparecidos de Ayotzinapa.

A pesar de esta versión, el procurador Murillo Karam reiteró su versión del holocausto al estilo mexicano en Cocula. En improvisada rueda de prensa, el procurador afirmó que tras los resultados de la Universidad de Innsbruck, "me queda claro que allí [en Cocula] mataron, por lo menos, a uno [Alejandro Mora Venancio]" y que "las declaraciones, las pruebas y todo lo demás me hacen pensar que allí los mataron".[25]

A pesar de las resistencias de la PGR y del gobierno de Peña Nieto, la internacionalización de la crisis de Ayotzinapa se incrementó desde 2015. El primer mandatario norteamericano Barack Obama le reiteró al

---

[25] Gustavo Castillo y Rosa Elvira Vargas, "Según las pruebas, los normalistas están muertos: Murillo", *La Jornada*, 21 de enero de 2015.

presidente mexicano en su encuentro del 6 de enero, la preocupación de la Casa Blanca ante la tragedia. El gobierno alemán propuso el 20 de enero ayudar en la búsqueda de los normalistas. La Comisión Interamericana de Derechos Humanos anunció el mismo mes la intervención de una comisión de expertos.

De ese modo, el gobierno de Peña Nieto ya no era recordado ni señalado por las promesas de bonanza de sus "reformas estructurales". Menos cuando en enero de 2015 la "madre de todas las reformas", la petrolera, naufragaba ante la disminución de los precios internacionales de los hidrocarburos.

Muy distante estaba aquella escena del 23 de agosto, cuando Peña Nieto y Angélica Rivera entraron triunfales y sonrientes en el hotel Waldorf Astoria para recibir el galardón de mejor estadista del año para el mandatario mexicano. Y apenas habían transcurrido cuatro meses. El *Mexican moment* se hundió en una fosa.

En marzo de 2014, Jesús Murillo Karam fue sustituido con más pena que gloria por la ex senadora priísta Arely Gómez. Televisa anunció este enroque. La "verdad histórica" del político hidalguense prevaleció en las primeras declaraciones de la nueva procuradora general.

CAPÍTULO 5

Corrupción: la caja de Atlacomulco

20 de agosto de 2014. El Fondo de Cultura Económica, con la dirección de José Carreño Carlón, inauguró una serie de "charlas" con el primer mandatario para analizar las reformas estructurales. Fue una entrevista cómoda, sin cuestionamientos duros, para presumir a un mandatario exitoso y a una empresa editorial transformada en promotora presidencial en el 80 aniversario de su creación.

El programa Conversaciones A Fondo duró sólo una emisión. Fue grabado en el Salón Embajadores, del Palacio Nacional, el sitio más emblemático en los protocolos de Estado, convertido en un set televisivo para que Peña Nieto ejercitara un largo monólogo con los conductores y periodistas Lilly Téllez, Ciro Gómez Leyva, Pascal Beltrán del Río, Denise Maerker, Pablo Hiriart y León Krauze.

Nada contrarió en ese diálogo sin trasfondo al primer mandatario. Los periodistas obsecuentes, el primer mandatario repetía los mismos argumentos de todas sus conferencias de prensa. Las respuestas de Peña Nieto eran perfectamente estudiadas, salvo cuando llegaron al tema del combate a la corrupción.

Denise Maerker le cuestionó que los partidos políticos del Pacto por México no se pusieron de acuerdo en la creación de la Comisión Nacional Anticorrupción, una propuesta que se dio a conocer el 2 de diciembre de 2012, al inicio del sexenio peñista.

Incómodo con el tema, Peña Nieto relativizó el problema de la corrupción hasta convertirlo en un "tema cultural" que "está en el orden social" y no es una prioridad de su gobierno. Ninguna acción concreta fue reseñada por el primer mandatario. Ningún anuncio de combate a una de las prácticas que está identificada en todas las encuestas como la segunda preocupación de los mexicanos, después del tema de la inseguridad pública.

"Primero, Denise, la corrupción lamentablemente es un cáncer social que no es exclusivo de México. Está presente en todas las naciones, es un tema casi humano. Está presente en toda la historia de la humanidad", inició Peña Nieto su fallida respuesta.

Afirmó que la Comisión Nacional Anticorrupción fue aprobada en la Cámara de Senadores y se encontraba en discusión en la Cámara de Diputados. Sin embargo, advirtió, "no puedes pensar que una sola institución es la que nos asegure que no habrá corrupción. Mucho de esto tiene que ver con un cambio cultural. Tiene que ver con un marco legal que sanciona conductas de corrupción dentro del sector público, pero también dentro del sector privado", continuó Peña Nieto.

"La corrupción se alimenta de dos lados. La corrupción no viene del orden público solamente, sino también del orden privado. Es un tema, insisto, del orden cultural", dijo por segunda vez el ex gobernador del Estado de México, una de las cinco entidades identificadas con la tasa más alta de percepción de corrupción pública, según la Encuesta Nacional de Calidad e Impacto Gubernamental del Inegi.[1]

Peña Nieto no admitió que el combate a la corrupción fuera una prioridad de su gobierno, ni siquiera ante la pregunta de León Krauze sobre acusaciones de desvío de fondos contra ex gobernadores priístas, como Humberto Moreira, ex dirigente efímero del tricolor. "Es un tema en el orden social. Debe haber una participación de todos… Tenemos que fomentar valores, principios… Esto tomará tiempo", insistió el presidente mexicano.[2]

Apenas dos meses antes de esas declaraciones, en junio de 2014, la firma consultora EY publicó su Estudio Global sobre la Corrupción y Fraude en

[1] Encuesta Nacional de Calidad e Impacto Gubernamental, 2013.
[2] Conversaciones a fondo (versión estenográfica), 20 de agosto de 2014.

México, donde cuatro de cada 10 directivos empresariales consultados en el país admitieron que es común la práctica del soborno para ganar contratos en nuestro país. Lo justificaron señalando que con ese fin se mantenía el negocio.

En ese estudio, México subió cinco puntos porcentuales en cuanto a la percepción de que la práctica del soborno se ha incrementado. El 18% de los consultados admitió que se les solicitó pagar soborno por alguna autoridad o servidor público, porcentaje por arriba del promedio mundial que es de 11 por ciento.[3]

Tampoco otras encuestas le daban la razón a la indiferencia de Peña Nieto frente al tema. La corrupción no es un tema cultural sino sistémico y los problemas más fuertes en la percepción pública son la impunidad de los servidores públicos, en especial de quienes han tenido altos cargos ejecutivos (gobernadores, secretarios de Estado, alcaldes), así como el crecimiento en los llamados *moches* y el involucramiento de las autoridades en el crimen organizado. De eso nada dijo Peña Nieto en el balance de sus reformas estructurales.

Los índices de la corrupción mexicana son negativos y muy altos a escala global. Tan sólo el Barómetro Mundial de Transparencia Internacional colocó a México en el lugar 106 de los países más corruptos de 177 en total, en su reporte de 2013. En 2009, México ocupaba el lugar 89; en 2010 pasó al sitio 98, pero con el retorno del PRI a la Presidencia de la República se incrementó la percepción negativa en la misma consulta.

En esa medición, México está muy lejos de Uruguay, la nación de América Latina menos corrupta, situada en el lugar 19, y de Chile, el primer país en aplicar a rajatabla el modelo neoliberal en el continente, ubicado en el sitio 22. Canadá, nuestro socio comercial, está en el lugar 9 y Estados Unidos en el 29.

[3] Mario Alberto Verdusco, "México, campeón en corrupción", *El Universal*, 25 de junio de 2014.

De acuerdo con los sondeos de Transparencia Internacional, el sector privado no aparece como uno de los más corruptos. En primer lugar, están los partidos políticos (91%), seguidos por los distintos cuerpos policiacos (90%), los funcionarios públicos (87%), el Poder Judicial (80%), los medios de comunicación (55%) y el sector privado y las empresas (51%). Entre los menos corruptos fueron mencionados el Ejército (42%) y el sector salud (42%).

La falta de enfoque y punto de vista sobre el fenómeno de la corrupción es consustancial al modelo peñista. Ninguno de los mensajes oficiales de Peña Nieto al tomar posesión o de sus documentos de campaña mencionó como prioridad el combate a la corrupción. Había una deliberada intención de minimizar y relativizar este cáncer social que ha acompañado como un gran manto de sombra el ascenso de Peña Nieto al poder presidencial, desde su época como colaborador del gobierno de Arturo Montiel, identificado como uno de los mandatarios del Estado de México más corruptos de los últimos años.

En su libro de campaña presidencial *México, la gran esperanza*, Peña Nieto antepuso el valor del "Estado eficaz" y del "gobierno de resultados" a una administración legal, sin prácticas de corrupción. De sus 181 cuartillas, sólo le dedicó tres y media al tema de la "rendición de cuentas" y propuso como política anticorrupción "promover la generalización de códigos de ética para los servidores públicos e impulsar la participación de testigos sociales en compras gubernamentales relevantes para dejar debidamente certificada la pulcritud de las adquisiciones".[4]

No hizo una sola referencia a las prácticas y los fenómenos de corrupción emblemáticos del sistema político mexicano, como son el conflicto de interés, el tráfico de influencias, el desvío de fondos públicos y el lavado de dinero. Nada que lo vinculara con la herencia de su antecesor y padrino Arturo Montiel, mucho menos una reflexión sobre la decadencia política del PRI causada por la corrupción y la impunidad.

---

[4] Enrique Peña Nieto, *México, la gran esperanza*, Grijalbo, México, 2011, p. 55.

Como presidente recién llegado a Los Pinos, Peña Nieto envió en diciembre de 2012 tres iniciativas preferentes al Congreso: sobre transparencia, sobre combate a la corrupción y otra en materia de publicidad y equidad en los recursos públicos destinados a los medios de comunicación. Fueron propuestas reactivas para frenar las constantes críticas y expedientes que lo han señalado a él y a su grupo de poder como opacos, beneficiarios de prácticas de corrupción y proclives al uso intensivo e ilegal de recursos del erario para disfrazar como información o entretenimiento lo que es propaganda pagada en medios de comunicación.[5]

Su propuesta de Comisión Nacional Anticorrupción adoleció de dos debilidades institucionales: la convierte en un órgano al servicio del presidente de la República y de la administración pública federal, donde ocurren los mayores casos de corrupción; no incluye figuras delictivas básicas como "conflicto de interés" y "declaración de intereses" ni comisiones de control legislativo para evitar que la Comisión Nacional Anticorrupción se convierta en un brazo ejecutor de venganzas políticas del presidente de la República.

En el colmo de su atavismo presidencialista, Peña Nieto propuso que el Consejo Nacional de Ética Pública, con funciones de prevención y de fomento a la "cultura de la legalidad", fuera encabezado por un conjunto de expertos nombrados por el propio presidente de la República. "Este modelo representa una forma de simulación con fines cosméticos, sin que puedan extraerse resultados de esa iniciativa para bien del país", escribió Ernesto Villanueva al analizar esta propuesta peñista.[6]

La Comisión Anticorrupción y el Consejo Nacional de Ética Pública fueron firmados en los compromisos 85 y 86 del Pacto por México del 2 de diciembre de 2012, y enunciados de la siguiente manera:

a) Se creará un sistema nacional contra la corrupción que, mediante una reforma constitucional, establezca una Comisión Nacional y comisiones estatales con facultades de prevención, investigación y sanción

---

[5] Jenaro Villamil, *Si yo fuera presidente*, Grijalbo, México, 2009.

[6] Rafael Rodríguez Castañeda (coord.), *La agenda pendiente*, Temas de Hoy, México, 2013, p. 80.

administrativa y denuncia ante las autoridades competentes por actos de corrupción. Se pondrá especial énfasis en entidades como Pemex y la CFE.

b) Se creará un Consejo Nacional para la Ética Pública con la participación de diversas autoridades del Estado mexicano y miembros de la sociedad civil para dar seguimiento a las acciones concertadas contra la corrupción.

Ninguno de estos dos compromisos se cumplió a los dos años de su gobierno. La reforma energética minimizó el cambio legislativo tendiente a un combate real contra la corrupción en las dos grandes "empresas productivas del Estado" que se convirtieron en el eje de la reforma estructural más importante de su sexenio.

La corrupción en el poderoso sindicato de Pemex, afiliado al PRI, fue un tema vedado en las negociaciones de la reforma energética, a pesar de la insistencia del PAN, el aliado indispensable de Peña para sacar adelante estos cambios. Sólo se limitó la presencia del sindicato en el Consejo de Administración de Pemex y se le garantizó un salvoconducto al cacique sindical Carlos Romero Deschamps, senador priísta y protagonista de múltiples escándalos de desvíos de fondos para campañas políticas como el Pemexgate, durante el año 2000.

Mucho menos se adoptaron medidas para frenar la corrupción y colusión de funcionarios de Pemex en la contratación de servicios de *outsourcing* de la principal industria del país, plagada de casos graves de fraude, como el de Oceanografía. A pesar de las reiteradas investigaciones que señalan al sector petrolero mexicano como una de las fuentes privilegiadas de las prácticas de conflictos de interés, tráfico de influencias, malversación de fondos, tráfico de hidrocarburos, licitaciones y adjudicaciones directas sin fiscalización real, entre muchas otras, el tema fue reducido a su mínima expresión en el paquete de 11 reformas legales.

La misma investigación del caso Oceanografía, emprendida por la Comisión Nacional Bancaria y de Valores (CNBV), la Secretaría de la Función Pública (SFP) y la Procuraduría General de la República (PGR), se convirtió en un ejemplo claro de la incapacidad del gobierno peñista para sancionar a los principales responsables de la red de fraude controlado, largamente organizada entre la empresa naviera, los funcionarios de Pemex y Citigroup-Banamex.

Desde el inicio del caso Oceanografía, el procurador Jesús Murillo Karam y la subprocuradora Mariana Benítez Tiburcio orientaron la investigación a un "fraude entre particulares" (Banamex *versus* Oceanografía), y no a un fraude corporativo de gran escala que afectó a Pemex. En los hechos, Oceanografía demostró el menosprecio de la administración peñista para llegar realmente al fondo de un quebranto multimillonario contra la principal industria del país.

La detención de la poderosa cacique sindical del magisterio, Elba Esther Gordillo, tampoco profundizó en las intrincadas redes de corrupción que la maestra y ex aliada de Peña Nieto construyó durante dos décadas como dueña del SNTE, ni en la red de privilegios y negocios consentidos por Vicente Fox y Felipe Calderón, quienes le otorgaron el control de diversas instituciones, como el ISSSTE, la Lotería Nacional y la Subsecretaría de Educación Básica de la SEP, por mencionar algunas de las posiciones que detentaron los elbistas.

El expediente de la detención de Elba Esther Gordillo tuvo más de venganza política que de intento de resarcir la ley y frenar la corrupción en el sindicato magisterial. El desafío de la lideresa sindical a la reforma educativa de Peña Nieto y sus constantes declaraciones para desafiar al presidente fueron la causa de su encarcelamiento. En otras palabras, fue un ajuste de cuentas, no el ejercicio de una política de combate a la corrupción.

DE LA CASA BLANCA Y MALINALCO AL COMPLOT

Con estos y otros antecedentes, cuando el equipo de investigación periodística de Aristegui Noticias, encabezado por la propia Carmen Aristegui, destapó el 9 de noviembre de 2014 el escándalo de la Casa Blanca, el gobierno de Peña Nieto tardó una semana en reaccionar de manera torpe, contradictoria y negando lo que era una obviedad para la mayoría de los lectores y funcionarios: un claro conflicto de interés y un presunto tráfico de influencias del más alto nivel.

Publicado simultáneamente por la revista *Proceso* y por corresponsales extranjeros de varios medios internacionales, la investigación reveló que Peña Nieto era poseedor de una residencia en la Ciudad de México, ubicada en Sierra Gorda 150, valuada en siete millones de dólares, que colinda con otra residencia de Paseo de las Palmas 1325, cuya propietaria original es Angélica Rivera, *la Gaviota*. El reportaje original no se transmitió en Noticias MVS ni en los portales informativos de este medio. Pocos lectores se dieron cuenta de este detalle que después, en marzo de 2015, sería el centro del litigio por censura contra Aristegui y su equipo.

De acuerdo con la investigación periodística, la residencia de Sierra Gorda está registrada a nombre de Ingeniería Inmobiliaria del Centro desde el 13 de noviembre de 2008. Esta empresa es propiedad del empresario tamaulipeco Juan Armando Hinojosa Cantú, el mismo personaje involucrado en la fallida y polémica licitación por más de 50 mil millones de pesos del tren de alta velocidad México-Querétaro, cancelada de manera abrupta por la Secretaría de Comunicaciones y Transportes, tres días antes de la revelación de la propiedad de la Casa Blanca.

La pista principal sobre la mansión la proporcionó la propia Angélica Rivera, mucho antes de su divulgación como escándalo. En una entrevista con la edición mexicana de la revista *¡Hola!*, la actriz de telenovelas presumió la lujosa residencia. "En nuestra casa llevamos una vida lo más normal posible. Les he hecho saber [a los seis hijos de la pareja presidencial] que Los Pinos nos será prestado sólo por seis años y que su verdadera casa, su hogar, es ésta, donde hemos hecho este reportaje", afirmó la primera dama en la revista que explota los chismes y las aspiraciones de la clase política mexicana.

Con el título "Angélica Rivera, la primera dama en la intimidad", *¡Hola!* describió el texto como "un excepcional e histórico reportaje exclusivo". No era para menos. Fue la primera vez que se mostraron los interiores de la casa de la calle de Sierra Gorda.[7]

Angélica Rivera siguió dando muestras de descuido, en un afán por lucir su condición de primera dama y presumir sus espacios. El 26 de junio de 2014, la revista *Marie Claire* desplegó un amplio reportaje con la primera dama en la portada. En interiores, la protagonista de telenovelas posó con su hija Sofía Castro. Convirtió la Casa Miguel Alemán, del conjunto habitacional de Los Pinos, en un set fotográfico. Quienes conocen el sitio identificaron que la pareja presidencial había realizado cambios millonarios en la decoración. Los editores de la revista justificaron el despliegue de cobertura como parte de una alianza para beneficiar a fundaciones como Michou y Mau, De Corazón y Funciplas.

La segunda pista sobre la Casa Blanca la proporcionó el arquitecto responsable del diseño de la mansión, formada por tres conjuntos habitacionales. Miguel Ángel Aragonés subió en su página de internet (www.aragones. com.mx) imágenes de la obra que él tituló "La Casa Blanca". La mansión posee seis recámaras para los hijos, una espaciosa y lujosa habitación principal con sala de estar, vestidor, baños separados y spa. Además, tiene estacionamiento subterráneo, dos cuartos de servicio, caseta de vigilancia, jardín, sala y comedor techados; un sofisticado sistema de iluminación que ambienta la mansión con distintos colores pastel: rosa, naranja, azul, violeta. Todo un despliegue de gusto kitsch.

El tercer elemento que orilló a la investigación de la mansión fue que Peña Nieto no registró en ninguna de sus declaraciones patrimoniales la propiedad de la Casa Blanca. Ni en la presentada como candidato presidencial en 2012 ni la que hizo pública como presidente de la República, en enero de 2013, a pesar de que el artículo 43 de la Ley Federal de Responsabilidades Administrativas de los Servidores Públicos ordena declarar los bienes de los cónyuges, concubinas o concubinarios y dependientes económicos directos, "con la finalidad de que la autoridad verifique la evolución patrimonial de aquéllos".

---

[7] "Angélica Rivera, la primera dama en la intimidad", *¡Hola!*, 1° de mayo de 2013.

Además, el artículo 8, fracción XII, de la misma ley ordena a los servidores públicos "abstenerse, durante el ejercicio de sus funciones, de solicitar, aceptar o recibir, por sí o por interpósita persona, dinero, bienes muebles o inmuebles mediante enajenación en precio notoriamente inferior al que tenga en el mercado ordinario, donaciones, servicios, empleos, cargos o comisiones para sí". En otras palabras, prohíbe el *moche* en dinero o en especie, incluyendo los bienes inmuebles.

La Casa Blanca se convirtió de inmediato en un escándalo nacional e internacional. Abrió una caja de Pandora que todos los enterados en los círculos del poder mencionaban de manera sigilosa, pero ningún medio había logrado documentar a fondo.

Su revelación coincidió con el momento más álgido de la efervescencia social por la crisis de los 43 normalistas desaparecidos en Ayotzinapa, dos días después de la fallida conferencia de prensa de Jesús Murillo Karam, el viernes 7 de noviembre, cuando el funcionario dijo estar cansado.

Ante el escándalo, la respuesta oficial fue errática, absurda, contradictoria. En primer lugar, la SFP le respondió el 3 de noviembre a Aristegui Noticias que la declaración patrimonial completa del presidente de la República reviste carácter confidencial y, por tanto, no podía darla a conocer de manera completa.

En esa misma fecha, la Secretaría de Comunicaciones y Transportes falló en favor del consorcio formado por dos empresas chinas y tres mexicanas, entre ellas Constructora Teya, de Juan Armando Hinojosa Cantú, para la construcción del tren de alta velocidad México-Querétaro.

Tras la revelación periodística de la mansión, Eduardo Sánchez, el portavoz de Los Pinos, negó en varias entrevistas a medios electrónicos e impresos que existiera un conflicto de interés, pues la Casa Blanca era propiedad de la primera dama Angélica Rivera, y aún la estaba pagando… al propio Juan Armando Hinojosa Cantú, director de Grupo Higa. Sánchez llegó a aclarar que Rivera y Peña Nieto estaban casados por el régimen de separación de bienes y que, por tanto, no es obligación del primer mandatario declarar las propiedades inmobiliarias de su esposa.

Enojado, Peña Nieto afirmó el 17 de noviembre que la primera dama Angélica Rivera daría su propia versión, nulificando los dichos anteriores de Eduardo Sánchez, y ordenó que la SFP diera a conocer su declaración patrimonial completa. Sin embargo, la medida resultó contraproducente, al igual que las "aclaraciones" de Angélica Rivera a través de un video grabado en YouTube el mismo día.

El 22 de enero de 2013, Peña Nieto registró la propiedad de cinco casas, cuatro terrenos y un departamento: seis son "donaciones", uno es "herencia" y dos se pagaron de contado, pero no reveló el valor de los bienes inmuebles ni sus direcciones. Esa información, difundida el 19 de noviembre de 2014, aportó pocos elementos para eliminar las sospechas y acusaciones de conflicto de interés. La SFP reiteró la enumeración de las mismas propiedades y no incluyó la Casa Blanca.

La nueva declaración patrimonial de Peña Nieto llegó al extremo de afirmar que en 1982, a los 16 años de edad, adquirió una casa de 560 metros cuadrados con valor de 924 viejos pesos (que actualmente serían 0.924 pesos). También que su primera esposa, Mónica Pretelini, le heredó un departamento de 211 metros cuadrados con valor de 2.6 millones de pesos en 2001. Y cuatro de las "donaciones" fueron de su madre y una de su padre. Los terrenos rústicos a los que hizo referencia "son tierras cultivables". Por supuesto, nadie creyó en esta nueva versión de la riqueza patrimonial del primer mandatario.

El líder del PRI en el Senado, Emilio Gamboa Patrón, negó que existiera conflicto de interés en el caso de Peña Nieto, la Casa Blanca y Grupo Higa, pues la Ley Federal de Responsabilidades Administrativas de los Servidores Públicos es "ambigua" respecto a la obligación del funcionario de declarar los bienes del cónyuge.

En una nota informativa interna de la SFP, fechada el 26 de noviembre de 2014, se explicó que siempre se excluyen los bienes que el cónyuge o dependiente "adquieran con ingresos propios". En el caso de Angélica Rivera, ella acreditó "que sus casas las adquirió con recursos propios, distintos de los de su esposo, el presidente Enrique Peña Nieto".

Incluso, la SFP mencionó en ese resumen informativo que circuló entre legisladores del PRI, que de 267 mil declaraciones que anualmente recibe, en promedio, 168 mil corresponden a servidores públicos casados, de los cuales, "en promedio 90 mil no declaran bienes del cónyuge, por no contar con ellos o haberlos adquirido con ingresos propios distintos a los del declarante".

El único que no dijo nada públicamente fue Juan Armando Hinojosa Cantú, propietario de Grupo Higa. Es el mismo contratista de origen tamaulipeco que en menos de dos décadas pasó de ser un modesto empresario que donó en la campaña presidencial del 2000 medio millón de pesos al PRI a transformarse en el contratista incómodo del sexenio.

La bonanza de Hinojosa Cantú provino de los gobiernos estatales de Arturo Montiel y de Peña Nieto en el Estado de México (1999-2011) y se multiplicó durante los dos primeros años de Peña Nieto como presidente de la República.

En el Estado de México son decenas de casos que acreditan el favoritismo de Montiel y Peña Nieto hacia Hinojosa Cantú: hospitales cuya construcción fue tasada a un escandaloso sobreprecio, carreteras, libramientos, escuelas, la administración del hangar del Aeropuerto Internacional de Toluca, así como la renta de servicios de aeronaves privadas a políticos y empresarios a través de la empresa Eolo Plus, fueron algunos de los grandes contratos que públicamente se conocieron de Higa e Hinojosa Cantú en ambos gobiernos.

La Casa Blanca y el tren de alta velocidad México-Querétaro fueron apenas la punta del *iceberg* de una trama de corrupción y tráfico de influencias, cuyas consecuencias serán imprevisibles para el grupo de poder presidencial y para el gobierno de Peña Nieto, por las extensas ramificaciones e intereses del Grupo Higa.

El escándalo inmobiliario dañó directamente la credibilidad de Peña Nieto, como no lo habían hecho revelaciones anteriores de la revista *Proceso* y *Reforma* sobre el claro favoritismo de la administración federal y de otros gobiernos estatales hacia Hinojosa Cantú.

El caso Higa condujo hacia otros empresarios amigos del primer círculo presidencial, como José Miguel Bejos, hijo de Alfredo Miguel Afif. Este empresario, propietario de Grupo Prodi, asociado con las empresas portuguesas Mota-Engil, ha obtenido contratos por 13 mil 608 millones de pesos de la Secretaría de Comunicaciones y Transportes en los dos años del peñismo.

El escándalo inmobiliario se orientó hacia la primera dama para quitarle el costo personal al presidente de la República, pero fue contraproducente. Pocos días después, el vínculo de Grupo Higa y sus créditos inmobiliarios sospechosos involucraron también al secretario de Hacienda, Luis Videgaray, el colaborador más influyente y poderoso del círculo presidencial.

El lunes 17 de noviembre, después de su llegada de la gira de trabajo por China, Peña Nieto afirmó en la inauguración de la Ciudad de la Salud para la Mujer, que el asunto de la Casa Blanca "pareciera un afán orquestado por desestabilizar y por oponerse al proyecto de nación. En días recientes y justamente cuando emprendía la gira de trabajo surgieron señalamientos sobre una propiedad de mi esposa, una propiedad en la que hay sinnúmero de versiones y de falsedades que no tienen sustento alguno", ahondó Peña Nieto. En ese mismo acto, el primer mandatario afirmó que le pidió a su esposa Angélica Rivera que aclarara "ante la sociedad mexicana y ante la opinión pública cómo fue que se hizo de esta propiedad y cómo fue que la construyó".[8]

Angélica Rivera grabó un video en su portal de internet que pronto se convirtió en la burla de los usuarios de las redes sociales y en una delicada y comprometedora declaración que, lejos de *aclarar*, hundió más al gobierno de Peña Nieto. Su imagen se viralizó a través de cientos de memes. El *hashtag* #CasaBlancaEPN se usó 1 millón 179 mil veces y el tema se vinculó con el *trending topic* #YaMeCansé, con más de dos millones de mensajes en Twitter refiriéndose a la explicación de *la Gaviota* sobre la propiedad de la Casa Blanca.

Rivera aportó fechas, montos y contratos de exclusividad con Grupo Televisa y con Grupo Higa, las dos compañías involucradas en la "dona-

---

[8] Mayolo López, "Aclarará Rivera propiedad en las Lomas", *Reforma*, 18 de diciembre de 2014.

ción" y adquisición de los tres predios que formaron el conjunto habitacional de la Casa Blanca. Rivera lanzó tres afirmaciones que incomodaron a Televisa: que en la renovación de su contrato con el consorcio, ella recibió un aumento derivado de los resultados de su trabajo; que en 2008 la compañía le entregó para su "uso y gozo" la casa ubicada en Paseo de las Palmas 1325 y comenzó a vivir en ella ese mismo año; y que en junio de 2010 terminó su contrato original con Televisa (de 2004), y firmó otro de exclusividad por cinco años más: "Se me pagó con la propiedad de la casa que ya habitaba, es decir, Paseo de las Palmas", declaró, aparte de 88.6 millones de pesos más IVA.

El inmueble de Paseo de las Palmas le fue transferido por Grupo Televisa el 14 de diciembre de 2010, 17 días después de que Rivera celebrara su matrimonio con el entonces gobernador del Estado de México. Ese inmueble fue valuado en 27 millones 651 mil 744 de pesos.

Las otras dos propiedades que conforman el conjunto de la Casa Blanca y que se unieron a la de Paseo de las Palmas están valuadas en 86 millones de pesos y fueron el resultado de un contrato de crédito hipotecario entre Angélica Rivera con Ingeniería Inmobiliaria del Centro, sociedad anónima integrante del Grupo Higa en septiembre de 2012.

Es decir, en todo el conjunto habitacional hubo una inversión inmobiliaria superior a 100 millones de pesos, que no fueron declarados por Peña Nieto ni por Angélica Rivera. En el caso de Peña Nieto, ni como gobernador saliente del Estado de México (terminó en 2011, cuando ya estaba casado con Rivera) ni como candidato presidencial o presidente electo en 2012. En el caso de Angélica Rivera, ni ante el Registro Público de la Propiedad ni ante la Secretaría de Hacienda, dado el alto nivel de ingresos que ella dijo obtener de su trayectoria artística.

En 2008 y en 2010, Grupo Televisa era una proveedora de servicios del gobierno de Enrique Peña Nieto en el Estado de México, y en 2012 del PRI y su candidato a la Presidencia de la República. Asimismo, Grupo Higa ya era un poderoso contratista del gobierno mexiquense.

El propio Peña Nieto admitió en una entrevista, en el programa Shalalá, de TV Azteca, que su relación con Angélica Rivera formó parte de un convenio de publicidad entre su gobierno y Televisa.[9] La pregunta obligada frente al escándalo era si la "donación" de las casas no constituía también alguna especie de "pago en especie" o soborno de dos poderosas empresas vinculadas con el gobierno.

Las reacciones internacionales frente a la explicación de Angélica Rivera fueron profundamente adversas. El ex presidente estadounidense Bill Clinton le dijo a Peña Nieto que era él quien debía aclarar este escándalo. *Financial Times* entrevistó al analista del Wilson Center, Duncan Wood, quien tajante afirmó que la explicación de Angélica Rivera no iba a frenar el escándalo.

"Los mexicanos no son estúpidos, ellos quieren ver que las cosas mejoran en su país. Y el mensaje a los inversionistas internacionales es que México debe mejorar en materia de transparencia", afirmó Duncan Wood. A su vez, el lobista de la Unión Mexicana contra el Crimen, Juan Francisco Torres Landa, descalificó el video de la primera dama al señalar que es "totalmente superficial e inaceptable, ahí hay todavía un evidente conflicto de interés".[10]

Como se apuntaba, el escándalo se ramificó hacia el titular de Hacienda, Luis Videgaray. El 11 de noviembre, el diario estadounidense *The Wall Street Journal* informó que gracias a Juan Armando Hinojosa Cantú, Videgaray adquirió en octubre de 2012 una residencia en el exclusivo fraccionamiento del club de golf de Malinalco, Estado de México, con valor superior a 7.5 millones de pesos (581 mil dólares) a través de una hipoteca con H&G, de Hinojosa Cantú, para ser pagada en 18 años.

En su repuesta a *The Wall Street Journal*, Videgaray afirmó que "no hay conflicto de interés" porque hizo el trato "cuando no tenía un cargo público y el trato estuvo dentro de los parámetros del mercado". Según su versión, el trato lo suscribió el 10 de octubre de 2012, cuando él fungía como

---

[9] Shalalá, con Sabina Berman y Katia D'Artigues, 12 de noviembre de 2008.

[10] Jude Webber, "Mexico's first lady to sell 'White House' family mansion", *Financial Times*, 19 de noviembre de 2014.

coordinador del equipo del presidente electo y no era servidor público en funciones. El monto del financiamiento fue por 6.8 millones de pesos. "Por razones financieras, decidí prepagar el crédito con recursos propios. Ello ocurrió el 31 de enero de 2014", afirmó.

Videgaray nunca aclaró en su respuesta cómo en menos de año y medio ganando un ingreso como secretario de Hacienda pudo adelantar el crédito de 6.8 millones de pesos con Higa. Su explicación sobre el trato con Hinojosa Cantú fue similar a la de Angélica Rivera: conoció a este contratista en eventos sociales y no como servidor público.

"En algún momento, conversando con él, le comenté que tenía interés en adquirir una propiedad específicamente en Malinalco, que resultó en una operación primero legal y con una persona con que no he tenido nunca un trato como servidor público", afirmó en su entrevista con Carmen Aristegui, en MVS Noticias.

Semanas después, el periódico *Reforma* reveló el 29 de diciembre de 2014 que Luis Videgaray había tenido tratos con Armando Hinojosa Cantú, desde la época en que el secretario de Hacienda fungió como consultor financiero de Protego y después como secretario de Finanzas de la administración de Peña Nieto en el Estado de México (2005-2011).

El reportero Víctor Fuentes documentó que a través del Fideicomiso C3, creado por la consultora Protego en 2009, se le adjudicaron a Grupo Higa la construcción de dos penales en Tenango del Valle y Tenancingo, por un monto total de 1247 millones de pesos. Videgaray fue director de Finanzas Públicas de Protego de 1998 a 2005, fecha en la que se convirtió en funcionario del gobierno de Peña Nieto. En 2009, el responsable de crear el Fideicomiso C3 fue Fernando Aportela, actual subsecretario de Hacienda, brazo derecho de Luis Videgaray.[11]

The Wall Street Journal, un periódico consentido por los peñistas que buscan la aceptación en el mundo financiero internacional, no abandonó el

---

[11] Víctor Fuentes, "Consienten a Higa 'amigos' en Edomex", *Reforma*, 29 de diciembre de 2014.

tema del conflicto de interés de Peña Nieto ni de Videgaray. En su reportaje del 4 de diciembre de 2014, el rotativo afirmó que crecerá el escrutinio entre los lazos de Peña Nieto y el empresario inmobiliario. Los reporteros David Luhnow y Santiago Pérez mencionaron el tema más delicado, las licitaciones petroleras:

> Las preocupaciones sobre los contratos públicos surgen en momentos en que México prepara sus primeras licitaciones en más de 70 años para que petroleras privadas exploren y produzcan crudo y gas. Las licitaciones son importantes en un país que fue pionero del nacionalismo petrolero al expulsar las firmas privadas en 1938… "¿Será transparente el proceso?" es una pregunta frecuente, dijo un alto ejecutivo de una empresa energética independiente en México.[12]

La respuesta política de Videgaray frente al escándalo fue similar a la de Peña Nieto: las revelaciones sobre las propiedades inmobiliarias y Grupo Higa son un afán orquestado para desestabilizar el gobierno que logró en menos de dos años las reformas estructurales más importantes del país. De nueva cuenta, un complot: "Me queda muy claro que la actuación de este gobierno ha afectado intereses con la aplicación de las reformas, como la hacendaria o la de telecomunicaciones, donde se está generando un nuevo entorno de competencia en beneficio de los consumidores", afirmó Videgaray.[13]

Videgaray abordó ampliamente el tema de la reforma de telecomunicaciones, como si se tratara de uno de los orígenes del encono contra el gobierno de Peña Nieto. Sin mencionarlo explícitamente, el titular de Hacienda colocaba bajo la lupa a Carlos Slim, uno de los principales afectados con los cambios a la legislación en telecomunicaciones. Los voceros oficiosos comenzaron a mencionar en columnas y rumores, que el magnate de América Móvil había movido a sus "alfiles" contra el gobierno peñista.

[12] David Luhnow y Santiago Pérez, "Crece el escrutinio de los lazos entre Peña Nieto y empresario inmobiliario", *The Wall Street Journal*, 4 de diciembre de 2014.
[13] Israel Rodríguez, "La casa la compré con mis 'ahorros'…", *La Jornada*, 13 de diciembre de 2014.

Pocos días después de que Videgaray asegurara que existía una conspiración, el 16 y el 17 de diciembre de 2014, el ex presidente Carlos Salinas de Gortari publicó un extenso artículo en *El Financiero* titulado "Telmex, una privatización exitosa que terminó cuestionada", para defender su legado y responsabilizar a su sucesor, Ernesto Zedillo, del crecimiento del monopolio telefónico a partir de una deficiente regulación. "Para muchos, Telmex se ha convertido en la 'bestia negra' de las empresas privadas mexicanas. Es decir, en sinónimo de 'atropello, monopolio concentrador del ingreso'", escribió Carlos Salinas.[14]

Salinas aprovechó el aniversario de la privatización de Teléfonos de México para desmarcarse de cualquier relación con Slim. Al buen entendedor, pocas palabras: el ex presidente respondía así a los otros rumores que señalaban que él era el "cerebro" detrás de la trama contra el peñismo, y que sus intereses y los de Slim eran los mismos. El distanciamiento entre Salinas y Peña Nieto se agudizó desde febrero de 2014. *El Financiero*, periódico que reprodujo los artículos del ex presidente, se transformó en enero de 2015 en un vocero de las posiciones más duras contra críticos y opositores al peñismo. A su dirección de asuntos políticos llegó Pablo Hiriart, ex colaborador del gobierno de Carlos Salinas.

Paradójicamente, para afrontar los escándalos de corrupción y presunto tráfico de influencias, Peña Nieto y Videgaray usaron en 2014 el mismo argumento que Carlos Salinas de Gortari empleó frente a la crisis de su gobierno en 1994, el último año de su mandato: se trató de una conspiración de los intereses afectados por sus reformas.

Veinte años atrás, en 1994, el proyecto salinista se *descarriló* ante la irrupción de la guerrilla del EZLN, los crímenes políticos de Luis Donaldo Colosio y José Francisco Ruiz Massieu, así como la debacle financiera de diciembre del mismo año.

---

[14] Carlos Salinas de Gortari, "Telmex, una privatización exitosa que terminó cuestionada", *El Financiero*, 15 y 16 de diciembre de 2014.

En una entrevista en febrero de 2014 con Rogelio Cárdenas Estandía, Salinas de Gortari afirmó:

Lo que vivimos en ese inicio del 94 fue un intento de descarrilamiento del gobierno como respuesta al proceso reformador tan intenso que habíamos llevado a cabo en la parte económica, pero también en la social, con la transformación del artículo 27, la reforma educativa, la reforma en las relaciones con las iglesias que rompía con un tabú, pues el artículo 130 era el único no tocado en la Constitución en 70 años.

Como el gobierno de Peña Nieto al concluir apenas su segundo año de mandato, Salinas tampoco ha admitido que la secuela de acontecimientos trágicos de 1994 sea responsabilidad de su propio ejercicio del poder, de la disputa derivada por el botín privatizador, por la centralización de las decisiones, por la acelerada corrupción, por la crisis del sistema político, por los conflictos de interés y los fraudes. Ni en sus entrevistas ni en sus libros *México, un paso difícil a la modernidad, La década perdida 1995-2006, ¿Qué hacer?* y *Democracia republicana: Ni Estado ni mercado*, Salinas de Gortari ha admitido un mínimo de corresponsabilidad en el descarrilamiento de su proyecto de poder.[15]

La reacción paranoica del poder presidencial frente a la protesta social y ante las denuncias de corrupción fue similar tanto en el salinismo como en el peñismo. La semejanza tiene su origen en un fenómeno reiterado en el seno del poder político en México: la pérdida del sentido de la realidad de la clase política cuando deja de tener contacto con la situación social y privilegia las versiones positivas y propagandísticas de sus logros.

Es un fenómeno muy antiguo que describió Gaetano Mosca, el teórico italiano de *La clase política*. En su teoría del poder, Mosca advirtió que una minoría se legitima ante sus gobernados a través de una "fórmula política"

---

[15] Rogelio Cárdenas Estandía, "Quieren derribar mi gobierno: Carlos Salinas", *El Universal*, 10 de febrero de 2014.

y funciona cuando el gobierno refleja y equilibra bien las fuerzas sociales contrapuestas. En su libro *Nuestra tragedia persistente*, el analista político Lorenzo Meyer revivió las tesis de Mosca para explicar la decadencia de la clase política mexicana de esta manera:

> Mosca, un conservador al que deberían leer los conservadores actualmente en el poder en México, sostiene que toda clase política tiende a decaer, a perder la sensibilidad y a mal gobernar, lo que termina por llevar a la mayoría a concluir que es falsa la idea de una comunidad de intereses entre los que mandan y los mandados. Y esa decadencia se origina, entre otros factores, por la tendencia de la clase política a abusar de sus privilegios, a cerrarse y a no absorber a los mejores elementos de la masa dominada. Con ello pierde la inteligencia y la vitalidad de fuera, lo que acentúa el aislamiento y los elementos de mediocridad del círculo gobernante.[16]

IXTAPAN DE LA SAL, EMPORIO SAN ROMÁN-PEÑA NIETO

El 21 de enero de 2015 se detonó otro escándalo en la prensa extranjera: *The Wall Street Journal* publicó un reportaje con el título "Surgen nuevos lazos entre Peña Nieto y contratistas". En el escrito se señaló que a fines de 2005, siendo ya gobernador del Estado de México, el actual primer mandatario adquirió una propiedad en el exclusivo club de golf de Ixtapan de la Sal, propiedad del empresario Roberto San Román Widerkehr, cuyos hijos Ricardo y Roberto San Román Dunne se convirtieron en amigos personales de Peña Nieto.

La constructora de los San Román Dunne, Constructora Urbanizadora Ixtapan, S.A. (CUISA), ganó entre 2005 y 2011 contratos por 100 millones de dólares, y desde 2012, con la llegada de Peña Nieto a la Presidencia, habría conseguido "al menos 11 contratos federales, según documentos

---

[16] Lorenzo Meyer, *Nuestra tragedia persistente*, Debate, México, 2013, p. 139.

públicos, con negocios en varios estados de México", publicó el reportaje firmado por el periodista Juan Montes.[17]

A la información proporcionada por *The Wall Street Journal*, el periódico *Reforma* precisó que los 11 contratos que los San Román Dunne y CUISA obtuvieron de 2012 a la fecha ascendían a 587 millones 221 mil pesos (40 millones de dólares), tan sólo por parte de la Secretaría de Comunicaciones y Transportes, para cimentar los centros de la dependencia federal en el Estado de México, Baja California Sur, Querétaro y Veracruz, así como construir y remozar carreteras y caminos secundarios.[18]

La casa que Peña Nieto adquirió en el Country Club Gran Reserva de Ixtapan apareció en su declaración de bienes patrimoniales como una propiedad de 2 138 metros cuadrados, con 466 metros cuadrados de construcción, adquirida "de contado" el 27 de diciembre de 2005,[19] con un valor de 5.6 millones de pesos.

Esta segunda revelación de una propiedad inmobiliaria de Peña Nieto, vinculada con un contratista y amigo desde sus tiempos de gobernador, fue mucho más dañina para el primer mandatario que los casos de la Casa Blanca y Malinalco.

En los casos anteriores, la versión oficial vinculaba como propietarios a su cónyuge y a su secretario de Hacienda. En el caso de Ixtapan de la Sal, la propiedad está a nombre de Peña Nieto. Y la dinastía de los San Román, de larga y profunda historia en el municipio de descanso, está relacionada justamente con el fenómeno de la corrupción del Grupo Atlacomulco.

Peña Nieto no es el primero ni el único de los gobernadores y políticos del Estado de México que posee una propiedad en Ixtapan de la Sal, sitio famoso por sus aguas termales y por un balneario que llega a tener hasta 600 mil visitantes al año. En Ixtapan también tienen sus ranchos y

---

[17] Juan Montes, "Surgen nuevos lazos entre Peña Nieto y contratistas", *The Wall Street Journal*, 20 de enero de 2015.

[18] Alan Miranda, "Da SCT a San Román 600 mdp en contratos", *Reforma*, 22 de enero de 2015.

[19] www.presidencia.gob.mx/patrimonio/UGNGFNIK.htm

casas veraniegas ex gobernadores como Alfredo del Mazo González, Emilio Chuayffet, Arturo Montiel, así como las familias Sánchez Colín y los Hank. Colaboradores cercanos a Peña Nieto, como Luis Miranda Nava, subsecretario de Gobernación y compadre del presidente, también detenta una propiedad en este municipio.

La diferencia es que ninguno de estos mandatarios del Estado de México, afiliados a la escuela de contratismo y compadrazgo de las dinastías del Grupo Atlacomulco, llegó a ser presidente de la República. Y a quienes sí lo fueron (como en los casos de Miguel Alemán y de Adolfo López Mateos, que tuvieron propiedades en este sitio), el contexto, la época y la escasa fiscalización internacional les dieron un mayor margen de impunidad. Era la época del nacionalismo revolucionario, de los "cachorros de la Revolución" que llevaban al país a la industrialización al mismo tiempo que se hacían millonarios. Ahora son tiempos de una liberalización en extremo, pero también de una mayor indagación de los medios extranjeros sobre los mandatarios.

Las dinastías de los San Román y del Grupo Atlacomulco prácticamente crecieron y se desarrollaron de la mano. El patriarca de esa dinastía, Arturo San Román Chávez, fue amigo y compadre de Isidro Fabela, el diplomático que fundó en los años cuarenta el mítico Grupo Atlacomulco. Desde entonces, los lazos familiares y de amistad se entrelazaron. Y en esa medida Ixtapan de la Sal pasó a tener un "santo patrono": el apellido San Román.

El origen de la fortuna de los San Román en Ixtapan se remonta a 1941, cuando Arturo San Román Chávez llegó a este municipio, invitado por el entonces gobernador Alfredo Zárate Albarrán. Fundó una escuela de arboricultura y se dedicó al negocio industrial de la madera. Vio el potencial turístico de las aguas termales y fundó el fraccionamiento alrededor del balneario San Gaspar. Creó la compañía Nueva Ixtapan. A fines de 1943 y principios de 1944 compró el Hotel Balneario y adquirió la concesión para la explotación de las aguas termales por más de 100 años, que detentaba Campos Mexicanos de Turismo, cuyo principal accionista era el ex presidente mexicano Pascual Ortiz Rubio. Desde ese momento comenzó el entrelazamiento entre negocios privados y políticos en Ixtapan.

San Román Chávez invirtió en un balneario y un campo de golf de nueve hoyos, y construyó los primeros fraccionamientos de veraneo para la clase política de Toluca. No abandonó el negocio de la industria maderera y arbolaria. En 1962, durante el gobierno de Adolfo Ruiz Cortines, obtuvo una de las 11 concesiones para la explotación del agua potable y de riego. De esta manera, San Román se quedó con el agua termal y parte del agua dulce de la zona. Estaba en negociaciones con el grupo Alfa de Monterrey, cuando falleció en abril de 1977.

El patriarca heredó las dos grandes ramas de sus negocios a sus hijos Roberto y Arturo San Román Widerkehr. El primero se quedó con los tres grandes negocios inmobiliarios: la exclusiva zona residencial Country Club Gran Reserva y con el Ixtapan Golf Resort Country Club, así como con los invernaderos donde se cultivan flores para exportar. El segundo, Arturo San Román Widerkehr, heredó el negocio del balneario masivo Parque Acuático, y en 2003 creó otro negocio inmobiliario, pero para la clase media y popular, llamado Residencial Ixtapan.

Con el apoyo de los gobernadores en turno, Roberto y Arturo San Román Widerkehr se apropiaron del agua termal y del agua dulce; del negocio inmobiliario de élite y del popular. Ambos comenzaron a ser, en la época de Arturo Montiel, contratistas de obra pública. Roberto a través de CUISA, y su hermano a través de la empresa Zona Uno S.A.

La llegada de Peña Nieto a gobernador del Estado de México y su ascenso a la Presidencia de la República coincide con el empoderamiento de los hijos de Roberto San Román Widerkehr: Ricardo y Roberto San Román Dunne. Ellos son los amigos y presuntos prestanombres de Peña Nieto en infinidad de negocios inmobiliarios que son mencionados en Ixtapan de la Sal y en uno que se ha vuelto clave para el desarrollo de la zona: el agua. Ellos le compraron a sus primos Eduardo y Arturo San Román, administradores del balneario Parque Acuático, la concesión de las aguas termales que son el origen del atractivo y del empuje de esta zona, según los informes de habitantes y empresarios de Ixtapan.

La casa de campo de Peña Nieto es lo de menos. El gran negocio está en acaparar el agua y las tierras de este enclave turístico, que se ha convertido en uno de los consentidos del actual mandatario. Lo que Acapulco fue para Miguel Alemán Valdés, pretende ser Ixtapan de la Sal para Peña Nieto y su primer círculo de amigos empresarios, contratistas y posibles prestanombres.

Los eslabones que entrelazan a los San Román con Juan Armando Hinojosa Cantú (Grupo Higa) y con otros dos poderosos empresarios consentidos del peñismo —David Peñaloza (Grupo Pinfra), el polémico propietario de Tribasa, y Carlos Hank Rhon (Grupo Interacciones y Hermes)— son precisamente los millonarios contratos de obra pública que han recibido del gobierno federal.

Los especialistas del mundo empresarial del peñismo señalan a David Peñaloza Sandoval, dueño de Pinfra, como el "gurú" de Juan Armando Hinojosa (Grupo Higa) y de los San Román. Forma parte del selecto grupo de contratistas de este sexenio que tiene 15 concesiones de 24 autopistas, de las cuales seis están en construcción por 13 500 millones de pesos. Además, mantiene vínculos y sociedad con Carlos Hank Rhon, de Grupo Interacciones, y con la española OHL, el otro consorcio constructor que ha ganado las licitaciones de redes carreteras más importantes.

La corrupción y el grupo de poder

Siempre minimizada o relativizada por los gobiernos priístas, la corrupción ha sido más que un "cáncer social", un pegamento del sistema. En un ensayo sobre el tema, de 1978, el intelectual Gabriel Zaid advirtió que "la corrupción no era una plaga del sistema político mexicano, es el sistema". Para el escritor regiomontano, el origen de la corrupción se encuentra en la negativa de ser por cuenta propia, "en imponer la investidura, la representación, el teatro".[20]

[20] Gabriel Zaid, "Por una ciencia de la mordida", *Vuelta*, 1978.

Desde hace muchos años, Zaid, uno de los más lúcidos pensadores mexicanos, ha insistido en desentrañar la trama de la corrupción y su impacto en el sistema político mexicano. La alternancia panista no solucionó en nada el tema, pues "la solución democrática se enfrenta a una dificultad históricamente inédita: enfrentar la corrupción como problema, no como solución".[21] Para el autor de *El progreso improductivo*, no es la supuesta perversidad humana o la inferioridad nacional mexicana lo que explica la persistencia y crecimiento de la corrupción:

El verdadero problema de la corrupción en el poder radica en la doble personalidad de todo apoderado. Su investidura representa algo distinto de su propio ser. Así como el actor que representa a Hamlet es y no es Hamlet, todo apoderado representa intereses que son y no son los suyos. Que pueden incluso ser contrarios a los suyos.[22]

Gabriel Zaid insiste en que "la única solución encontrada hasta hoy es que la doble personalidad y los dobles intereses sean públicos y que la actuación del representante esté sujeta a sus representados: a su vigilancia, aplausos y castigos".[23]

Esta perspectiva no sólo es lejana sino contraria a la práctica y a la fórmula del poder que han vivido los distintos políticos en el Estado de México. La entidad más poblada del país, con mayor presupuesto público, con un mayor nivel de control social, es también la cuna de una de las dinastías que convirtió a la corrupción en su principal cohesión, en su identidad y en su mayor éxito en el ascenso hacia el poder.

Peña Nieto pertenece a la cuarta generación del llamado Grupo Atlacomulco. La consolidación de este grupo como mafia, dinastía y conjunto de prácticas políticas coincide con la fusión del poder civil, los negocios al amparo del erario público y el control político en la entidad. El gobierno

---

[21] Gabriel Zaid, "Qué es la corrupción", *Reforma*, 27 de abril de 2014.
[22] *Ibid.*
[23] *Ibid.*

de Alfredo del Mazo Vélez (1945-1951), tío abuelo de Peña Nieto, coincide con el sexenio de Miguel Alemán Valdés, el cachorro de la Revolución mexicana, identificado como el punto de partida de un nuevo y prolífico método de corrupción sistémica que afianzó el oxímoron de la "revolución institucionalizada".

Del Mazo Vélez marcó la pauta. Para transformar a una entidad agrícola, con enormes rezagos y atrasos, con cacicazgos regionales violentos y confrontados entre sí, era necesario aplicar la promoción intensiva del capital privado desde el poder público, en especial, las grandes obras de infraestructura (carreteras, obras de drenaje, transporte, edificios públicos) que beneficiarían a un grupo cercano de empresarios. Esos empresarios eran ellos mismos, desdoblados como servidores públicos y contratistas, por medio de una red de prestanombres. Así, configuraron una élite unida por los lazos consanguíneos y los negocios compartidos.

Del Mazo Vélez fue el primer gobernador mexiquense que completó un periodo de seis años en la convulsionada entidad, que intentó "pacificar" Isidro Fabela, un personaje mitificado en la clase política local para crearse un linaje intelectual inexistente. De 41 años de edad, Del Mazo consolidó la industrialización a gran escala. Durante su gestión se instalaron las grandes industrias, como Aceros Tlalnepantla, Sosa Texcoco, Manufacturera General Electric y Monsanto Mexicana. Se realizaron las primeras y fuertes inversiones inmobiliarias para crear fraccionamientos y centros turísticos.

El llamado "milagro mexicano" benefició en términos poblacionales y presupuestales al Estado de México. Sus antiguos municipios agrícolas se convirtieron en ciudades-dormitorio aledañas al Distrito Federal. Sus conservadores y tradicionalistas gobernantes se fusionaron a través del PRI, las empresas y la Iglesia católica. No en balde el primer obispo del Estado de México, Arturo Vélez, fue pariente de Alfredo del Mazo Vélez, la misma dinastía que llega al poder por medio de Enrique Peña Nieto.

El ascenso al poder presidencial del Grupo Atlacomulco se concretó durante el periodo de Adolfo López Mateos como presidente de la República (1958-1964). Del Mazo Vélez se convirtió en secretario de Recursos

Hidráulicos y después fue aspirante presidencial frustrado en el gabinete de López Mateos. Una réplica de lo que a él le sucedió, la vivió su hijo y ex gobernador también del Estado de México, Alfredo del Mazo González (1981-1986), tío de Peña Nieto, pilar dentro del grupo de poder de lo que se conoce como "la Familia" por su claro ascendiente dinástico.

Del Mazo González perdió la nominación presidencial del PRI en 1988, ante Carlos Salinas de Gortari, y también la jefatura de Gobierno de la Ciudad de México en 1997, ante Cuauhtémoc Cárdenas, pero no abandonó los grandes negocios ni el interés por el poder político presidencial. Desde Toluca, Del Mazo mantuvo siempre una amplia gama de negocios en el ámbito de la construcción. Actualmente, es el principal interesado en la licitación para construir el nuevo Aeropuerto Internacional de la Ciudad de México y sus inversiones se extienden a través de varios contratistas de obras públicas.

El segundo personaje y modelo que explica el sistema de corrupción en la clase política mexiquense es Carlos Hank González, la figura más prominente en el mundo de los negocios y el poder priísta durante más de tres décadas. Sin tener parentesco directo con las dinastías familiares de Atlacomulco, el profesor se convirtió en un claro ejemplo de cómo combinar corrupción con ascenso, favores con lealtades y lealtades con impunidad.

Hank González consolidó un imperio regional que extendió sus tentáculos en todos los órdenes del contratismo a escala nacional. Fue alcalde de Toluca (1955-1957), gobernador de la entidad en su periodo de *boom* económico y poblacional (1969-1975), regente de la Ciudad de México, donde cambió la fisonomía de la capital del país (1976-1982), beneficiario y aliado del grupo de grandes agronegocios derivados de Conasupo (que dirigió en 1964), amigo de Raúl Salinas Lozano —padre del ex presidente Carlos Salinas de Gortari—, secretario de Agricultura en el periodo de la privatización del campo durante el salinismo (1988-1994) y eterno aspirante a la Presidencia de la República, el único cargo que no alcanzó, a pesar de su enorme fortuna y su innegable habilidad para tejer alianzas políticas.

Hank González, mitificado como el rey Midas fuera y dentro del Estado de México, llevó a niveles insospechados la práctica del soborno velado, la colusión y la utilización del presupuesto público para forjar su propia fortuna. Esta riqueza le fue heredada a sus dos hijos, ambos vinculados con los negocios del peñismo: Jorge Hank Rhon, ex alcalde de Tijuana, y Carlos Hank Rhon, pilar del Grupo Interacciones, con ramificaciones en la industria de la construcción, financiera, transporte, turismo, bienes raíces, telecomunicaciones, etcétera.

El hankismo fue el estilo más acabado del Grupo Atlacomulco y la representación más fiel del ascenso de un cachorro de la Revolución mexicana que pasó del nacionalismo del "milagro mexicano" al neoliberalismo implacable de la era tecnocrática. Su secreto no fue la voracidad únicamente. La corrupción aplicada por el hankismo buscaba amalgamar intereses y compromisos, no únicamente fragmentar y beneficiar a un grupo.

Hank González sabía perfectamente que para recibir la mayor tajada era necesario repartir y comprometer favores. Su máxima, según recuerdan quienes lo conocieron, no sólo era la famosa "político pobre es un pobre político" sino "la generosidad se mide en la nómina y en los contratos".

"A mí que no me den, que me pongan donde hay", fue otra de sus frases célebres, emuladas en el credo de los priístas. El secreto de la multiplicación del erario fue, en esencia, el negocio de la especulación de los bienes inmuebles que en el Estado de México alcanzó su máximo esplendor en su periodo como gobernador. Hank acabó con los fraccionadores y paracaidistas para convertirse él, desde el poder centralizado del gobernador, en el único fraccionador y eje articulador de los municipios conurbados al Distrito Federal, especialmente Ciudad Nezahualcóyotl (su creación) y Cuautitlán Izcalli. Al mismo tiempo, destinó fuertes inversiones para las zonas turísticas de la entidad, como Ixtapan de la Sal, Valle de Bravo, El Oro, San Felipe Tlalmimilolpan y Aculco.

Hank halló una solución típica del Grupo Atlacomulco para enfrentar y capitalizar la explosión demográfica del Estado de México (durante su gobierno la entidad casi duplicó su población, pasó de 3.8 millones a 6.5 millones de habitantes): privatizó los servicios públicos e hizo fructíferos negocios con el hacinamiento y la especulación de los terrenos conurbados. Además, aprendió que a mayor población, mayor padrón electoral. La magia hankista radicaba también en convertir a cada precarista en votante seguro para el PRI. De ahí el enorme poder del control electoral del Estado de México; de entonces a la fecha, representa más de la quinta parte del padrón nacional.

El investigador Rogelio Hernández, uno de los más acuciosos conocedores del fenómeno de los grupos de poder en el Estado de México, afirma que la habilidad del priísmo en aquella entidad —especialmente del hankismo— consiste en que logró dominar las inevitables tensiones de la política local para que no se salieran del control y fueran una excusa para que el poder presidencial del viejo régimen interviniera e impusiera una solución.

En su libro *Amistades, compromisos y lealtades*, el investigador del Colegio de México describió así el estilo hankista para gobernar:

> Los colaboradores de Hank no son nada más servidores públicos que hacen posible que el jefe sobresalga; son funcionarios que aun cuando no eran amigos suyos, cuentan con su apoyo para desempeñar un cargo. En la medida que Hank abre puertas y permite que el individuo adquiera experiencia y logre desarrollarse, éste no lo ve como un obstáculo que debe eliminar…
>
> La red de Hank es amplia y diversificada gracias a la variedad de intereses que mantiene, pero porque han sido construidos por él para obtener un beneficio concreto, no son accesibles al resto. Sin un componente de lealtad amplia, una red así no podría sobrevivir porque sería utilitaria. Hank logra ese grupo de políticos leales porque aunque no hereda sus contactos, les permite desarrollarse abriendo espacios políticos y dándoles oportunidades para que destaquen… Un líder que no permite el desarrollo de sus subalternos, sólo puede controlarlos por interés y, lo más importante, hace un grupo y un liderazgo frágiles que no perduran.[24]

Esta extensa descripción del poder del hankismo es necesaria para entender el origen del grupo peñista. A la muerte de Carlos Hank, el gobernador

---

[24] Rogelio Hernández, *Amistades, compromisos y lealtades*, Colmex, México, 1998, p. 68.

en turno, Arturo Montiel, pretendió emularlo y creó desde su imperio presupuestal a un grupo de nuevos funcionarios que promovió, prohijó y asesoró. Fueron los *golden boys*. De ahí provino el ascenso político de Peña Nieto entre 2000 y 2005.

Montiel fue una mala caricatura del hankismo. Se parecía en su voracidad, pero no en su habilidad. En sus maneras aparentemente elegantes, pero rudimentarias, frente a un sistema que ya no era monopartidista. Montiel no supo aplicar el arte de la cooptación —que Hank llevó a niveles de maestría— más que a través de golpes del presupuesto o golpes represivos, como lo hizo en Atenco, igual que su sucesor Peña Nieto.

En plena etapa de alternancia, con un gobierno panista en la presidencia, Montiel quiso llenar los espacios vacíos y convertirse en el aglutinador de las distintas corrientes y grupos priístas huérfanos del poder de Palacio Nacional. No midió que su principal adversario para concretar su sueño presidencial en 2006 no sería la oposición partidista sino el "fuego amigo" de Roberto Madrazo.

A nivel estatal, Montiel configuró su propio grupo. Así lo mencionó el propio ex gobernador en su libro *Arturo Montiel, desde Atlacomulco*. En la cuarta parte de esta obra, se dedica a explicar por qué Peña Nieto era el mejor candidato a gobernador, según los parámetros mexiquenses.

En diciembre de 2004, después de asistir a la toma de posesión de Fidel Herrera como mandatario de Veracruz, Montiel rememoró:

> Allí definí el perfil del candidato a la gubernatura del Estado de México: profesional, con conocimientos de administración pública y de geografía del estado; con un plan de trabajo que continuara el proyecto histórico de Isidro Fabela y que continuaron hombres como Alfredo del Mazo Vélez, Gustavo Baz y Carlos Hank González, que consistía en conservar la unidad cultural, política y territorial del estado.[25]

---

[25] Norma Meraz, *Arturo Montiel, desde Atlacomulco*, Temas de Hoy, México, 2011, pp. 149-150.

Para que no quedara duda de que Peña Nieto fue su obra, Montiel describe en su libro cómo planeó la campaña de su sucesor:

> La campaña de Peña Nieto siguió una pauta que se había impuesto en el CDE mexiquense: construir una propuesta desde abajo, con la gente y con un equipo compacto bajo un solo liderazgo. Pero no únicamente eso; el candidato también debía buscar el apoyo entre los diversos grupos de poder en el estado: los empresarios, las iglesias, los sindicatos, las organizaciones campesinas, las comunidades judías y árabes que conformaban el sistema político estatal (sic). El liderazgo político consistía en posicionar una imagen joven entre la población y lograr una vinculación con los actores de la clase política, empresarial y cultural del estado. El candidato priísta tenía que cubrir una doble agenda: recorrer toda la entidad y conocerla, así como contemporizar con los liderazgos reales; tenía que realizar un aprendizaje complejo que le permitiera conocer las redes del poder y las palancas para negociar, no sólo acercarse al pueblo. Enrique Peña Nieto lo hizo muy bien, en ello labró su triunfo. Él se registró como candidato el 31 de enero de 2005.[26]

En esta larga lista de cualidades y valores que Montiel vio en su sucesor, ninguna hace referencia a la honestidad ni mucho menos al combate a la corrupción. El político que llegó al poder en 1999 prometiendo una campaña contra "las ratas", terminó privilegiando la "eficacia" y el conocimiento de las "redes del poder y las palancas para negociar" que, en el lenguaje mexiquense, son un eufemismo para referirse a los intereses creados.

Montiel fue fácilmente derrumbado de la escena nacional con la misma fórmula que él aplicó —y le heredó a Peña Nieto— para garantizar su impunidad: la alianza con el poder mediático de Televisa. Un videoescándalo transmitido en Canal 2 sobre su fortuna inmobiliaria y la de sus hijos lo replegó en la contienda presidencial de 2006, pues justamente la corrupción que él aplicó rompió el equilibrio tradicional en el priísmo mexiquense.

[26] *Ibidem*, p. 156.

Corrupción que no amalgama se transforma en amenaza. Y eso hasta las mafias más precarias lo saben.

Sin embargo, Montiel construyó desde la gubernatura una extensa red de intereses y de prestanombres que le heredó a su joven sucesor: Enrique Peña Nieto. Una de esas herencias fue precisamente Grupo Higa y Juan Armando Hinojosa Cantú. Durante el gobierno montielista, Constructora Teya participó en el Consorcio Integrador del Ramo de la Construcción, donde se repartieron las grandes obras de infraestructura del Estado de México entre 49 contratistas. Entre esas obras estuvieron la construcción del Centro Médico del Instituto de Seguridad Social del Estado de México y Municipios (Issemym), cuyo monto original era de 193 millones de pesos y terminó en 255 millones de pesos, un sobrecosto de 50 por ciento.

Durante el montielismo, Hinojosa Cantú creó el Consorcio Higa, que incluyó a decenas de empresas con ramificaciones en Veracruz, Puebla, Tijuana y hasta Perú a través de sus distintas denominaciones: Publicidad y Artículos Creativos S.A (PACSA), Constructora Teya, Mezcla Asfáltica de Alta Calidad S.A. de C.V. (MAACSA), Señales y Mantenimientos S.A. de C.V., Autopistas Vanguardia, Consorcio IGSA Medical Perú, entre otras.

Durante el periodo de Peña Nieto como gobernador, Hinojosa Cantú pasó de ser uno más de entre los 49 consentidos por Toluca a transformarse en el auténtico beneficiario de las obras de infraestructura. Estas últimas ascendieron a más de 120 mil millones de pesos en licitaciones poco claras, con irregularidades administrativas, denuncias por despojo y "donaciones" en especie a muchos funcionarios, incluyendo terrenos y mansiones.

La obra más importante del peñismo en el Estado de México fue el Circuito Exterior Mexiquense (CEM), para comunicar las autopistas México-Toluca, México-Querétaro, México-Pachuca, México-Tuxpan y México-Puebla, con una inversión de 9 497 millones de pesos. Entre los grupos constructores estuvo Higa.

El otro gran beneficiado fue el consorcio español OHL, uno de los principales participantes en el ambicioso proyecto Viaducto Bicentenario, al cual se canalizaron 6 600 millones de pesos para el encarpetamiento de 22 kilómetros de carretera entre el Toreo de Cuatro Caminos y Tepalcapa, en Cuautitlán Izcalli.

En su quinto informe de gobierno en el Estado de México, Peña Nieto mencionó que además del CEM y del Viaducto Bicentenario, se financiaron nueve autopistas con una inversión pública y privada de 39 mil millones de pesos, "de los cuales 142 kilómetros se encuentran ya en operación, 241 en construcción y 98 proyectados". Entre los beneficiarios también estaba el Grupo Higa, de la mano de ICA, el consorcio constructor de la autopista de cuota Remedios-Ecatepec, donde se invirtieron más de 5 mil millones de pesos.

Higa estuvo no sólo en muchas de estas grandes licitaciones, de la mano de Grupo Hermes (de la familia Hank Rhon), también participó en la construcción de varias obras de infraestructura hospitalaria, centros culturales, entre otras. El ejemplo más mencionado fue la concesión para edificar el Hospital de Alta Especialidad de Zumpango, por 7 mil millones de pesos. El costo tan elevado de este hospital provocó investigaciones de los propios partidos opositores. Se determinó que la obra costó 124% más que otras similares en El Bajío o Tamaulipas. Durante 25 años, el gobierno mexiquense deberá pagarle 281 millones 530 mil pesos anuales a Constructora Teya, de Hinojosa Cantú, por ese hospital.

A través de Higa, Grupo Hermes, OHL, ICA, Ideal (Grupo Carso) y Pinfra (David Peñaloza), el gobierno de Peña Nieto explotó al máximo el esquema de Proyectos de Prestación de Servicios (PPS), el cual acabó por desbordar el presupuesto público del Estado de México. Entre 2005 y 2011, el presupuesto registró 90% de crecimiento, al pasar de 77 908 millones de pesos a 148 343 millones de pesos; 70% del dinero provino de partidas federales. El manejo de esa enorme cantidad de recursos despertó sospechas por su manejo opaco sin la debida rendición de cuentas. Según distintos especialistas en las cuentas de Peña Nieto como gobernador, hay indicios de que hubo una malversación de fondos que fueron destinados a financiar su proyecto de ascenso presidencial.

José Guadalupe Luna Hernández, autor del libro *Información progra-mática y rendición de cuentas*, documentó que a partir del ejercicio fiscal de 2008 el gobierno de Peña Nieto "no dudó en malversar una importante can-tidad de los recursos adicionales de esta entidad",[27] que durante esos años ascendieron a 32 mil millones de pesos. El mandatario estatal y su secre-tario de Finanzas, Luis Videgaray, asignaron esos recursos "directa y uni-lateralmente, sin contar con la autorización de la Legislatura". Entre esos beneficiarios estuvo Juan Armando Hinojosa Cantú y su hijo Juan Armando Hinojosa García, quien mantuvo una relación de amistad muy estrecha con Peña Nieto.

Así se fue configurando un "grupo de poder" político-empresarial en torno a Peña Nieto que se benefició de los grandes contratos de obra pública, a cambio de apostarle parte de esos recursos al plan de llegar a Los Pinos. Se utilizó el mismo método que Hank González diseñó para crear su imperio, pero en este caso la apuesta por la Presidencia se transformó en la principal obra de infraestructura.

¿Qué incluyó esa "obra de infraestructura"? Inversiones en clientelas elec-torales, en la "compra del voto", en los mecanismos de triangulación finan-ciera para darle la vuelta a la legislación electoral y al tope de gastos de campaña (como en el caso Monex), en relaciones con otros gobernadores y funcionarios públicos, en donaciones "en especie" para asegurar la lealtad y los beneficios a partir del ascenso de Peña Nieto y su grupo del Estado de México.

La voracidad y la ausencia de contención en el reparto del botín presu-puestal y de las grandes licitaciones se agudizaron a partir de diciembre de 2012. La Casa Blanca fue apenas un indicio de algo que en Toluca se con-virtió en una práctica común entre contratistas y funcionarios públicos: la "donación" en especie, con el doble carácter de prestanombres y socios.

---

[27] "Los aspirantes", edición especial de *Proceso*, agosto de 2011.

De la bonanza a la tragedia

Un claro aviso de lo que podía suceder en las relaciones político-empresariales del grupo de poder peñista ocurrió la noche del 28 de julio de 2012. Ya habían pasado las elecciones presidenciales. Peña Nieto ganó con un margen mucho menor al proyectado e invertido frente a su contendiente más inmediato, Andrés Manuel López Obrador, mientras que el escándalo del financiamiento irregular de las tarjetas Monex era documentado por algunos medios periodísticos independientes, pero nada parecía frenar el optimismo de quienes vieron concretado el regreso del PRI al Ejecutivo.

Esa noche, el helicóptero Augusta 109, matrícula XA-UQH, donde viajaba el joven Juan Armando Hinojosa García, se estrelló en un paraje conocido como Las Antenas, entre los municipios de Jiquipilco y Villa del Carbón.

Hinojosa García había asistido antes a la hacienda Cantalagua para festejar el cumpleaños 46 de Enrique Peña Nieto, recién elegido presidente. La aeronave fue hallada a las siete de la mañana del domingo 29 de julio. Todos los tripulantes murieron. La torre de control del aeropuerto de Toluca informó que se había perdido toda comunicación con el helicóptero Augusta, una hora después de salir de la hacienda.

En esa fiesta estuvieron presentes, entre otros, la profesora Elba Esther Gordillo; el operador más importante de Peña Nieto, Luis Enrique Miranda Nava, futuro subsecretario de Gobernación; Luis Videgaray Caso, el coordinador general de la campaña; y Ernesto Némer, futuro subsecretario de Desarrollo Social.

Entre algunos de los temas tratados, según versiones de algunos testigos, estuvo la posibilidad de una alianza entre los diputados del Panal (el partido patrocinado por Gordillo), el PRI y el Partido Verde para lograr la mayoría de 251 legisladores en la Cámara de Diputados.

La hacienda Cantalagua es propiedad de Mayolo R. del Mazo Alcántara, primo del ex gobernador Alfredo del Mazo González, tío de Peña Nieto, y de Roberto Alcántara, magnate del transporte privado del Estado de México y cuyas relaciones y fortuna proceden de la época de Hank González.

Cantalagua se había convertido en uno de los sitios predilectos de descanso y encuentros privados de Peña Nieto. Tiene un campo de golf, deporte consentido del entonces flamante presidente. Ahí mismo se realizaron antes dos fiestas privadas del matrimonio Peña-Rivera.

El cuerpo de Hinojosa García llegó a la catedral de Toluca a las 13:30 del mismo domingo 29. El rostro de Peña Nieto, acompañado por Eruviel Ávila, mostraba una profunda consternación. El acto fue privado, no se permitió el acceso a los medios de comunicación. Sólo Eruviel Ávila emitió algunas declaraciones a la prensa, comprometiéndose a revisar y reestructurar las rutas aéreas de la entidad.

No sólo se murió un amigo, compadre y cómplice. También se trató de una advertencia. Peña Nieto iba a viajar en esa aeronave, según las versiones extraoficiales recabadas tras la celebración de su cumpleaños. La procuraduría estatal mexiquense cerró el caso afirmando que se trató de un "lamentable accidente".

Peña Nieto escribió en su cuenta de Twitter: "Con profundo dolor, nuestras más sentidas condolencias a la familia Hinojosa García por la sensible e irreparable pérdida de Juan Armando".

El helicóptero Augusta formaba parte de la empresa Eolo Plus, propiedad de los Hinojosa, que le dio servicio durante toda la campaña presidencial de 2012 a Peña Nieto. No sólo eso. Hinojosa García fue el responsable de la logística en varias giras del aspirante presidencial priísta. Días antes se le mencionó en la trama de triangulación de fondos del caso Monex, junto con el Grupo de Abogacía Profesional (GAP), de Gabino Fraga Mouret.[28]

Eolo Plus fue fundada por Hinojosa García el 24 de mayo de 2006 para la renta de aeronaves privadas, en sociedad con David Peñaloza, de Pinfra, y Grupo Hermes, de Carlos Hank Rhon. De acuerdo con su página de internet, Eolo "es una empresa de servicio FBO y taxi aéreo ubicada en la ciudad

[28] Jesusa Cervantes y José Gil Olmos, "Operación trasatlántica", *Proceso* núm. 1865, 28 de julio de 2012.

de Toluca… contamos con los más altos estándares de calidad para satisfacer las necesidades de aviación ejecutiva".

En el mismo portal, Eolo Plus hace referencia al origen de su nombre mítico: "Eolo, señor y Dios de los vientos, con poder de controlar las tempestades, para evitar desastres en el cielo, la tierra y las aguas. Eolo que empuña un centro como símbolo de autoridad está rodeado de turbulentos remolinos".

Tal parece que las tormentas y los desastres acompañan su historia. En 2011, en plena campaña electoral en Baja California, la PGR detuvo a Jorge Hank Rhon, el ex alcalde priísta de Tijuana, por presunta posesión ilegal de armas. Esa dependencia gubernamental filtró el vínculo entre los Hank e Hinojosa: la aeronave Gulfstreamm 300, rastreada por la Agencia Estadounidense Antidrogas (DEA), estuvo estacionada en el hangar 62, calle 7, del aeropuerto de Toluca, en la base de operaciones de la empresa Eolo.

El 27 de enero de 2011, uno de los helicópteros de la empresa sufrió un accidente al desplomarse en el aeropuerto de la Ciudad de México. La aeronave con matrícula XA-KLA quedó sin combustible. Los tripulantes salieron ilesos en esa ocasión.

En la campaña presidencial del 2012, el uso de las aeronaves de Hinojosa García le dio un millonario servicio a Peña Nieto. El periódico *Reforma* publicó el 17 de abril de ese año que tan sólo la renta de las aeronaves, tras 54 horas de vuelo privado, ascendía a 3 millones 510 mil pesos. Otros indicios señalan que Eolo le dio servicio también a Peña Nieto para viajar a eventos privados. La renta comercial de cada aeronave, por hora, es de 3 800 dólares, según la cotización pública.

Hinojosa García, de apenas 30 años, se casó en noviembre de 2007 con Rosa Herrera Borunda, hija del entonces gobernador de Veracruz, Fidel Herrera, quien también fue cliente frecuente de los servicios de Eolo. La pareja se divorció dos años después. Ellos también habitaron un impresionante departamento en Las Lomas, según documentó el reportero Alberto Tavira en la revista *Quién*.

El periódico digital *Alfa Diario*, del Estado de México, recordó la vinculación trágica entre los gobiernos de Peña Nieto y los del veracruzano Fidel Herrera, ex suegro de Hinojosa García:

Con este hecho parece que entre el estado de Veracruz y el Estado de México hay una conexión trágica. Fue justamente en esta entidad donde fueron asesinados cuatro policías de la entonces Agencia de Seguridad Estatal (ASE) quienes custodiaban a los hijos, suegros y cuñada de Peña Nieto, en mayo de 2007. Además, el ahora virtual presidente de México perdió las elecciones presidenciales a nivel estatal (en Veracruz), y finalmente el ex yerno de Fidel Herrera pierde la vida en forma fatal.

Dos meses después de la tragedia, en vísperas de la llegada de Peña Nieto a la presidencia, de manera simultánea Grupo Higa, de Hinojosa Cantú, se convirtió en el grupo hipotecario al que Angélica Rivera y Luis Videgaray adquirieron sendas mansiones en Las Lomas, del Distrito Federal, y en Malinalco, Estado de México.

La tragedia por la pérdida de su hijo se transformó en una inédita bonanza para Hinojosa Cantú, que fue retribuido con extraordinaria generosidad por el gobierno federal al asignarle los contratos más importantes.

Tan sólo en los primeros dos años de la administración peñista, se calcula que a las distintas filiales de Grupo Higa le han dado contratos superiores a 49 765 millones de pesos. Éstas son algunas de las grandes obras para Hinojosa Cantú:

1. Grupo Teya le dio la adjudicación directa para rehabilitar el hangar presidencial y adaptarlo a los requerimientos del nuevo avión presidencial (Boeing 787 Dreamliner, comprado desde la administración de Felipe Calderón) por 945 millones de pesos. La adjudicación directa se justificó señalando que esta empresa tenía experiencia tanto en construcción como en mantenimiento de hangares.

2. En conjunto con otras empresas, Concretos y Obra Civil del Pacífico, filial de Grupo Higa, ganó la licitación del acueducto Monterrey VI,

CORRUPCIÓN: LA CAJA DE ATLACOMULCO

una obra que costará 47 mil millones de pesos durante 27 años. La faraónica obra consiste en construir un acueducto de 372 kilómetros y 2.13 metros de diámetro desde San Luis Potosí, pasando por Veracruz, Tamaulipas hasta Linares, Nuevo León, para extraer agua del río Pánuco. Organizaciones civiles como Rescatemos Nuevo León, Reforestación Extrema y Unión Nuevoleonesa de Padres de Familia se han opuesto a esta obra, argumentando los daños ambientales, el despilfarro y el hecho de que se cuenta con capacidad instalada para proveer agua en cantidad y calidad suficiente a la demanda esperada hasta el año 2030.

3. También por medio de Concretos y Obra Civil del Pacífico, Hinojosa Cantú participa junto con Grupo Hermes, de Hank Rhon, en la construcción del Museo Barroco de Puebla. Asimismo participó en la construcción del Centro Cultural Mexiquense Bicentenario del Estado de México por un monto de 3 500 millones de pesos.

4. Grupo Teya obtuvo en febrero de 2013 el contrato para la ampliación de dos a cuatro carriles en 400 kilómetros de la carretera Guadalajara-Colima. El contrato se asignó por conducto de Banobras por un monto de 417 millones de pesos.

5. La Comisión Nacional del Agua le otorgó otro contrato a Constructora Teya por 2 556 millones de pesos para la construcción del túnel Churubusco-Xochiaca en los límites del Distrito Federal y el Estado de México.

6. Autopistas de Vanguardia, filial de Grupo Higa, consiguió en julio de 2013 la construcción de la autopista Toluca-Naucalpan, por 2 200 millones de pesos con financiamiento de Banobras.

7. Publicidad y Artículos Creativos S.A. (PACSA), filial también de Grupo Higa, dedicada a la comunicación visual e impresión digital, ha sido beneficiaria de varios contratos para publicidad política.

En otras palabras, todo parecía ir viento en popa para las relaciones de Hinojosa Cantú con el gobierno de Peña Nieto hasta que la licitación del tren México-Querétaro se descarriló y el escándalo de la Casa Blanca apareció como una tormenta, que ni el dios Eolo pudo frenar. Los vientos furiosos de quienes se sienten desplazados por los nuevos contratos del peñismo llegaron hasta Ixtapan de la Sal, Malinalco y los grandes contratos carreteros.

Censura a Aristegui, las secuelas de la Casa Blanca

"Nos van a romper la madre", le dijo Joaquín Vargas, presidente de Grupo MVS, a Carmen Aristegui, días antes de que la periodista estelar de su primera emisión informativa diera a conocer el reportaje de "La Casa Blanca de EPN".

Acompañado de sus hermanos Ernesto y Alejandro Vargas Guajardo, responsables de las distintas áreas del Grupo MVS, Joaquín Vargas le hizo esta advertencia a Aristegui para pedirle que no difundiera su investigación sobre la mansión de Sierra Gorda. Ni ella ni nadie de su equipo de investigación le había informado a los Vargas sobre este reportaje. Se enteraron porque a través de las solicitudes de acceso a la información, la Presidencia de la República había sido notificada de las indagaciones del equipo.

Según relató Aristegui a la revista *Proceso,* "hubo una petición para que ese trabajo no se difundiera en MVS. Hubo una situación muy tensa y compleja entre nosotros. No en un tono impositivo o imperativo, sino de 'búsqueda de comprensión' de mi parte. Se colocó, efectivamente, el dilema de que si se transmitía esa información en Noticias MVS se daba por sentado que el programa desaparecía".[29]

Ese mensaje entre líneas se cumplió el 15 de marzo de 2015, cuatro meses después de que el escándalo de la Casa Blanca se diera a conocer a través del portal informativo de Aristegui Noticias, en sincronía con otros medios impresos nacionales e internacionales. La orden de "romperles la madre" se dirigió hacia la propia conductora y su equipo periodístico que llegó a MVS en 2009, con el compromiso de hacer un noticiario crítico, plural, con autonomía y libertad editorial, tal como quedó establecido en el contrato que

---

[29] Jenaro Villamil, "Aristegui: la censura y el despido, por presión de Los Pinos", *Proceso* núm. 2003, 21 de marzo de 2015.

Aristegui firmó con los Vargas. En 2011, tras otro episodio de censura que obligó a Aristegui a salir del aire y luego retornar en medio de protestas sociales, los Vargas aceptaron que en ese mismo contrato se estableciera un Código de Ética y que se nombrara a un "defensor de la audiencia" u ombudsman, una figura de autorregulación para evitar excesos de cualquiera de las dos partes.

Todos esos acuerdos y reglas establecidos entre Aristegui y los Vargas saltaron en mil pedazos en el episodio más sombrío de censura que se produjo en la segunda semana de marzo de 2015. El ataque contra Aristegui inició por un asunto en apariencia menor. El 10 de marzo, el equipo de la periodista se sumó a la presentación de una nueva plataforma digital de información conocida como Mexicoleaks. A esta iniciativa se sumaron *Proceso, emeequis,* varios portales informativos y redes sociales. Nada extraordinario en una de las muchas propuestas conjuntas para acceder a fuentes de información confidenciales dentro del periodismo de investigación.

Al día siguiente, el 11 de marzo, Grupo MVS publicó desplegados en páginas enteras de periódicos y transmitió spots en sus propios espacios informativos para desacreditar su participación en Mexicoleaks. En su comunicado, la empresa consideró que hubo "abuso de confianza" en el "uso de la marca MVS" y calificó "no sólo como un agravio y una ofensa sino como un engaño a la sociedad".

El mensaje era sorpresivo, incluso para la propia Aristegui. Nunca fue avisada por los Vargas antes de difundirse los spots en su propia emisión informativa. Apenas una semana antes, su noticiario fue uno de los más importantes medios para difundir las críticas al nombramiento de Eduardo Medina Mora como ministro de la Suprema Corte de Justicia. La elección como ministro del ex procurador general calderonista, amigo personal de Peña Nieto desde 2006 y hombre vinculado a los poderes fácticos nacionales (Televisa) y trasnacionales (Carlyle y la familia Bush), se complicó precisamente por la cobertura incisiva de Aristegui quien entrevistó a los principales críticos del ex embajador mexicano en Washington.

El jueves 12 de marzo, MVS corrigió su posición original: "La plataforma Mexicoleaks no es el problema". El conflicto obedece a que es "inaceptable" que "algunos de nuestros colaboradores comprometan y dispongan de recursos y marcas de la empresa para realizar alianzas, sin conocimiento y la autorización de la administración". El comunicado no mencionó a Aristegui por su nombre, tampoco a sus colaboradores, pero la alusión era evidente.

El mismo día, en la tarde, MVS decidió informar del despido de Daniel Lizárraga e Irving Huerta, dos de los tres reporteros que integraban el equipo de investigaciones especiales de Aristegui y que fueron los que siguieron las pistas de la propiedad de la Casa Blanca. A través de su colaboración en *El Universal*, el columnista Salvador García Soto quiso desacreditar antes esta investigación señalando que todo era resultado de una "filtración" del ex jefe de Gobierno capitalino, Marcelo Ebrard. La venganza contra Ebrard, supuesto "filtrador" del caso, se concretó en febrero de 2015 cuando fue señalado en la Cámara de Diputados como el principal responsable de las fallas en la Línea 12 del Metro.

MVS había corrido a los dos principales reporteros del caso de la Casa Blanca y colaboradores de Aristegui. El pretexto fue Mexicoleaks, pero el contexto era más claro: Eduardo Sánchez, ex abogado general de MVS y añejo adversario de Aristegui, había asumido la doble función de vocero presidencial y director de Comunicación Social del gobierno federal. Su malquerencia hacia Aristegui era admitida por propios y extraños, desde que en 2011 el nuevo vocero de Peña Nieto le propuso a los Vargas que no recontrataran a la periodista.

El viernes 13 de marzo, Aristegui respondió con extrañeza a la hostilidad de Grupo MVS y pidió la restitución de Daniel Lizárraga e Irving Huerta y advirtió en su emisión al aire: "No es tiempo de sometimientos, no es tiempo de aceptar regresiones… No tenemos derecho a aceptar lo que parece ser ya no un aroma sino un vendaval autoritario en el mapa nacional". Aristegui sospechaba que el conflicto tenía como objetivo su propia salida del aire.

La periodista no había tenido ningún encuentro ni comunicación con Joaquín Vargas desde aquella petición de no publicar el reportaje de la Casa Blanca, a principios de noviembre de 2014. Alejandro Vargas, director de MVS Radio, nunca le comunicó la molestia por el asunto de Mexicoleaks y se habían visto días antes. El ombudsman de MVS, Gabriel Sosa Plata, sugirió que antes de escalar el conflicto era necesario que ambas partes dialogaran y consideró que la serie de spots de la estación constituía un "mecanismo de presión inédito de una empresa hacia algunos de sus propios periodistas y conductores".

El mismo viernes 13, MVS decidió escalar el conflicto. Negó la restitución de los reporteros y dio a conocer unos nuevos "lineamientos editoriales" que implicaban el sometimiento de los conductores de sus espacios informativos a los intereses de la empresa. Punto por punto, esos "lineamientos" tenían una clara dedicatoria: acotar la autonomía editorial que Aristegui había logrado a través de su contrato con la empresa.

El domingo 15 de marzo MVS decidió romper con Aristegui. Emitió un comunicado donde informó que "ha dado por terminada la relación de trabajo con la periodista" y le desearon "buena suerte en su desarrollo profesional futuro". Le dieron un cerrojazo inexplicable. En las redes sociales, el *hashtag* #EnDefensaDeAristegui se convirtió en *trending topic*. El lunes 16, en pleno puente vacacional, más de 2 mil personas protestaron frente a las instalaciones de MVS y le entregaron más de 170 mil firmas para pedir la reinstalación de Aristegui. La empresa no modificó un milímetro su posición. Al contrario, decidió responder con mayor virulencia a los llamados de "diálogo" y de "restablecer el espacio". Los Vargas habían transitado de concesionarios tolerantes a empresarios que encabezaron una feroz campaña de odio contra su ex conductora estelar. Todo, en menos de 10 días. Una auténtica "guerra relámpago" de censura.

Ante el golpe, la Secretaría de Gobernación decidió lavarse públicamente las manos con un extraño comunicado el martes 17 de marzo. La dependencia consideró que se trataba de un "conflicto entre particulares", pero al mismo tiempo manifestó su deseo de que se resolviera "para que la empresa de comunicación y la periodista sigan aportando contenidos de valor a la sociedad mexicana".

"El gobierno de la República ha respetado y valorado permanentemente el ejercicio crítico y profesional del periodismo, y seguirá haciéndolo con la convicción de que la pluralidad de opiniones es indispensable para el fortalecimiento de la vida democrática del país",[30] sentenció Gobernación.

No pidió la reinstalación de Aristegui. Mucho menos expresó su preocupación por la evidente violación a los derechos de audiencias que ya se habían incorporado a nivel constitucional en el artículo 6. Más bien, el comunicado pretendió, sin lograrlo, que el episodio fuera visto por la prensa extranjera como un ejemplo de censura indirecta.

Aristegui emitió un mensaje en su sitio *on line* el jueves 19 de marzo planteando una serie de preguntas que sugerían un tipo de intervención gubernamental por el reportaje de la Casa Blanca. "Alguien haciendo algún tipo de venganza o de revancha" alentó la diferencia, afirmó.

MVS respondió ese mismo día con un virulento cerrojazo. El comunicado leído por Felipe Chao, vicepresidente de Relaciones Institucionales del grupo, calificó de "falso" que el despido de Aristegui fuera "fraguado con mucha anticipación". En su argumentación, la empresa afirmó que en diciembre de 2014, después de difundido el reportaje de la Casa Blanca, Aristegui renovó su contrato con la empresa. Chao presumió que el "verdadero autor del reportaje de la Casa Blanca, Rafael Cabrera, sigue y seguirá trabajando en MVS Radio".

Esta referencia provocó un gazapo para MVS. Cabrera negó en su cuenta de Twitter que siguiera trabajando para la empresa. "Es mentira. Tengo las fotos de los documentos que prueban mi liquidación".

MVS negó sistemáticamente que hubiera censurado la información. No explicó en su comunicado por qué el reportaje original no se difundió en Noticias MVS, ni en su portal ni en sus redes informativas. De hecho, ex trabajadoras del área digital de la empresa confirmaron que hubo una "orden expresa" para no subir nada de la Casa Blanca en las redes sociales de MVS y menos publicar la foto de la mansión. Sólo aceptaron abordar el asunto cuando el escándalo estaba en todos los medios y el vocero de Peña Nieto,

---

[30] Boletín de Prensa núm. 193, 17 de marzo de 2015.

Eduardo Sánchez, acreditó el asunto señalando que la propietaria era la primera dama Angélica Rivera y no el primer mandatario.

En vísperas del proceso electoral federal del 2015, el episodio de posible "censura indirecta" del gobierno de Peña Nieto contra la periodista con mayor credibilidad en la radio comercial abrió las compuertas para otra crisis internacional. Para el relator de la libertad de expresión de la Comisión Interamericana de Derechos Humanos, Edison Lanza, este episodio es "de alto interés público" y el gobierno federal debió pedir la restitución de la conductora. De lo contrario, hay elementos para pensar que el "gobierno utilizó mecanismos sutiles o de forma oculta para presionar a la empresa".[31]

En estas condiciones, la revista británica *The Economist* volvió a colocar el tema como un déficit del gobierno de Peña Nieto:

Crece la sospecha de que el gobierno –que lucha contra un decrecimiento de su popularidad menos de tres meses antes de las eleciones intermedias- puso presión sobre MVS Radio. El despido de Aristegui vino pocas semanas después de que el presidente Peña nombró a Eduardo Sánchez, ex abogado de la compañía, para encabezar la coordinación de comunicación social de la Presidencia. MVS negó enfáticamente cualquier relación con el asunto.

[31] Entrevista personal, 23 de marzo de 2015.

Índice onomástico

ÍNDICE ONOMÁSTICO

Julio César, emperador romano, 45, 48

Karam, Ricardo Gabriel, 208
Kissinger, Henry, 171
Krauze, León, 225, 226

La France vue de l'armée d'Italie
    (publicación), 46
Lafayette, marqués de, 45
Lajous, Adrián, 80
Lanza, Edison, 269
Larrea Mota-Velasco, Germán, 66-68
Le Courrier de l'armée d'Italie
    (publicación), 45
Le Figaro (publicación), 50
Lerdo de Tejada, Sebastián, 40, 42
Lizárraga, Daniel, 266
López, Mayolo, 237n
López, Pedro David, 185
López-Dóriga, Joaquín, 67, 68, 182
López Benítez, Gabriel, 180
López Guerra, Francisco, 61
López Mateos, Adolfo, 119, 246, 250, 251
López Obrador, Andrés Manuel, 27, 29,
    33, 86, 131, 133, 181, 211, 259
López Portillo, José, 34, 71, 72, 120, 213
Lozano Alarcón, Javier, 52, 155-159, 161-
    164, 168
Lozoya Austin, Emilio, 73, 74, 78, 80, 81
Lugar, Richard, 73, 77, 86, 99
Lugo Ortiz, Víctor Manuel, 183
Luhnow, David, 241, 241n
Luis Miguel, 32
Luna Hernández, José Guadalupe, 258

Maccise, familia, 168
Madero, Gustavo, 28, 29, 156, 164
Madrazo, Roberto, 34, 254
Madrid, Miguel de la, 157
Maerker, Denise, 225, 226
Mancera Arrigunaga, Luis, 160

Mancera, Miguel Ángel, 63, 209, 219
Manrique Huerta, Juan Francisco, 208
Manzur Ocaña, José, 178
Maquiavelo, Nicolás, 44, 121
Marie Claire (publicación), 233
Martínez, Carla, 142n
Martínez, David, 154
Martínez, Fabiola, 210n
Masséna, André, 45'
Mauleón, Héctor de, 185, 185n
Maxwell Ilabaca, Laurence, 217
Maya, Arcelia, 197n
Mazo Alcántara, Mayolo R. del, 259
Mazo González, Alfredo del, 32, 61, 246,
    251, 259
Mazo Vélez, Alfredo del, 250, 254
Mazón, Lázaro, 181, 211
Meade, José Antonio, 171
Medina-Mora, Eduardo, 265
Meneses, María Elena, 141
Meraz, Norma, 254n
Messmacher, Miguel, 88
México, la gran esperanza (Peña Nieto),
    228, 228n
México, un paso difícil a la modernidad
    (Salinas), 243
Meyer, Lorenzo, 121, 244, 244n
Miguel Afif, Alfredo, 236
Miguel Bejos, José, 60, 236
Milenio Diario (publicación), 67n, 167
Miranda, Alan, 245n
Miranda Nava, Luis Enrique, 246, 259
Mireles, Juan Manuel, 65, 176
Mojica Morga, Beatriz, 196
Molinar Horcasitas, Juan, 29, 144, 156
Mondragón, Javier, 160
Mondragón, Julio César, *el Chilango*, 183
Monreal, Ricardo, 74
Montes, Juan, 245, 245n
Montiel, Arturo, 12, 32, 34, 62, 63, 228,
    236, 246, 247, 254-256
Montiel Sánchez, Blanca, 183

La caída del telepresidente. de Jenaro Villamil
se termino de imprimir en septiembre 2015
en los talleres de
Drokerz Impresiones de México, S.A. de C.V.
Venado Nº 104, Col. Los Olivos, C.P. 13210,
México, D.F.